SCHADUW VAN COLOSSUS

T.L. HIGLEY

SCHADUW VAN
COLOSSUS

DEN HERTOG – HOUTEN

© 2008 by Higley Enterprises, Inc.
Oorspronkelijke titel: *Shadow of Colossus* (B&H Publishing Group, Nashville, Tennessee, U.S.A., 2008)

© 2009 Den Hertog B.V., Houten (Nederlandse editie)
vertaling: Rick de Gier
ISBN 978 90 331 2176 0
NUR 342

Omslag: B&H / Bas Mazur

Verklarende woordenlijst

agora	–	marktplaats
amfora	–	kruik met twee oren en een lange nek
andron	–	ruimte in huis die alleen is bestemd voor mannen, meestal gebruikt voor het ontvangen en vermaken van gasten
bouleuterion	–	bouwwerk in de stijl van een amfitheater, waar de *Boulè* samenkomt, een raad van volksvertegenwoordigers die beslist over publieke zaken
cella	–	kamer midden in de Griekse tempel, waarin meestal een beeld staat van de god die in de bewuste tempel wordt vereerd
chiton	–	kledingstuk van rechte lappen stof die losjes om het lichaam worden gedrapeerd, meestal omgord met een riem onder de borst of om het middel
emmeleia	–	plechtige dans die een tragedie uitbeeldt
epistates	–	politiechef; voorzitter van de raadsvergadering
hetaere	–	courtisane of professionele gezelschapsdame; vaak goed opgeleid, soms invloedrijk, en de enige vrouw die actief mag deelnemen aan de symposia van de mannen
himation	–	mantel; lijkt op de chiton, maar dan van zwaardere stof, voor buiten
parados	–	galerij vooraan het toneel van een theater, van waaruit het Griekse koor opkomt
proaulia	–	dag voor een bruiloft; ritueel waarbij de aanstaande bruid offers brengt ter voorbereiding op het huwelijk
skene	–	gebouw in een theater waar kostuums worden opgeborgen en waaraan de geschilderde decors zijn bevestigd
stoa	–	overdekte zuilenhal, meestal voor openbaar gebruik
strategos	–	(meervoud: strategoi) legeraanvoerder; een van tien mannen die is verkozen om politieke zaken op het eiland te besturen
strigil	–	klein, gebogen instrument van metaal om vuil en zweet van het lichaam te schrapen
taverna	–	etablissement waar wijn, azijn en lekkernijen worden opgediend

Deel I

'De mooiste van alle votiefgeschenken en standbeelden in de
stad Rhodos is de Colossus van Helios. Die ligt nu op de grond,
omvergeworpen door een aardbeving, afgebroken bij de knieën.'
— Strabo, *Geographika*, 23 n.C.

'Zelfs in stukken op de grond is het beeld een wonder. Weinigen
kunnen hun armen om zijn duimen heen krijgen, en zijn vingers
zijn groter dan de meeste standbeelden.'
— Plinius de Oudere, *Naturalis Historia*, 77 n.C.

Rhodos, 227 v.C.

Zeven dagen voor de grote aardbeving

In de bedrieglijk rustige dagen voor de ramp, terwijl Rhodos nog als een wit juweel in de Egeïsche Zee glinsterde, was Tessa van Delos van plan haar polsen door te snijden.

Het was hoog tijd dat haar lichaam zou sterven. Haar ziel was al tien jaar eerder doodgegaan.

Tien jaar geleden, op de dag af.

Tessa ademde de zilte zeelucht in en huiverde. Vanaf de heuvel waar ze stond, voor het huis van Glaucus, keek ze toe hoe overal in de stad de fakkels van het gewone volk flikkerden in de schemering. De drukte in de haven aan de andere kant van de stad nam af. Het enorme beeld van Helios aan de schuimende havenmond ving de laatste stralen op van de zon, die langzaam de kobaltblauwe zee ingleed. De fakkel die hij hoog de lucht in hield, vatte vlam alsof de zonnegod hem zelf had aangestoken.

Hij was de afgelopen tien jaar de enige constante factor in haar leven geweest, deze reusachtige stille wachter, die waakzaam was gebleven terwijl alle hoop en vrijheid haar waren ontnomen. Vanavond wilde ze alleen zijn met haar herinneringen, hoe pijnlijk die ook waren. Ze wilde alleen zijn om te rouwen.

'Tessa!' Er klonk een luide, aangeschoten stem vanuit de open deur achter haar.

Het symposium was nog maar een paar minuten aan de gang, maar

Glaucus had duidelijk al veel gedronken. Onbehoorlijk, vond Tessa, in wat voor gezelschap dan ook. Maar dat interesseerde Glaucus niet. Tessa ademde de zeelucht nog eens diep in en zocht met haar hand steun tegen de gladde zuil die het dak ondersteunde. Ze zweeg en draaide zich niet om toen ze haar zwaarlijvige meester de porticus op hoorde schuifelen.

'Kom mee naar binnen!' Glaucus zette zijn bevel kracht bij met een luide boer.

'Zo meteen,' zei ze. 'Ik wil het vertrek van de zonnegod nog even bekijken.'

Een bediende sloop stilletjes voorbij om twee fakkels aan te steken. Er steeg even een vettige geur op van de olie. Vanuit het huis klonk hard gelach en het schelle geluid van een fluit.

Glaucus drukte zijn buik tegen haar rug en pakte haar bij de arm. Haar zorgvuldig gedrapeerde linnen *chiton* viel opzij en ontblootte haar schouder. Toen ze die wilde terugschuiven, pakte Glaucus haar hand beet. Hij bracht zijn mond dicht bij haar oor. Zijn adem rook naar rotte vis.

'De anderen vragen naar je. "Waar is je *hetaere?*" zeggen ze. "Die dame, die nog meer adviezen heeft dan Carthago schepen heeft."'

Tessa sloot haar ogen. Ze had de politieke vrienden van Glaucus lang vermaakt met haar uitgesproken ideeën over regering en macht. Terwijl zijn vrouw zich verborgen hield in het vrouwenverblijf, werd Glaucus' hetaere tentoongesteld als een prijzig huisdier met scherpe tanden. Ooit had Tessa geloofd dat ze een benijdenswaardig bestaan leidde, maar de jaren hadden haar van die illusie beroofd.

Ze liet haar vinger langs het gepoetste filigrein aan haar gouden halsketting glijden, dat Glaucus daar ooit zelf aan had bevestigd.

'Nú, Tessa.' Glaucus trok haar mee naar de deur.

Ze keek nog eenmaal naar het standbeeld en verlangde terug naar het moment waarop ze dat voor het eerst had gezien, toen Delos er nog was geweest en ze haar onschuld nog bezat.

Als ik mijn polsen doorsnijd, zal ik het daar doen.

Het *andron*, de centrale kamer van het mannenverblijf, rook naar geroosterd vlees en brandende olijfolie. Glaucus stond even stil in de deuropening, tot hij de aandacht had van degenen die hij belangrijk genoeg had geacht om vanavond uit te nodigen. De gasten, die ontspannen op lage banken langs de muren lagen, keken zijn richting op, waarop hij Tessa vooruitduwde naar het verlichte middelpunt van de kamer. 'Hier is Tessa,' riep hij. 'Wat een binnenkomst, hè?'

De gasten lachten en klapten en richtten zich toen weer op het eten en de wijn op de lage tafels naast zich. In de hoek speelde een jong meisje in een doorschijnend gewaad op een kleine fluit. Tessa keek haar even in de ogen. Ze deelden een korte blik van herkenning, beseffend dat ze allebei als vermaakobject dienden, tot het meisje beschaamd haar gezicht afwendde. Tessa voelde een verlangen in zich opwellen om haar te beschermen, een moederlijk instinct dat ze de laatste tijd steeds vaker voelde.

Glaucus begeleidde haar naar een bank en dwong haar te gaan zitten op de rode kussens met een gouden randje. Hij kwam rechts naast haar zitten en leunde bezitterig tegen haar aan. Vanuit een zwarte kom op hun tafeltje schonk Glaucus wijn voor haar in een bokaal. Tegen de aanwezigen riep hij: 'Op Tessa – altijd het middelpunt van de aandacht!' Hij hief zijn eigen beker, waarop de gasten zijn voorbeeld volgden.

Tessa keek even om zich heen en nam haar omgeving op – de mannen en enkele vrouwen die tegen hen aanleunden, de opgeheven bekers, de dronken, geveinsde glimlachen, de tafels vol druiven, vijgen en amandelen, het meisje met de fluit.

Zal ik me deze avond blijven herinneren, zelfs in het hiernamaals?

'Op Tessa!' werd er geschreeuwd. De bekers werden leeggedronken en weer op tafel neergezet, waarna het feest werd voortgezet. Glaucus strekte zijn arm naar haar uit, maar ze schudde hem van zich af.

Hij lachte. 'Mijn Tessa is vanavond nogal temperamentvol,' zei hij tegen de anderen. 'Wat moet ik beginnen met zo'n ondeugende hetaere?' Zijn theatrale glimlach en opgetrokken wenkbrauwen zorgden opnieuw voor gelach in de zaal. Hij knikte en richtte zich toen tot de man die aan de andere kant naast hem zat, met wie hij blijkbaar al eerder in gesprek was geraakt.

'Ik zal de bezwaren die je hebt geuit tegen de naturalisatie van de Joden in gedachten houden, Spiro. Maar het kan erg voordelig zijn om het burgerschap aan te bieden aan de vreemdelingen in ons midden.'

Tessa kon Spiro niet zien, omdat Glaucus er met zijn massieve gestalte voor zat, maar zijn stem voelde aan als warme olie in haar oren. Onder die gladde stem merkte ze echter een boze ondertoon op. Spiro was een van de weinige *strategoi* die Glaucus in het openbaar durfde tegen te spreken.

'Vreemdelingen die onze ideeën delen misschien,' zei Spiro. 'Maar de Joden maken er geen geheim van dat ze onze Griekse gewoonten verafschuwen. Ze kijken zelfs neer op onze meest glorieuze prestatie, de Helios aan de haven. We moeten hen uit ons midden verwijderen, in plaats van ze lafhartig uit te nodigen om…'

Glaucus stak een dikke hand op. 'Je spreekt met een autoriteit die je niet bezit, Spiro.'

'Dat is slechts een kwestie van tijd, Glaucus.'

Glaucus snoof. 'Daar zou ik maar niet zo zeker van zijn. De bewoners van dit eiland zijn te slim om te zwichten voor verleidelijke charmes boven sterk leiderschap.'

Spiro lachte zachtjes. 'Verleidelijke charmes, Glaucus? Die zijn je dus opgevallen?'

Glaucus schudde zijn hoofd. 'Misschien voelen de vrouwen zich erdoor aangesproken, maar het zijn de *mannen* die stemmen.'

Tessa merkte dat Spiro voorover leunde en zijn blik op haar richtte. 'En we weten allebei waar de mannen hun meningen vandaan halen.'

Glaucus snoof nogmaals en zwaaide met zijn benen in een poging te gaan staan. Het duurde even voor hij zijn zware lijf van de kussens had getild. 'Word maar dronken, Spiro. Geniet nog een avond van je fantasieën. Maar volgende week zeil ik naar Kreta, en ik verwacht dat iedereen zich volledig achter mij zal scharen.' Hij tikte Tessa aan met zijn sandaal. 'Hier blijven. Ik ben zo terug.'

Tessa keek toe hoe hij de kamer verliet, opgelucht dat hij even weg zou zijn. Ze werd geacht hem volgende week te vergezellen naar Kreta, maar ze was niet van plan ooit een voet te zetten op het schip.

De nu zichtbare Spiro kwam naast haar zitten. Hij liet zijn elleboog leunen op het kussen waar Glaucus net op had gezeten. Hij was ouder dan zij, dertig misschien, gladgeschoren zoals de anderen, maar met langer haar. Zijn pikzwarte vlechten vielen tot op zijn schouders. Zijn ogen, zo donker als de nachtelijke zee, bestudeerden haar. Hij glimlachte flauwtjes. 'Wat doe je nog bij die zeurkous, Tessa? Je kunt iets veel beters krijgen.'

'De ene slavendrijver is inwisselbaar met de andere. De enige mogelijke verbetering voor mij is vrijheid.' Ze was officieel geen slaaf van Glaucus, dat wist Spiro ook, maar wat haar betrof was er weinig verschil.

Spiro glimlachte nu breed en hij nam haar langzaam en ongegeneerd op, van haar ogen tot aan haar middel. Tessa voelde zich allang niet meer beledigd om zulk gedrag.

'Dat waardeer ik wel aan jou, Tessa. Je komt maar zelden een hetaere tegen die het over vrijheid heeft. De meesten nemen genoegen met hun status. Je bent een vrouw als geen andere in Rhodos.'

'Waarom zou ik niet vrij kunnen zijn?'

Spiro gniffelde zachtjes en kwam iets dichterbij. 'Waarom niet, inderdaad? Vraag dat maar aan de goden, die sommige vrouwen als echtgenoten bestemmen en andere als slaven.' Spiro legde zijn hand op haar dij. 'Als jij van mij was, Tessa, zou ik je behandelen als een gelijke, zoals je verdient. Glaucus doet alsof hij je bezit, maar we weten allemaal dat hij je veel betaalt voor je gunsten. Misschien ben jíj het wel die hém bezit.'

Spiro drukte zijn vingers zachtjes in haar been en hij nam haar gezicht en lichaam nog eens op. Tessa voelde geen plezier en geen walging – haar hart was niet meer tot zulke gevoelens in staat. Ze voelde alleen een lichte angst in zich opkomen. Ze wist dat Spiro leek op de machtige Mederse paarden – zijn brute kracht werd in toom gehouden, maar was in staat tot het vertrappen van alles wat hem in de weg stond.

Er viel een schaduw op hen, maar Spiro trok zijn hand niet weg. Hij haalde alleen een wenkbrauw op naar Glaucus en glimlachte. Tessa verwachtte dat Glaucus woedend zou worden, maar hij lachte.

'Eerst doe je alsof je het eiland bestuurt, Spiro; wilde je nu ook Tessa nog van mij stelen, alsof ze zelf zou kunnen bepalen aan wie ze toebehoort?'

Spiro haalde zijn schouders op en ging weer op zijn eerdere plek zitten. Glaucus plofte neer op het kussen tussen hen in. 'Ze zal nooit van jou zijn, Spiro. Zelfs na mijn dood zal ze worden doorgegeven aan de volgende man die voor haar heeft betaald.' Hij wees met een vinger naar Tessa. 'Ze is het wachten wel waard, dat kan ik je vertellen.' Hij begon opnieuw hard te lachen.

Toen brak er iets in Tessa. Misschien kwam het door haar voornemen van eerder die avond en de wetenschap dat niets wat ze deed nog consequenties zou hebben. Of misschien kwam het door het feit dat ze nu al tien jaar gevangen werd gehouden, en kon ze het doorlopende misbruik niet langer aan. Waar de woede ook vandaan kwam, ze voelde plotseling de aandrang te gaan staan. Het werd helemaal stil in de kamer, alsof er een godin was opgestaan. Ze sprak met verheven stem.

'Mogen de goden jou behandelen zoals jij mij hebt mishandeld, Glaucus van Rhodos. Ik wil niets meer met je te maken hebben.'

Glaucus greep haar arm beet. 'Je hebt vanavond duidelijk geen zin om feest te vieren, lieveling. Ik begrijp het. Ik zal je zo meteen op het binnenplein ontmoeten.'

Ze wisten beiden dat hij zijn best deed om zijn figuur te redden. Tessa wrong zich los uit zijn greep. Ze huiverde even toen ze opzij keek en Spiro's blik ontmoette. Met opgeheven kin trad ze de zaal uit.

In het portaal buiten het andron keek ze beide kanten op. Ze wilde hier niet blijven, maar de wereld buiten het huis zou niet aangenamer of veiliger voor haar zijn. Ze draaide zich om van de voordeur en liep verder het huis in.

Het portaal liep uit op een binnenplein waar aan alle kanten kamers op uitkwamen. In de lengte van het plein, tegen de achterste muur, liep een overdekte wandelgang met terracotta dakpannen. Midden op het plein stond een vierkante vijver met een grote vogelkooi ernaast. De Aziatische spreeuw die er als enige in woonde, riep haar groetend toe.

Glaucus had gezegd dat hij haar hier zou ontmoeten, maar aan het feestgedruis achter zich te horen zou ze hier zeker nog wel een paar minuten veilig zijn. Ze liep naar de vogel toe die ze Myna had genoemd. Tessa stak een vinger tussen de tralies en liet Myna er zachtjes in pikken.

Ze had een bonzend gevoel in haar hoofd, zoals altijd wanneer ze haar haar zo strak naar achteren droeg. Met een hand boven haar hoofd trok ze aan de speld die haar donkere lokken samenhield. Opgelucht haalde ze een hand door de krullen.

Ze schrok op van het geluid van iemand die diep inademde en draaide zich om. 'Wie is daar?'

'Het spijt me, meesteres,' klonk een zachte stem vanuit de schaduw. 'Ik wilde u niet laten schrikken.'

Tessa ontspande bij de toon van de stem, waar vriendelijkheid en respect in doorklonk. Ze legde een hand op haar losse haren. Ondanks alles voelde ze toch nog enige schaamte om deze kleine ongepastheid.

De man kwam aarzelend dichterbij. 'Bent u ziek, meesteres? Kan ik u ergens mee van dienst zijn?' Glaucus' Joodse hoofdbediende

Simeon was behoorlijk lang, met een slungelig figuur en een bonkig, gladgeschoren gezicht.

'Nee, Simeon. Nee, ik ben niet ziek. Dank je.' Ze ging op een bankje zitten.

De oudere man boog zijn hoofd en begon weg te lopen.

Tessa strekte haar hand naar hem uit. 'Misschien... misschien zou je me een beker water kunnen brengen?'

Hij glimlachte. 'Ik ben zo terug.'

Glaucus had ogenschijnlijk nonchalant gereageerd op haar opmerkingen, maar ze wist dat ze hem had beledigd. Hoe zou hij haar dat betaald zetten? Als strategos had hij veel aanzien in Rhodos, en haar respectloosheid in aanwezigheid van de andere leiders van de stad zou hij ervaren als een daad van verraad.

Sinds Glaucus haar eigenaar drie jaar geleden de prijs had betaald om Tessa volledig in dienst te nemen als metgezel, hadden ze een vreemde relatie ontwikkeld. Hij behandelde haar altijd als zijn bezit, maar had intussen ook ontdekt dat ze veel talent had voor het doorgronden van complexe politieke verhoudingen. Ze begreep wat er voor nodig was om de positie van Rhodos als sterke handelsnatie te handhaven en om Glaucus in deze democratische samenleving aan de macht te houden. Het spel van de macht werd sluw gespeeld in Rhodos, net als in de rest van Griekenland, en Glaucus had met Tessa een sterke troef in handen.

Ze was een bijzonderheid in de Rodische samenleving: mooi, briljant en onvrij. Maar bijna niemand besefte hoe groot haar bemoeienis was in veel zaken die de stadstaat aangingen. Dit gaf haar ook enige macht over Glaucus. Ze dacht terug aan Spiro's slinkse opmerking van zo-even: 'Misschien ben jíj het wel die hém bezit.'

Simeon kwam terug met een stenen mok in zijn handen. Toen hij die haar gaf, raakte hij haar vingers even aan met zijn knokige hand. 'Ik... ik heb u nooit gezien met uw haar los,' zei hij. Hij boog zijn grijze hoofd weer, maar bleef staan. 'Het is prachtig,' zei hij zachtjes.

Tessa probeerde te glimlachen, maar het lukte haar niet om toneel te spelen. 'Dank je.'

Hij keek niet op. 'Als u niet ziek bent, doet u er goed aan om terug te keren naar het symposium, mevrouw. Ik zou niet graag zien dat Glaucus boos op u werd.'

Tessa zuchtte. 'Glaucus kan wel wachten.'

Er klonk weer een geluid, een geritsel van kleding nu. Ze draaiden zich beiden om. Een meisje met golvend, donker haar, gekleed in een elegante, gele chiton, stapte het plein op. Ze kwam abrupt tot stilstand toen ze de twee op het plein zag.

'Simeon? Tessa? Wat doen jullie hier?'

Simeon maakte een buiginkje en keek naar de grond. 'Mevrouw voelde zich niet lekker en vroeg om een beker water.' Met een onduidelijke blik keek hij even naar Tessa en verdween toen uit het zicht.

Tessa haalde diep adem en richtte zich tot het meisje. Persephone was veertien en balanceerde op de grens van kind en vrouw. Met haar glanzende, bleke huid en donkere haar was ze net een ivoren pop, maar het waren haar sprankelend blauwe ogen die de aandacht trokken. De laatste maanden was ze steeds beter gaan begrijpen wat voor rol Tessa speelde in het leven van haar vader, en was ze zich steeds vijandiger gaan opstellen.

Met opgeheven kin bestudeerde ze Tessa. 'Weet mijn vader wel dat je hier bent?' Haar toon vormde een schril contrast met haar verfijnde gelaatstrekken.

Tessa knikte.

'Dus het speeltje mocht even uit haar kooi?'

Tessa sloot haar ogen even uit medelijden met het meisje. Het kind had nog maar weinig aan haar moeder, die zich in de loop der jaren steeds vreemder was gaan gedragen en nu erg teruggetrokken leefde.

Het meisje trok een blaadje van een boom uit een plantenbak, en hield dat tussen de tralies van de vogelkooi. 'Maar wie ben ik om het over kooien te hebben?' zei ze. Ze keek op naar Tessa. 'We worden hier allemaal op de een of andere manier gevangen gehouden. Jij. Ik. Moeder.'

'Het is mogelijk om uit een kooi te ontsnappen,' zei Tessa tot haar eigen verbazing. Ze had Persephone nooit eerder raad durven geven, al had ze altijd met het meisje meegeleefd.

Persephone keek haar onderzoekend aan. 'Als je de sleutel vindt, laat je het mij dan weten?'

'Tessa!' Glaucus' stem klonk dronken en autoritair.

Tessa draaide zich om naar de deuropening. Het meisje naast haar zette een stap achteruit.

'Daar ben je,' zei hij. 'Ik heb ze allemaal weggestuurd.' Hij waggelde naar haar toe. 'Ik ben hun gezelschap zat.' Hij leek het meisje nu pas op te merken. 'Persephone, waarom lig jij niet in bed? Ga naar het vrouwenverblijf.'

Tessa kon de haat van het meisje voelen alsof het door haar eigen lijf stroomde.

'Ik ben niet moe. Ik wilde de sterren zien.' Ze wees naar boven.

Glaucus stond nu voor hen en keek streng uit zijn ogen. 'Maar de sterren hebben geen zin om jou te zien. Ga nu.'

'Zegt u moeder nog goedenacht?' vroeg Persephone met een stem die droop van sarcasme. Haar brutaliteit deed Tessa goed.

Glaucus was er echter niet van gediend. 'Wegwezen!'

'Zodat u alleen kunt zijn met uw hoer?' zei Persephone.

Met een onverwachte snelheid haalde Glaucus naar het meisje uit. Zijn vlakke hand raakte haar recht in het gezicht. Ze deed geschrokken een paar stappen achteruit en wreef over haar wang.

Tessa kwam tussen hen in staan. 'Laat haar met rust!'

Glaucus keek Tessa lachend aan. 'Sinds wanneer zijn jullie van die goede vriendinnen?'

Persephone bekeek haar vader vol afschuw. 'Ik haat jullie allebei,' zei ze.

Glaucus balde zijn hand samen tot een vuist, maar Tessa was hem te snel af. Ze pakte hem vast bij zijn pols en hield hem tegen. Glaucus verloor bijna zijn evenwicht en richtte zijn woede nu op haar.

Tessa bleef Glaucus strak aankijken, maar sprak op zachte, ferme toon tegen het meisje: 'Ga naar bed, Persephone.' Ze hoorde het meisje weg schuifelen en toen de deur uit hollen.

De woede op Glaucus' gezicht maakte plaats voor iets anders. Van diep in zijn borst kwam een akelig neerbuigend lachje.

'Temperamentvol is nog tot daaraan toe, Tessa. Maar ga niet te ver. Vergeet niet wie jou die mooie kleren geeft en wie je hals en polsen voorziet van sieraden. Je bent niet van jezelf.'

Binnenkort zal dat anders zijn.

Glaucus stak zijn hand naar haar uit, maar ze mepte hem weg als een vervelend insect. 'Raak me niet aan. En raak haar niet aan. Ga weg, met je dikke, dronken lijf.'

De pret in Glaucus' blik ebde weg. De woede keerde terug, maar Tessa was erop voorbereid.

Met op elkaar geklemde tanden siste hij: 'Ik weet niet wat je vanavond hebt, Tessa, maar ik zal je je plaats wijzen. Je lichaam én geest zijn van mij, en ik zal je hebben.' Zijn zware handen grepen haar bij de schouders en zijn hete, van alcohol doordrenkte adem blies in haar gezicht. Tessa maakte zich gereed om zichzelf met alle macht te verdedigen.

Vanavond zou hier een einde aan komen.

TWEE

Spiro pakte zijn beker wijn van tafel – de vierde van deze avond –, liet drie druppels op de vloer van het andron vallen als plengoffer aan Helios, en sloeg hem achterover. Hij zou het juiste moment afwachten.

Spiro was nog lang niet verzadigd geweest toen Glaucus een eind had gemaakt aan zijn symposium en iedereen zijn huis uit had gezet. Dus werd het feest gewoon bij iemand anders voortgezet. Nu zaten de leiders van de stad samen in het mannenverblijf van Xenophon, in een andron dat twee keer zo groot was als dat van Glaucus.

Hun nieuwe gastheer maakte een diepe buiging. 'Welkom, mannen. Ik heb geluk dat Glaucus hoofdpijn had. Het is mij een eer u vanavond te mogen ontvangen.' Xenophon glimlachte alsof hij een tegenstander had verslagen in het gymnasium. Hij en Glaucus waren beiden strategoi, leiders die zichzelf op militair gebied hadden bewezen. In totaal waren er tien van deze mannen, die bondgenootschappen met elkaar sloten wanneer dat uitkwam, maar ook altijd een zekere rivaliteit behielden.

Als Spiro de macht over Rhodos wilde krijgen, wist hij dat hij de strijd zou moeten aanbinden met Glaucus en Xenophon en de andere drie strategoi die zijn meningen niet deelden. De meesten van deze mannen waren hier vanavond aanwezig.

Met samengeknepen ogen keek Spiro om zich heen. De meeste aanwezigen vond hij maar prutsers, die weinig kaas hadden gegeten van het machtsspel. Zou er iemand hebben geloofd dat Glaucus werkelijk hoofdpijn had? Of had iedereen wel begrepen dat Tessa's opstandige gedrag hem had gedwongen het feest vroegtijdig te beëindigen, zodat hij haar op passende wijze kon berispen?

Tessa. Hij zag haar in gedachten voor zich, schitterend als een begerenswaardige schat. Spiro glimlachte bij de gedachte aan Glaucus die haar strafte voor haar gedrag. Zou hij haar slaan? Zou hij haar vastpinnen op de vloer, tot de brutale blik in haar ogen veranderde in angst? Zou hij haar laten smeken om genade? Spiro gaf nog even toe aan zijn fantasieën, tot zijn aandacht werd afgeleid door de gesprekken om hem heen.

'Glaucus zal Rhodos rijker maken dan we ooit hadden durven dromen,' zei een oudere politicus naast hem.

Spiro leunde achterover en nam een slok wijn. Op dit gesprek had hij zitten wachten. 'Glaucus is een dwaas,' zei hij toen er even een stilte viel.

Zoals hij had gehoopt ontstond er meteen een gespannen sfeer in de kamer en keken alle aanwezigen hem aan. Spiro bleef nonchalant in de kussens liggen en hief zijn beker op naar de anderen. 'Iedereen die hier aanwezig is, begrijpt hoe belangrijk sterk leiderschap is. Glaucus blijft zulk leiderschap ondermijnen. Hij houdt vol dat we moeten worden geleid door het volk, door de wil van de meerderheid – een meerderheid van dwazen.'

'Je gaat te ver, Spiro,' zei een andere magistraat. 'De democratie in Rhodos is intact gebleven ondanks de Macedoniër, die bijna elke andere stadstaat in Griekenland heeft veroverd. Zou je liever zien dat we honderd jaar na zijn dood alsnog voor Alexander buigen?'

Spiro ging rechtop zitten en zette zijn beker neer op de tafel naast zich. 'De Macedoniërs hebben veel te bieden. We zouden allemaal veel kunnen leren van de grote Alexander.' Om zijn toehoorders te sussen, nam hij een rustigere toon aan. 'Als we lid werden van de Achaeïsche Bond, zouden we de militaire macht krijgen die nodig is om vrij te blijven. En dan zouden we nog altijd door iemand van ons eigen volk geleid kunnen worden, iemand die tot veel meer in staat zou zijn dan Glaucus.'

Aan de andere kant van de zaal gniffelde Xenophon. 'Iemand als jijzelf, Spiro?'

Hij beantwoordde de vraag met een glimlachje.

'Wees maar eerlijk, Spiro, het is geen geheim dat je ernaar verlangt Rhodos te regeren, zoals je vader Kalymnos regeert.'

Er steeg aan alle kanten geroezemoes op in de kamer na deze uitdagende opmerking van Xenophon.

'Ik verlang alleen naar rijkdom en vrede voor Rhodos,' zei Spiro. Hij staarde Xenophon ijselijk aan. 'En over mijn vader weet jij niets.'

Hermes hief zijn beker op. 'Je vader is een groot leider. Jammer dat zijn zoon meer om wijn en vrouwen geeft en zijn potentieel lijkt te missen.'

Het werd helemaal stil in de ruimte, terwijl er gespannen werd afgewacht hoe Spiro zou reageren. Maar die keek alleen rustig om zich heen, leunde toen achterover en sloeg zijn armen over elkaar.

Demetrius sprak als eerste, zoals Spiro wel had verwacht. 'Je zou je moeten schamen om zulke ongegronde woorden, Hermes. In heel Rhodos en daarbuiten wordt met ontzag op de naam van Spiro gereageerd.'

Hermes haalde alleen zijn schouders op.

Spiro keek hem met samengeknepen ogen aan. 'We weten allemaal dat wij strategoi gelijk verdeeld zijn als het gaat om de Bond. Maar we zijn ook mannen van eer; laten we onze gesprekken daarom beperken tot politiek.' Hij hield zijn hoofd een beetje schuin. 'Voor jaloezie is hier geen plaats.'

Hermes proestte en veegde zijn mond af met de achterkant van zijn hand. 'Jaloezie!'

Spiro glimlachte. 'Zoals je al suggereerde, heb ik veel gevoel voor kwaliteit.'

Xenophon mengde zich weer in het gesprek. 'Kwaliteit? Doel je op Tessa?'

Terwijl er smakelijk werd gelachen, voelde Spiro dat zijn hart sneller begon te kloppen. Het was waar, hij verlangde bijna net zo naar Tessa als naar de macht over Rhodos.

'Er zijn talloze voorbeelden in onze geschiedenis van grootse leiders met grootse vrouwen aan hun zij,' zei hij.

Hermes lachte. 'Maar ik heb begrepen dat jouw vader zijn aandacht vooral op zijn *minnares* heeft gericht, die hem een zoon heeft geschonken die hij verkiest boven jou.'

Spiro haalde diep adem om de druk op zijn borst te verlichten. 'Ik ben gevleid dat je zo veel tijd hebt gestoken in het bestuderen van mijn privéleven, Hermes. Wat zeggen onze filosofen ook alweer? "Dat wat ons verteert, wordt het middelpunt van ons leven."'

Er kwam een slaaf met een ontbloot bovenlijf binnen, die een bord met noten en vijgen op een tafel voor Xenophon zette. Met een buiging liep hij weer weg.

Xenophon pakte een vijg en zei: 'Kom, laten we de politiek even vergeten en onze aandacht op andere zaken richten.'

Op dat moment kwam er meisje binnenrennen dat een salto maakte, waarop de muzikant in de hoek luider begon te spelen. Ze werd gevolgd door nog twee meisjes. Die pakten de handen van de derde vast en begonnen aan een reeks acrobatische kunstjes midden in de kamer.

Alle aanwezigen keken opgetogen naar de schaars geklede meisjes. Alle aanwezigen behalve Spiro. Gymnastiek interesseerde hem niet. Hij keek nauwlettend naar Xenophon, die langzaam op een vijg kauwde terwijl hij naar het schouwspel tuurde. Hij verachtte deze man om dit geïmproviseerde symposium, dat extravaganter was dan veel samenkomsten waar weken voorbereiding aan vooraf was gegaan.

Plotseling veranderde de uitdrukking op Xenophons gezicht. Eerst dacht Spiro even dat een kunstje van de meisjes was misgegaan. Hij keek om zich heen, maar verder leek niemand iets te zijn opgevallen. Hij wendde zijn blik weer tot Xenophon, die nu een rode kleur had gekregen en onrustig slikte.

Terwijl het feest werd voortgezet, stond Spiro op van zijn kussens en boog zich naar Xenophon toe. De man was duidelijk onwel geworden. Spiro wilde juist een slaaf roepen, maar voor hij daar de kans toe kreeg, ging Xenophon met een ruk staan. De fluitiste hield abrupt op met spelen en de jonge acrobaten staakten hun voorstelling. Alle blikken waren op de gastheer gericht.

Kwam het door de vijg? Stikte hij erin? De gasten gingen ook staan, maar niemand kwam in beweging. Xenophon hapte met grote ogen naar adem.

'Bij de goden, roep een arts!' schreeuwde iemand.

Achter Spiro holde een man naar buiten. De twee mannen naast Xenophon hielpen hem weer te gaan zitten. Zijn gezicht verbleekte nu en er verscheen schuim in zijn mondhoeken. Zijn oogleden begonnen te flikkeren. Toen begonnen de stuiptrekkingen – eerst een knikje van zijn hoofd, toen een arm en een been, tot uiteindelijk zijn hele lijf sidderde. De bank onder hem trilde ervan. De mannen naast hem hielden zijn armen vast.

'Waar is de arts?'

'Wat kunnen we doen?'

Iedereen begon tegelijk te praten en te bewegen. De een stelde een diagnose vast, de ander gaf advies, weer een ander ging daar tegenin.

'Hij is vergiftigd!'

Spiro wist niet wie het als eerste opperde, maar toen het eenmaal was uitgesproken, besefte iedereen dat het waar was. Iemand stootte het bord met vijgen omver. Een ander goot een glas wijn leeg in Xenophons keel, alsof daarmee de werking van het gif kon worden tegengegaan.

Achter Spiro wilde iemand vertrekken, maar Hermes hield hem tegen.

'Niemand verlaat deze kamer tot we weten wat er is gebeurd.'

De aandacht werd weer op Xenophon gericht. Die begon weer te stuiptrekken. Even later verstijfde zijn lichaam, alsof hij een standbeeld was. Met een ruk bewoog hij zijn hoofd in de richting van Spiro. Xenophon keek hem strak aan, tot zijn hoofd op zijn schouder zakte en zijn tong uit zijn mond hing als die van een slapende hond.

Hij was dood, dat was duidelijk.

Ze mochten niet weg tot elke gast door een ambtenaar was onder-vraagd. Was er iemand opgemerkt in de buurt van het bord vijgen van Xenophon?

Wie was de slaaf die het bord had bezorgd? Kon iemand een reden bedenken waarom iemand Xenophon iets aan zou willen doen? Spiro moest bijna lachen om die vraag. Minstens vijf van de aanwezige mannen waren het hartgrondig oneens geweest met de politieke opvattingen van Xenophon. Ze konden beter vragen of er iemand was die *geen* reden zou kunnen bedenken waarom iemand Xenophon iets aan zou willen doen. De vraag was: wie had er werkelijk gedurfd zo ver te gaan?

Toen ze allemaal waren ondervraagd en weer weg mochten, liep Spiro in de richting van de haven. Hij kreeg het beeld van Xe-nophons laatste, glazige blik maar niet uit zijn gedachten. Het was alsof Spiro's haat zich had gematerialiseerd in een gif dat in Xenophons lichaam was doorgedrongen. Natuurlijk had hij de man niet werkelijk vermoord, maar hij ervoer toch een opwindend soort machtsgevoel.

Wat maakte het eigenlijk ook uit wie hem had vermoord? Xe-nophons dood zou een verandering inluiden voor Rhodos. Naast Glaucus en Xenophon hadden drie andere strategoi zich tegen de Achaeïsche Bond gekeerd. Nu Xenophon er niet meer was, was er een lege plek ontstaan die door wie dan ook kon worden ingenomen.

Spiro stond stil bij de kade, vlakbij het beeld van Helios, en keek toe hoe arbeiders zakken graan op een schip sleepten. Het eiland had zo'n optimale ligging dat bijna alle Griekse handel hier plaatsvond. Daardoor kwam het volk in niets tekort.

Rhodos was nog machtiger dan Kalymnos, het eiland van zijn vader.

En ik kan machtiger zijn dan hij.

Hij speelde met de gedachte. Xenophon was dood en Glaucus zou op de een of andere manier moeten worden bedwongen.

Ik heb te veel jaren doorgebracht met debatteren, vleien en onderhandelen.

Zou hij het in zich hebben de macht over het eiland op te eisen?

Ω

Tessa wurmde haar beide handen naar boven en duwde Glaucus met alle macht van zich af. Ze deed een stap achteruit. 'Laat me met rust, smerig beest.'

Glaucus leek de belediging als een uitdaging op te vatten. Er verscheen een blik in zijn ogen die ze nog niet eerder had gezien. Een gevaarlijke blik. Ze liep nog wat verder achteruit, zodat er enige ruimte tussen hen ontstond. Er woei een zeldzaam briesje over het ommuurde binnenplein, dat Tessa wel leek te manen wat af te koelen voor ze iets zou doen waar ze spijt van zou krijgen.

Maar vanavond was Tessa niet van plan om naar zulke raad te luisteren.

'Wat dacht je, Tessa?' zei Glaucus met dubbele tong. 'Dat je mijn gelijke bent, puur omdat ik zo vriendelijk ben om wel eens een nieuwtje uit de stad met je te delen?'

'Omdat je zo *vriendelijk* bent?' Tessa rechtte haar rug. 'Zonder mij zou je nog geen roofvogel naar een kadaver kunnen leiden, laat staan een stad besturen.'

Hij haalde naar haar uit. De klap weerkaatste vanaf de dakpannen van de colonnade over het binnenplein.

Tessa legde een koele hand tegen haar brandende wang.

'Sla me maar, vermoord me als je wilt, Glaucus. Maar de waarheid blijft onveranderd: je hebt me nodig. Je hebt mijn inzicht nodig, mijn meningen, de informatie die ik vergaar op plaatsen waar jij geen voet zou durven zetten. En toch beweer je dat ik jouw gelijke niet ben…'

Glaucus lachte en sloeg zijn armen over elkaar. 'Zo is het maar net! Je zult mijn gelijke nooit kunnen worden. Je bent een afleiding, een verstrooiing, verder niets.'

Ze zag iets bewegen aan de rand van het plein.

'Kan ik iets voor u doen, meester?' Simeon vroeg het aan Glaucus, maar hij keek naar Tessa.

Glaucus wuifde geërgerd naar zijn knecht, zonder zich om te draaien. 'Laat ons met rust, Simeon. Dit zijn jouw zaken niet.'

Simeon boog en liep weg. Glaucus gromde: 'Die ouwe geit heeft zijn beste tijd gehad. Ik laat hem binnenkort vervangen.'

'Geef je dan om helemaal *niemand* buiten jezelf?' vroeg Tessa. Op haar trillende vingers telde ze af: 'Je vrouw, je dochter, Simeon – ze zijn je altijd trouw geweest.' Ze was even stil. 'En ik. Zijn we geen van allen meer voor je dan vermakelijke speeltjes waarmee je kunt doen en laten wat je wilt?'

Glaucus strekte zijn hand uit naar Tessa en raakte haar gouden halsketting aan. Hij glimlachte sluw. 'Ik denk dat mijn hetaere mij eindelijk begrijpt,' zei hij. 'Jij leeft om te dienen, Tessa. Dat is jouw doel. Dacht je werkelijk recht te hebben op meer? Droom je van geluk, van een eigen *gezin* misschien?'

Zijn spot om haar onuitgesproken verlangens kwetste haar diep. 'Ik haat je,' siste ze.

Glaucus staarde haar diep in de ogen. Hij schudde zijn hoofd en haalde een schouder op. 'Waarom zou mij dat iets kunnen schelen?'

Het was een eenvoudige vraag, die hij rustig stelde, maar Tessa was er zo door overdonderd dat ze een stap achteruit zette. Ze had dus écht helemaal niets meer. De macht die ze over Glaucus dacht te hebben, was een illusie. De rol die ze speelde als scherpzinnige metgezel van een van de machtigste mannen in het land, was puur toneel. En haar heimelijke wens zou nooit in vervulling gaan.

Ze wist nu zeker dat ze de beslissing die ze vóór het symposium had genomen, zou doorzetten. Ze zwoer bij Helios dat ze zichzelf voor het gloren van de eerste zonnestralen aan zijn voeten zou offeren en vrij zou zijn.

Terwijl haar gedachten voortraasden, sloop Glaucus steels dichterbij, tot hij slechts een paar vingers van haar af stond. Alsof ze van een afstand naar zichzelf keek, zag ze hoe hij haar armen begon te strelen en haar langzaam in een stevige omhelzing sloot.

Ja, een gezin. Een kind. Een manier om het verleden goed te maken. Alleen al het erkennen van de sluimerende verlangens gaf een gevoel van bevrijding.

Ze fluisterde het eerste wat in haar opkwam in zijn oor – een terugkerende gedachte die ze nooit eerder had uitgesproken. 'Als je slaapt, zal ik je vermoorden.'

Hij leek aanvankelijk niet te reageren, tot ze zijn handen langzaam richting haar keel voelde glijden. Zijn vingers klemden zich om haar nek en ze voelde dat ze minder lucht binnenkreeg.

Ze probeerde hem van zich af te duwen, maar ontspande zich toen.

Goed. Doe het maar. Misschien bezit ik de moed wel niet om het zelf te doen.

De druk op haar keel nam toe. Tessa ademde steeds moeizamer, maar stribbelde niet tegen.

Tien jaar. Op de dag af.

Ze herinnerde zich het meisje dat op het dek van het schip uit Delos stond, niet veel ouder dan Glaucus' dochter, naïef en onbezorgd. Ze treurde om haar. Rhodos was haar gevangenis geworden, haar kooi, zoals Persephone had gezegd. Het was tijd om te ontsnappen.

Maar toch…

Zou ze sterven zoals ze had geleefd?

Diep vanbinnen welde een verlangen op om over haar eigen lot te beschikken, in deze laatste daad voordat ze de onderwereld zou binnengaan.

Ze rukte aan Glaucus' vlezige vingers in haar nek, maar kon ze niet loswrikken. Zwarte vlekken vertroebelden haar blik.

Niet jij. Niet jij. Ik zal dit zelf doen.

Ze riep alle haat van de afgelopen tien jaar op en liet die in haar binnenste koken, tot haar armen, handen en vingers ermee waren gevuld. Toen haalde ze uit en drukte haar vingers in Glaucus' oogkassen.

Hij jankte als een geschopte hond en liet haar meteen los. Tessa hapte naar adem en duwde hem van zich af. Ze probeerde om hem heen te lopen, maar hij greep haar vast om haar middel.

'Jij blijft hier,' gromde hij. Toen hij haar weer naar zich toe trok, besefte Tessa geschokt dat haar aanval hem alleen maar had opgewonden. Ze sloeg met haar vuisten in zijn gezicht. Hij ademde moeilijk en wankelde van de vele wijn, maar was wel twee keer zo groot als zij. 'Ik heb genoeg van deze temperamentvolle hetaere,' zei hij. 'Ik denk dat ik er maar eens een einde aan ga maken.'

Wanhopig trok Tessa met alle macht haar knie op. Glaucus gaf een gil en boog voorover. Hij strompelde een stap naar achteren, en toen nog een. Hij verloor zijn evenwicht en viel met zijn volle gewicht tegen een van de pilaren die het dak van de colonnade ondersteunde.

Het gebeurde langzaam en onverwacht snel tegelijk. De zuil bewoog onder Glaucus' gewicht. Hij viel om en kwam neer op een van zijn schouders, die Tessa hoorde kraken. Met gesloten ogen lag hij voor haar voeten, onder de rand van de wandelgang. Hij ademde luid. Toen hoorde ze boven zich een schuivend geluid, alsof er een kookpot over een stenen vloer werd gesleept. Tessa keek op. Een enkele dakpan gleed van het dak, losgeschud door de dreun tegen de zuil. De grote vierkante tegel schoof over de dakrand, draaide een keer in de lucht en boorde zich ten slotte midden in het voorhoofd van haar meester.

Tessa bleef ademloos staan.

Ze wachtte tot zijn borst zou bewegen, als teken dat hij ademhaalde, maar er gebeurde niets.

Ze waagde een blik op zijn gezicht. Om zijn hoofd lag een poel van bloed. De tegel stond rechtop in zijn schedel. Tessa moest denken aan de havenwerkers die hun messen vaak rechtop in het snijblok zetten nadat ze een vis hadden onthoofd.

Glaucus was het dodenrijk ingegaan.

Tessa wendde haar blik van hem af, legde haar handen op haar buik en wachtte op de wroeging die niet kwam.

Na een korte stilte hoorde ze Simeon het plein op lopen.

DRIE

Een halve mijl verderop waren tweeëndertig havenarbeiders naast de donkere zee bezig zakken graan van de kade naar de sloep te tillen.

Tweeëndertig arbeiders, van wie er één geen slaaf was.

Nikos stond even stil tijdens zijn tocht van de grote hoop graan op de kade, met een grote, gevulde zak in zijn gespierde armen. Armen die ooit gewend waren geweest aan dit zware werk.

Een oude man met een verweerd gezicht porde hem met zijn elleboog in de maag. 'Ga je staan toekijken terwijl wij werken?'

Hij keek de man aan, zich afvragend of de oude slaaf onder zijn groezelige baard en vettige haar nog enige waardigheid bezat. Zou Nikos er uiteindelijk ook zo hebben uitgezien als zijn vader hem niet op tijd had erkend en gered?

Hij werd in zijn rug geprikt met een stok. 'Aan het werk, man!'

Nikos liep verder naar de sloep, die heen en weer deinde in het water, wierp zijn zak naast de andere en liep terug naar de graanhoop. De stok van de havenmeester had alweer een volgend slachtoffer gevonden.

Ik weet wel een betere toepassing voor die stok. Hij lachte in zichzelf. *Hooguit nog een uur.*

Het was een goed plan geweest om zich op de *agora* voor te doen als in te huren werkkracht. Hij had de aandacht weten te trekken van de man op wie hij zich had gericht en had een aanstelling in diens huishouden gekregen. Na zijn werk in de haven moest hij zich melden.

'Hoe heet je?' vroeg een stem achter hem streng.

Hij draaide zich om en zag een man staan die een kort gewaad droeg. Terwijl hij een geschikte reactie overwoog, dwaalde zijn blik af naar de hoge vlammen die een halve mijl verderop de voet van de machtige Helios omringden. De onderbenen van het beeld werden erdoor verlicht, terwijl de rest van het lichaam in duisternis was gehuld. Zo leek het net of Helios communiceerde met de goden in de nachtelijke hemel.

Weer een por van de stok, ditmaal in zijn maag. 'Ik vroeg hoe je heet, waterrat!'

Nikos wist dat hij maar beter onbekend kon blijven en haalde snel zijn schouders op.

De man die voor hem stond, was een jaar of tien jonger dan hij. 'Nou, meneer-zonder-naam,' zei die laatdunkend, 'als je niet snel weer aan het werk gaat, gooi ik je de zee in. Aan mooie mannetjes die maar wat staan te lummelen, hebben we hier niks.'

Om nog een tik van de stok te vermijden, pakte Nikos snel weer een zak van de grond om die te vullen en naar de sloep te brengen. Verderop in de haven lag een schip voor anker te wachten op de lading graan.

Nikos keek toe hoe de havenmeester langs de kant van het dok wandelde, zwaaiend met zijn stok, en toen in gesprek raakte met een oudere, welgeklede man, die op zijn wang een groot litteken had in de vorm van een halve maan. Nikos tuurde hem onderzoekend aan. Waar kende hij dat litteken van?

Met gebogen hoofd bleef Nikos zakken graan sjouwen. Het was belangrijk dat niemand hem zou herkennen. Anders zou er niets overblijven van zijn plan om de hoogste kringen van de Rodische politiek binnen te dringen om geheime informatie los te krijgen.

Vanuit zijn ooghoek zag Nikos hoe de jongere man zijn hoofd schudde en toen met zijn hand naar de dokken wenkte, alsof hij de oudere man uitnodigde zijn gebied te doorzoeken. Voordat Nikos de kans kreeg een ontsnappingsplan te bedenken, gingen de twee uit elkaar. De welgeklede man verdween de duisternis in, terwijl de havenmeester Nikos' richting op kwam lopen.

'Jij daar! Hoe zei je dat je heette?'

Nikos aarzelde even voor hij met gebogen hoofd verder liep. 'Dimitri.'

De man hield zijn hoofd schuin en beet op zijn lip. 'Heb jij jezelf in de nesten gewerkt?'

Nikos schudde zijn hoofd.

'De politie is op zoek naar een knappe vrije man zoals jij. Ze willen hem graag vinden. Zou het om een moordenaar gaan, of een dief misschien?'

Nikos zette een krat op zijn schouder en liep verder. De havenmeester kwam voor hem staan. 'Er is vast een flinke beloning voor degene die deze man vindt.'

Nikos dacht snel na over zijn opties. De kans was groot dat hij zou worden herkend als hij deze vertoning zou voortzetten. Dan zou hij falen in de taak die zijn vader hem had opgelegd. Maar als hij wegrende, zou hij zeker worden achtervolgd.

Er klonk een schreeuw en een harde knal van waar de slaven achter hem aan het werk waren. Nikos draaide zich om.

Om zo veel mogelijk handel te kunnen drijven, had men in Rhodos werktuigen met katrollen gebouwd. Daarmee kon zwaar materiaal worden gehesen als Atheens marmer en hout van de heuvels van Thracië, voor de scheepsbouw. Een van deze takels had het begeven, en er lag nu een hele voorraad planken op het dok.

Een ijselijke gil doorboorde de avondlucht. Nikos rende eropaf.

Een slaaf was door het vallende hout geraakt. Hij lag op de kade met een onnatuurlijk gebogen onderbeen. Nikos baande zich een weg langs de arbeiders die om de gewonde man heen stonden. Zijn wens om onherkenbaar te blijven, vergat hij in alle commotie.

Toen hij het lot van deze mannen nog deelde, voordat zijn vader hem had bevrijd, was Nikos meer dan een dokwerker geweest. Terwijl hij zelf altijd in goede conditie verkeerde, had hij talloze verwondingen om zich heen gezien. In de loop der tijd had hij veel interesse ontwikkeld voor de geneeskunst.

'Laat me dat been zien,' zei hij met zo'n autoriteit dat de menigte meteen opzijging.

De man lag op de grond te kreunen, met een gepijnigde uitdrukking op zijn gezicht. Nikos herkende hem als de oude baas die hem eerder in zijn maag had gepord. Er knielde een jongen bij hem neer, die het hoofd van de gewonde in zijn handen hield.

Nikos raakte het been even aan en fluisterde een paar troostende woorden. Het been was gebroken, dat was duidelijk. De man zou niet meer in de haven werken. Maar met de juiste behandeling zou hij zijn laatste dagen misschien kunnen doorbrengen als huisslaaf.

'Dat been moet worden gespalkt,' zei Nikos tegen niemand in het bijzonder. 'Ga een smalle plank en een paar schone doeken halen.'

Nikos keek over zijn schouder. Door een opening in de menigte zag hij de man met het litteken op zijn wang deze kant op komen. Zijn ogen speurden de omgeving af als een hond die iets heeft geroken.

Nikos herkende hem nu. Dit was een vijand – de rechterhand van zijn vaders grootste tegenstander, om precies te zijn.

Nikos greep naar een buideltje dat onder zijn chiton aan een gordel hing. Hij haalde twee drachmen tevoorschijn en drukte die in de hand van de jonge slaaf die naast de oude man geknield zat. De jongen keek hem verrast aan, terwijl Nikos fluisterde: 'Betaal hier de arts mee. Zorg ervoor dat het been wordt gespalkt en dat hij tijd krijgt om te genezen. Dan zal hij weer lopen.' Hij klopte op het been van de oude man. 'Wees moedig.'

Nikos wilde wel dat hij meer kon doen, maar stond op en vluchtte de nacht in, weg van de haven en van zijn vaders vijand.

Hij zou worden achtervolgd. Maar wanneer ze hem eenmaal vonden, zou hij zich allang hebben verschanst in het huis van de man die de sleutel van zijn succes zou vormen: Glaucus van Rhodos.

Ω

34

Tessa zag Simeon met een bezorgd gezicht het plein op lopen. Hij keek naar Glaucus, die aan haar voeten lag, kwam geschrokken naar haar toe gesneld en knielde neer bij zijn meester. Tessa zag het allemaal gebeuren, maar het was net of ze het zelf niet beleefde, alsof ze er van een afstand naar keek. Ze wist niets uit te brengen toen Simeon haar ondervroeg.

'O, Tessa, wat is hier gebeurd?'

De knecht raakte de tegel even aan die uit Glaucus' voorhoofd omhoogstak. Toen draaide hij zijn hoofd om en keek haar vragend aan.

'Ik hoorde geschreeuw,' zei hij. 'Ik wilde weten of jij... of alles goed ging.'

'Hij is dood.' Tessa ademde diep in en keek de andere kant op. 'Ja.'

Ze hoorde het verdriet in Simeons stem en verbaasde zich erover dat deze knecht nog enig gevoel voor zijn meester kon opbrengen. Maar toen ging Simeon staan en keek hij haar ernstig aan.

'Hij is te ver gegaan, Tessa. Dit was te voorzien. Een vrouw als jij, die werd gedwongen zich aan hem te onderwerpen...'

Tessa begreep eerst niet wat hij bedoelde. Maar toen ze het snapte, keek ze hem verwonderd aan. 'Denk je dat ik dit heb gedaan?'

Simeon pakte haar bij de arm. 'Ik neem je niks kwalijk, Tessa. Maar we moeten snel nadenken. Hoe kunnen we jou beschermen?'

Ze schudde haar hoofd. 'De tegel. De pilaar,' ze wees omhoog. 'Hij viel van het dak.'

'Tessa! Dat doet er nu niet toe. Je moet naar me luisteren!' Simeon leidde haar een paar stappen van het lichaam vandaan. 'Iedereen die vanavond bij het symposium aanwezig was, hoorde hoe jij tegen hem sprak. Iedereen heeft gezien hoe hij jou vernedert, ondanks het aanzien dat jij in deze stad geniet. Niemand zal betwijfelen dat jij hem hebt vermoord.'

Tessa nam Simeons woorden maar half in zich op. Ze voelde zich erg vreemd. 'Wat zal er met mij gebeuren?'

35

Simeon wierp een snelle blik op Glaucus. 'Als je schuldig wordt bevonden aan moord, zul je worden geëxecuteerd.'

'Maar ik ben onschuldig.'

'Als ze dat geloven, zul je worden verkocht aan de volgende man die voor je heeft betaald.'

'Ik zal vluchten,' zei ze. 'Ik duik onder.'

Simeon glimlachte somber. 'Je bent de bekendste hetaere van het eiland, Tessa. Je zou overal worden herkend. Wie zou je niet terugbrengen naar Servia om een beloning op te kunnen strijken?' Hij zuchtte. 'Wacht hier even.'

Hij ging weg. Tessa voelde haar vingertoppen tintelen van de zenuwen. Zelfs als ze de mensen zou kunnen overtuigen, als ze niet zou worden geëxecuteerd, wat zou haar volgende meester dan voor iemand zijn?

Simeon keerde even later terug met een donkere doek in zijn hand, waar hij Glaucus' lichaam mee bedekte. Intussen kwam Tessa weer wat op adem. Ze begon na te denken.

'Ik moet weten wie de volgende op de wachtlijst is, Simeon.'

De Joodse man knikte. 'Ik zal bidden dat het een betere man zal zijn dan Glaucus.'

Tessa sloeg haar armen om haar borst. 'Vertel dit aan niemand, Simeon. Beloof me dat je hier met niemand over praat tot ik terug ben!'

Simeon keek haar treurig aan. 'We kunnen hem niet lang verborgen houden, Tessa. Zodra de morgen aanbreekt, zal hij worden gemist.'

Tessa keek naar het lichaam onder de doek en dacht aan haar gelofte aan Helios – ze had zich voorgenomen zich voor zonsopgang aan hem te offeren. Maar misschien had de god haar smeekbede gehoord en schonk hij haar een ander soort vrijheid, een vrijheid waar ze nooit van had durven dromen. Ze kon die vrijheid al bijna proeven, en wilde die niet meer loslaten.

'Help me om hem uit het zicht te slepen, Simeon.' De oudere man fronste. Ze keek onderzoekend naar het donkere plein, waar overal schaduwen lagen. 'Daar,' wees ze. 'Achter het gereedschap en de potten van de tuinman. Daar zal hij niet zo opvallen.'

Binnen een paar minuten hadden ze de zware taak volbracht en lag het zware lichaam half verstopt in een hoek onder de colonnade. Tessa ademde diep in, haalde haar handen door haar haar en knikte naar Simeon. Myna floot een enkele, heldere noot, als het signaal van een wedloop in het stadion. Ze keek nog eenmaal achterom en vluchtte toen door de binnenhal de porticus op en de Rodische nacht in. Haar voetstappen en hartslag vormden een ritme dat haar hoopvol in de oren klonk.

Ze moest achterhalen aan wie ze zou gaan toebehoren. Dan zou ze pas kunnen beslissen of ze haar vrijheid zou vinden in het leven of in de dood.

VIER

De zoute geur van de zee hing zwaar in de lucht. Tessa vluchtte de heuvel af waar het huis van Glaucus op stond, naar de straat beneden. Haar voeten volgden het bekende pad naar huis, maar in gedachten bleef ze op dat plein staan toekijken hoe die vierkante tegel door de lucht slingerde en neerkwam op het hoofd van haar meester.

Morgenochtend zullen ze hem vinden.

Hoewel Glaucus haar vaak ontbood, hield Tessa al die tijd een eigen kamer in het havengebied – het zou ongepast zijn geweest als ze dat niet deed. Ze rende nu naar die kleine ruimte toe die ze thuis noemde, al had ze amper door waar ze haar voeten neerzette.

Ik moet Servia spreken.

Die gedachte bleef ze herhalen op het ritme van haar voetstappen.

Servia. Servia.

Er kwamen geen prettige associaties boven bij die naam.

Uitgeput verminderde Tessa vaart. Hoewel het nog warm was, trok er een kou door haar lijf, vanuit haar hart tot in haar vingertoppen. Ze begon te rillen.

Glaucus is dood. Ze hijgde de woorden hardop en keek toen snel in beide richtingen, bang dat iemand haar misschien had gehoord. Op haar zware ademhaling na was er niets te horen in de nacht. Ze deed haar best minder geluid te maken.

Wie wordt mijn volgende meester?

Zelfs met gebogen hoofd wist ze de zee gemakkelijk te vinden – de straten liepen logisch in elkaar over en het verlichte beeld van Helios was van overal te zien. Haar eerste jaren in Rhodos had ze in het havengebied doorgebracht. Het waren armoedige jaren geweest.

Ze had moeten bedelen en toekijken hoe haar moeder diensten verleende aan vissers in ruil voor vis.

Toen was Servia ten tonele verschenen. Servia, aan wie Tessa's moeder haar dankbaar had overhandigd. Ze had Tessa beloofd dat er een beter leven voor haar in het vooruitzicht lag. Ze zou worden opgeleid tot een dame, met luxe chitons en juwelen. Ze zou nooit meer naar vis stinken.

Ach, moeder. Wist u niet dat u de ene vorm van slavernij voor de andere verruilde?

De geluiden uit de haven namen toe. Ze hoorde de dokwerkers schreeuwen, die sloepen vulden met de kostbare schatten van de Egeïsche Zee. Tessa vertraagde haar pas, liep nog een laatste bocht om en zag toen de haven voor zich liggen, krioelend van de slaven en inhuurkrachten en verlicht door honderden flikkerende fakkels.

Voorbij de haven stond de kustlijn vol verwaarloosde gebouwen, waarin bordelen en *taverna's* gevestigd waren, en waar mensen woonden die nergens anders een huis konden vinden. Midden in deze louche buurt stond een gebouwtje waar de 'dames' van Servia woonden, zoals zij hen noemde. Een aantal woonden er vast – de jonge meisjes, die nog niet waren klaargestoomd om de markt op te gaan. Zij leerden van Servia hoe ze zich als hetaere moesten kleden en gedragen. De oudere, meer ervaren vrouwen, zoals Tessa, woonden er alleen wanneer hun meesters daar toestemming voor gaven.

Met tegenzin verruilde Tessa de verlichte haven voor de donkere straat die naar haar incidentele thuis leidde. De lucht voelde hier killer aan, alsof de duisternis alle menselijke warmte opslokte. Haar sandalen schraapten over de straat. Het geluid weerklonk van de gammele huisjes die aan weerskanten stonden. Voor zich zag ze een graatmagere, gele kat, die ergens aan rook dat op straat lag. Het beest draaide zijn kop om en staarde haar met grote, groene ogen aan. Tessa hoopte maar dat hij een vis zou kunnen vinden om zijn honger te stillen.

Hij is in ieder geval vrij. Tessa bleef een paar stappen voor de kat staan en keek hem aan. *Hij kan doen en laten waar hij zin in heeft,* dacht ze. *Dat gaat voor mij niet op.*

Tenzij...

Ze móést Servia vinden om haar te vragen wie haar nieuwe meester zou zijn. Ergens diep vanbinnen was het alsof er een klein, hoopvol vlammetje flikkerde, ondanks de kou. Tessa waagde het er even verder over na te denken. Misschien zou haar volgende meester een rijke, oude man zijn die alleen maar met haar wilde pronken. Iemand die haar relatieve vrijheid zou bieden en geen eisen zou stellen.

Misschien had Helios haar gelofte écht gehoord en was hij tussenbeide gekomen.

Ze haalde diep adem en liep verder, gedreven door dat ene sprankje hoop.

Niet ver van het huis van Servia klonk een lage, beschonken stem vanuit een deuropening. Tessa schrok van de woorden die ze hoorde. 'Dacht je dat je hiermee weg zou komen?'

Haar sandaal bleef haken in een groef en ze struikelde bijna. *Ze hebben me nu al opgespoord,* dacht ze, maar bleef doorlopen.

Vanuit de deuropening stapte een man de straat op. 'Hé liefje, je dacht toch niet dat je zomaar langs een man kon lopen zonder gedag te zeggen?'

Hij rende op haar af en kwam voor haar staan. Tessa keek naar zijn blote voeten, het bevlekte gewaad dat losjes over zijn schouder hing en zijn ontblote borst, waar een paar grijze haren op groeiden. Ze weigerde hem in de ogen te kijken.

Met zijn ruwe handen pakte de man haar armen beet. 'Toe, kijk me eens aan. Kun je me niet één blik gunnen?'

Tessa schudde zijn handen van zich af. De man had duidelijk geen idee wie ze was. Ze leefden in verschillende werelden. Ze keek hem even in de ogen. 'Ga aan de kant.'

'Zo, mevrouw heeft klauwen!' Zijn grijns onthulde rotte en ontbrekende tanden. Hij sloeg een arm om haar middel.

Klauwen. Tessa dacht aan de kat, die vrijelijk over straat kon zwerven. Ze krulde haar vingers naar binnen en sloeg hem in het gezicht, zodat haar nagels over zijn wang krasten.

Hij lachte alleen maar en verstevigde zijn greep om haar middel.

Ze dacht walgend aan Glaucus. Ze was deze avond al voldoende vernederd.

'Je kunt me maar beter loslaten,' dreigde ze. Ze rechtte haar rug en merkte dat ze langer was dan hij. 'Glaucus zal het niet accepteren dat zijn hetaere wordt aangeraakt door stinkende dokwerkers.'

Ze voelde zich meteen laf dat ze achter haar dode meester moest kruipen om zichzelf te beschermen.

Er kwam een geamuseerde blik in de ogen van de man.

'Dacht je dat ik je niet had herkend, Tessa van Delos?' Hij kneep in haar arm en trok haar mee naar de deuropening waar hij vandaan was gekropen. 'Het beste wat Servia te bieden heeft, zegt iedereen.'

Hij sleepte Tessa mee, over de straat, door het vuil in de goot en de stoep op. Zijn baard prikte tegen haar wang.

'Wij mogen hier toekijken hoe Servia al die smakelijke meisjes klaarstoomt, en vervolgens worden ze de heuvel op gestuurd als feestmaal voor de rijke mannen, terwijl wij met de restjes achterblijven.'

Hij duwde haar tegen een deur aan, die openging en hen beiden het donkere gebouw in zoog.

'Ik vind dat wij wel eens iets beters verdienen.' Toen hij lachte, rook ze zijn bedorven adem. 'Nou, één van ons in ieder geval.'

Het sprankje hoop dat Tessa had gevoeld toen ze het huis van Glaucus had verlaten, veranderde nu in woede. Ze had deze avond al een grotere man te grazen genomen. Vanachter de deuropening lonkte de lege straat.

Ω

Terwijl Nikos de dokken verliet, hoopte hij dat de jongen die hij de drachmen had gegeven zo verstandig zou zijn het geld uit te geven aan zorg voor de oude man. Nu moest hij erop toezien dat niemand hem tot de volgende morgen zou zien. Hij liep in de richting van de straat die buiten het havengebied langs de kust liep. Er zou vast nog wel ergens een taverna open zijn waar hij zich ergens in een donkere hoek kon verschuilen met een beker wijn. Zodra de zon opkwam, zou hij dan naar Glaucus gaan.

Tot Nikos' opluchting was het op straat donkerder dan in de haven. Terwijl hij de weg over sjokte, zocht hij om zich heen naar een open deur of een ander teken van leven.

Een eind verderop hoorde hij iemand praten. Achter een deur leek iets te bewegen. Hij liep eropaf, in de hoop ergens naar binnen te kunnen. Maar het was slechts een stel dat in een innige omhelzing in een deuropening stond. Vol afkeer wendde Nikos zijn blik van hen af.

Hij vertraagde zijn pas toen hij een gilletje achter zich hoorde. Hij draaide zich om en keek nog eens goed. Nu zag hij dat een smoezelige dokwerker zijn armen om een mooie vrouw had heen geslagen. Hoewel ze haar haar los droeg, besefte Nikos meteen dat ze een respectabele vrouw moest zijn, met haar zachte huid en verfijnde kleding.

Toen ze even zijn kant op keek, werd hij overweldigd door de wanhoop in haar blik.

'Laat haar onmiddellijk los!' Nikos rende op de deur af, tot grote verrassing van de dokwerker.

'Ze is vanavond van mij,' spuwde de man. 'Jij mag haar morgen hebben!' Hij lachte en begroef zijn smerige gezicht in de hals van de vrouw. Ze sloot haar ogen vol afschuw.

Nikos' medelijden veranderde nu in woede. 'Laat haar los, zei ik.' Hij greep de pols van de man beet en draaide eraan.

'Scheer je weg!' De dokwerker spuugde op Nikos' sandalen. 'Dit gaat jou niks aan.'

Nikos duwde de man het verlaten gebouw in en kwam tussen hem en de vrouw in staan. 'Zoek maar een andere manier om je te vermaken.'

De man was klein maar snel. Nikos had de stomp in zijn maag niet zien aankomen, evenmin als de valse grijns. Happend naar lucht klapte hij voorover. Met zijn hoofd dicht bij de grond rook hij de beschimmelde etensresten die daar lagen. Maar Nikos' jarenlange ervaring liet hem niet in de steek. Op de tweede klap was hij wél voorbereid.

Hij dook op het laatste moment opzij, waardoor de dokwerker zijn evenwicht verloor. Met de rand van zijn hand sloeg hij de man in zijn nek, waardoor die door de knieën zakte. Hij klaarde de klus met een stomp tegen zijn kaak. Het spuug vloog door de lucht en de man viel voorover. Een paar geschrokken ratten tippelden snel de hoek in. De vrouw keek intussen verrassend onaangedaan toe. Nikos stapte over de man heen naar de vrouw, die in de deurope-ning stond. Haar chiton was van haar lijf gescheurd. Nikos wilde haar helpen zich te bedekken, maar toen hij zijn hand uitstrekte, gaf ze er een klap op.

'Raak me niet aan!'

Hij sprak zachtjes. 'U bent nu veilig. Ik wil u helpen.'

'Ik heb je hulp niet nodig!'

De man op de grond kreunde en draaide zich voorzichtig om. Toen Nikos naar hem keek, stak hij capitulerend een vuile hand op.

Nikos schopte hem nog eens in de maag, maar sprak zichzelf in gedachten toe dat hij zich moest beheersen. 'Wegwezen!' De man krabbelde overeind en vluchtte de straat op.

Nikos keek de vrouw weer aan. Zelfs in de duisternis kon hij zien dat ze beefde. 'Laat me u thuisbrengen.'

Toen ze haar hoofd schudde, trilde haar hele lijf als een orchidee in een storm.

'U kunt mij vertrouwen. Ik wil u alleen maar helpen.'

Ze sprak met haar tanden op elkaar geklemd: 'Ik zei toch dat ik je hulp niet nodig heb. Verwacht je soms een beloning? Kwam je daarom tussenbeide?'

'Een beloning?' Nikos fronste zijn wenkbrauwen.

'Je krijgt helemaal niks. Je moet je met je eigen zaken bemoeien.'

Zijn medelijden veranderde nu in ergernis. 'Luister, dame,' zei hij. 'Ik zag dat u in moeilijkheden verkeerde en heb u geholpen. Dat is alles. U zou me dankbaar moeten zijn.'

Ze deed een stap achteruit. 'Een dame hoeft geen dankbaarheid te betuigen aan mannen die naar zweet en vis ruiken.'

Nikos keek haar streng aan. 'Een *dame* zou niet op dit uur op deze straat worden aangetroffen.'

Haar mond viel een stukje open en Nikos had meteen spijt van zijn woorden. De wanhoop die hij eerder in haar ogen had gezien, keerde terug. Hij reikte zijn hand naar haar uit. 'Het spijt me. Ik had niet...'

Ze deinsde terug van zijn hand, alsof het de hand was die haar zojuist had beetgepakt.

'Laat me u alstublieft veilig naar huis brengen.'

Ze wikkelde haar gescheurde chiton om haar schouders. 'Ik wil met jou net zomin iets te maken hebben als met hem.' Ze keerde zich om en verdween de nacht in.

Nikos overwoog haar nog even te achtervolgen, maar besloot het erbij te laten. Deze vrouw kon wel voor zichzelf opkomen. En met zijn neiging altijd maar goede daden te verrichten, had hij deze avond al veel te veel aandacht getrokken. Waarom moest hij toch zo verdraaid sentimenteel zijn?

Hij moest zich nu koest houden.

VIJF

Opnieuw rende Tessa door de nacht. Ze probeerde niet te denken aan mannen en hun verlangens. Ook al hadden sommige mannen schijnbaar nog zulke nobele intenties, ze had er nog nooit een ontmoet die niets van haar had gewild.

Hoelang zou het duren voordat Glaucus' lichaam werd ontdekt? Ze sloeg een laatste bocht om en stond toen voor het gebouw waar Servia haar had geleerd hoe ze Glaucus' pronkstuk moest zijn. Binnen woonden meisjes als zijzelf, die nu door haar eigenaresse werden opgeleid. Ze werd al misselijk bij de gedachte.

De deur zag er verweerder uit dan tijdens haar vorige bezoek en de deurknop plakte toen ze eraan draaide. Hoewel het gebouw er van buiten net zo smoezelig uitzag als de andere panden in de buurt, had Servia het interieur van haar hetaere-school omgetoverd tot een luxe ruimte. In de hal die Tessa binnenstapte, verlichtte zacht licht van een olielampje delicate stoffen die langs de muren hingen. Een duur standbeeld van Aphrodite sierde de entree. Van ergens diep in het huis klonk zachte muziek en Tessa hoorde een meisjesstem giechelen.

Wie niet beter wist, zou zich in de woning van Glaucus kunnen wanen, of van een van de andere rijke koopmannen die op de heuvel woonde. Het trof Tessa weer wat een overtuigend stukje theater hier midden in het havengebied werd opgevoerd. Een vergelijking die opging voor de hele school: hier leerden de meisjes de maskers op te zetten die ze zouden blijven dragen tot hun rijke meesters de interesse in hen verloren. En waar waren ze dan nog goed voor? Tessa had nog nooit een hetaere ontmoet die rijk en tevreden met pensioen was gegaan, al werd die mogelijkheid hun altijd voorgehouden, als een stuk aas aan het eind van een stok.

Tessa liep verder tot ze het andron had bereikt. Hoe ironisch, dat Servia het mannenverblijf had nagemaakt in een huis waar alleen vrouwen woonden. Ironisch, maar noodzakelijk.

Drie meisjes zaten te luieren op een stel banken. Ze fluisterden met elkaar en aten druiven uit goud geverfde schaaltjes. Hun gesprek hield abrupt op toen Tessa de kamer binnenkwam.

'Servia,' zei ze, nog buiten adem van het rennen door de straten en de ontmoeting met de dokwerker.

De drie meisjes staarden haar met grote ogen aan.

'Servia,' herhaalde ze. 'Waar is ze?'

Een meisje dat ze nog niet kende, ging snel staan en glimlachte verlegen. Ze was jong en mooi, met een donkere huid en lichte sproeten op haar neus. 'U bent Tessa!'

'Ja ja.' Tessa schudde haar hoofd. 'Ik moet Servia spreken!'

De andere meisjes gingen ook staan. De onbekende kwam dichterbij en raakte Tessa's chiton aan.

'Prachtig,' fluisterde ze.

'Maar hij is gescheurd,' zei een ander, die ook aan de stof voelde.

'Hoe is het?' vroeg de derde. 'Hoe is het om de meest bewonderde hetaere van het eiland te zijn?'

Alsof je een slaaf bent.

'Meisjes!' zei Tessa terwijl ze haar kleding uit hun nieuwsgierige vingers trok. 'Zeg tegen Servia dat ik haar dringend moet spreken.'

'Ze is er niet. 's Nachts gaat ze soms naar de taverna's om...'

De stem van het meisje stierf weg en een van de anderen maakte de zin voor haar af.

'Om mannen te vinden die... andere soorten... van ons willen.'

Tessa knikte. Ze was wel bekend met Servia's zakelijke tactieken. Ze nam alleen de meestbelovende meisjes onder haar hoede, maar die bleken in de praktijk lang niet allemaal goed genoeg voor meesters als Glaucus. Sommigen moesten in plaats daarvan maar geld binnenhalen uit de zakken van vissers, matrozen en dokwerkers. Wanneer Servia niet bezig was een deel van de meisjes voor te bereiden op een grootse loopbaan, regelde ze minder deftige zaken voor de anderen.

Tessa draaide zich om om te gaan.

Een van de meisjes pakte haar chiton weer vast. Ze was minder mooi dan de anderen en veel kleiner dan Tessa.

'Vertel ons iets, Tessa. Vertel ons wat het belangrijkste is dat u heeft geleerd als hetaere.'

Ze keek het jonge meisje in de ogen en bestudeerde haar rimpelloze huid. 'Goed,' zei ze. 'Binnenkort zullen jullie ontdekken dat er iets kouds in je hart huist, zoiets als een steen. Laat die kou in jezelf maar toenemen, laat die overal doordringen, tot je niets meer bent dan een ademend bronzen beeld.' Ze keek alle drie de meisjes aan. 'Dat is de enige manier om te overleven.'

Ze vluchtte de nacht in, weg van hun jonge, onthutste gezichten, en liep de dichtstbijzijnde taverna binnen.

Het interieur van de taverna was net een verwrongen spiegelbeeld van Servia's andron. Het rook er naar verschraalde wijn en braaksel, en op een van de banken lag een snurkende matroos die nog een beker wijn vasthield in zijn bonkige hand. Er brandde goedkope lampolie die alles een vettig laagje gaf. Tessa's maag keerde zich bijna om en ze bedekte haar neus met haar hand. In een hoek zaten twee mannen te dobbelen onder een geschilderd fresco van een vrouw met een kind.

Ze zag Servia meteen staan, met haar brede rug naar Tessa toegekeerd. Ze was druk gebarend in gesprek met een man op een bank, die Tessa niet kon zien. Het vet onder haar armen trilde bij elke zin die ze uitsprak. Tessa zuchtte en bereidde zich voor op de confrontatie.

'Hoe kun je weigeren?' hoorde ze Servia zeggen. 'Zelfs mannen die voor het eerst op het eiland komen, hebben gehoord dat Servia's meisjes het allerbeste zijn.'

Tessa kon het antwoord van de man niet horen, maar Servia nam er duidelijk geen genoegen mee.

'Kom nou! Twee drachmen dan. Maar zeg dan tegen niemand wat voor koopje je van die arme Servia hebt gekregen.'

Servia legde haar handen op haar heupen – een teken dat ze stevig aan het onderhandelen was.

Ze luisterde en schudde haar hoofd. 'Eén drachme! Je zult geen spijt krijgen.'

'Ik zei nee!'

Tessa haalde haar wenkbrauwen op. Bijna niemand durfde op verhoogde toon tegen Servia te spreken.

Tessa merkte aan Servia's lichaamshouding dat de man was gaan staan. 'Laat me met rust, mens,' zei hij. 'Je geeft je hele geslacht een slechte naam met je gepingel!'

Vanuit de andere kant van de kamer kon Tessa Servia's woede aanvoelen. Servia draaide zich kordaat om en stormde de ruimte door. Met een verraste blik zag ze Tessa staan. Haar fameuze gouden tand glom in het schemerlicht terwijl ze op haar af kwam waggelen.

'Kijk, hier is er een die hij niet zo snel zou afwijzen.' Servia kneep even in haar wang, waarop Tessa haar hoofd afwendde. 'Maar deze is niet te koop.' Servia lachte. 'Nee, voor deze is al vele malen betaald.'

'Servia, ik moet je spreken.'

De vrouw keek even achter zich. 'Zie je nu de kwaliteit waar Servia om bekend staat?'

Tessa volgde haar blik en stond opeens oog in oog met de man die haar eerder die avond had beschermd. Ze voelde zichzelf rood aanlopen en boog haar hoofd, verrast door haar plotselinge schaamte.

Haar eigenaresse nam haar grijnzend op. 'Wat kan Servia voor je betekenen, liefje?'

'Niet hier.' Tessa wierp een snelle blik op de man in de hoek. 'Kom mee naar buiten.'

'We kunnen hier vrijuit spreken, hoor.' Servia wees met uitgestrekte arm om zich heen. 'We zijn hier onder vrienden.'

'Buiten, Servia!'

48

De vrouw haalde haar schouders op. 'Zoals je wenst.' Ze duwde de deur open en liet die achter zich dichtvallen, zodat Tessa hem snel moest tegenhouden.

Buiten op straat leunde Servia tegen de gescheurde gipsen muur en schudde haar hoofd. 'Dwaas,' zei ze met een knik naar de deur. 'Die heeft morgen vreselijke spijt dat hij mijn aanbod heeft afgeslagen.'

'Servia, je moet me vertellen...'

De vrouw wierp een blik op de lege straat. 'Waar is iedereen vannacht?' zei ze. 'Het gaat slecht met de zaken.'

'Wie heeft er na Glaucus voor mijn... diensten betaald, Servia?'

Servia gniffelde. 'Wat ben je toch altijd discreet, Tessa. Ik heb je goed opgevoed. Glaucus is vast in z'n nopjes met zijn troeteldiertje. Je hebt een flinke reputatie opgebouwd, weet je dat wel?'

Uit wanhoop vergat Tessa haar afkeer van lichamelijk contact even en ze greep de vrouw bij de arm. 'Wie volgt er na Glaucus?'

De vrouw fronste haar wenkbrauwen. 'Waarom wil je dat weten? Heb je al genoeg van Glaucus? Hoop je dat je iets beters kunt krijgen?'

Tessa haalde een hand door haar haren. 'Ik ben gewoon... nieuwsgierig. Meer niet. Ik wil graag weten wat de komende jaren voor me in petto hebben.'

'Ik vermoed niet dat je voorlopig bij Glaucus weg zult gaan, meisje.' Servia glimlachte en trok een wenkbrauw omhoog. 'Hij lijkt me een man die niet snel vermoeid raakt.'

Tessa probeerde luchtig te kijken en leunde tegen het gebouw aan. 'Je hebt natuurlijk gelijk. Ik ben alleen benieuwd wie er na Glaucus komt, voor het geval hij... een jonger meisje tegen het lijf zou lopen.'

Servia lachte uitbundig. 'Ha, de vloek van elke vrouw. Wij vrezen de jaren zoals mannen het verliezen van macht vrezen. Er staat altijd iemand achter ons, klaar om onze plaats in te nemen, zoals mijn nieuwe meisje Berenice jouw plaats zou innemen. Maar wees niet ongerust, Tessa, je hebt nog vele jaren van schoonheid voor je liggen.'

Tessa balde haar vuisten en drukte ze tegen de muur achter zich.

'Servia, vertel me wie er na Glaucus komt!'

Zodra ze de woorden uitsprak, wist Tessa dat ze een vergissing had gemaakt. Servia moest je niet uitdagen.

De oudere vrouw vouwde haar armen voor haar volle boezem en keek Tessa streng aan.

'Laat de zaken maar aan mij over, Tessa. Vergeet niet wie hier de baas is.' Ze boog een stukje naar haar toe en fluisterde: 'Ik zal je één advies geven: houd Glaucus maar te vriend, meisje. De volgende zal je een stuk minder vriendelijk behandelen.'

Ω

De volgende zal je een stuk minder vriendelijk behandelen.

Tessa keerde terug naar het havengebied zonder zich te hoeden voor mogelijke gevaren, zoals ze die eerder was tegengekomen. Misschien hoopte ze er haast wel op.

Boven aan de heuvel lag het lichaam van Glaucus, nu nog verhuld door een doek en de donkere nacht, maar zodra het licht werd, zou hij niet meer te verstoppen zijn.

Tessa overwoog haar mogelijkheden. Als ze terugkeerde naar het huis van Glaucus, zou ze mogelijk worden geëxecuteerd wegens moord. Als de goden haar genadig zouden zijn en ze niet zou worden veroordeeld, zou ze opnieuw slaaf worden, onder een meester die haar nog erger zou behandelen dan Glaucus.

Er bleven nog maar twee opties over. Ze kon voor zonsopgang haar belofte aan Helios nakomen, of...

Ze liep in de richting van het standbeeld, maar richtte haar blik op het water daarachter. Waarom zou ze niet gewoon kunnen ontsnappen? Het eiland verlaten, ergens anders opnieuw beginnen? Volgens Simeon zou dat nooit lukken, maar was dat wel zo?

Eén ding was zeker: ze zou nooit meer aan een andere man toebehoren. Ze zou zichzelf niet opnieuw als slaaf laten behandelen. Ontsnappen of sterven – een andere keuze was er niet.

Aan de horizon verscheen het eerste morgenrood. Als ze een ontsnappingspoging wilde doen, moest ze snel zijn. Ze versnelde haar pas, hield haar blik op het standbeeld gericht en prevelde een angstig gebed aan Helios om een veilige vaart.

De haven van Rhodos stond bekend als de drukste van de Egeïsche Zee, en het was er dan ook nooit stil. Terwijl Tessa de straat overstak, werd ze van alle kanten aangekeken, door zowel vrije mannen als slaven en hun meesters.

Ik moet uit het zicht blijven.

Een eindje verderop zag ze op de kade een stapel kratten staan. Als ze zich daarachter verschool, zou ze de situatie misschien goed kunnen overzien.

Met gebogen hoofd rende Tessa in de richting van de donkere, kolkende zee. Eenmaal tussen de kratten zakte ze door haar knieën en keek ze toe hoe een groep mannen zakken naar een dobberende sloep tilden. Verderop in de zee zag ze het schip dat lag te wachten op de volgende lading van de sloep.

Waar gaat dat schip naartoe? Ze haalde haar schouders op. *Maakt dat wat uit? Het blijft in ieder geval niet hier.*

Ze moest op de een of andere manier op die sloep zien te komen – en dan op dat schip.

Voor het eerst sinds Glaucus dood was, voelde Tessa weer dat er bloed door haar aderen stroomde.

Ik ben nog niet dood.

Ze boog nog dichter naar de grond toe. Kon ze maar door de kieren in een van die kratten kruipen om samen met de inhoud ervan naar een ver oord te worden meegevoerd. Boven haar kraaide een meeuw. De vogel dook boven de zee even naar beneden en liet zich toen door de wind meevoeren in de richting van de schemerige horizon.

Hars. Het krat was gevuld met dennenhars, realiseerde Tessa zich. De geur bracht nostalgische herinneringen boven van de bosrijke heuvels waar ze als kind had gewandeld voordat ze met haar moeder hier was gekomen.

Haar knieën begonnen zeer te doen van het knielen, en het werd steeds lichter.

Ze had zich voorgenomen een plan te bedenken, maar ze bleek niet tot nadenken in staat. Uiteindelijk wachtte ze maar tot de sloep helemaal vol was geladen en de dokwerkers aan een volgende lading begonnen.

Toen ging ze. Gebukt rende ze langs de waterkant.

Niemand hield haar tegen.

Tessa hijgde. Ze voelde zich licht in haar hoofd. Net als die meeuw zou zij ook boven de zee zweven.

Ze stapte halsoverkop de sloep in. Zakken graan, kratten – daar, een nauwe opening tussen de lading. Voorzichtig ging ze ertussen zitten.

In die benauwde ruimte voelde Tessa zich vrijer dan ooit.

Ze hoorde een matroos schreeuwen, toen schommelde de sloep en waren ze weg.

Weg!

Nu moest ze nog op het schip zelf zien te komen, maar ze was al halverwege. Hoewel ze zichzelf maande om voorzichtig te blijven, voelde ze een gevoel van hoop opkomen. Misschien zou dit echt kunnen gaan lukken.

De gedachten raasden door haar hoofd. Moest ze meteen opstaan wanneer ze het schip bereikten? Er zouden ongetwijfeld matrozen op het dek staan om de lading binnen te halen. Maar als ze zou wachten, zouden de zakken en kratten waar ze tussen zat een voor een worden weggehaald.

Ze kroop uit haar schuilplaats, greep de rand van de sloep vast en leunde zo ver voorover dat ze het schip kon zien. De zee onder haar klotste tegen de romp van de sloep. Ze staarde de inktzwarte diepte in en vroeg zich af wat voor wezens er onder de oppervlakte zwommen. Maar haar besluit stond vast.

Nog één blik op de haven achter zich. Een knikje naar Helios, die vanuit de hoogte meedogend op haar neerkeek. De sloep had het schip bijna bereikt.

Nu!

Tessa sloeg een been over de kant en deed haar best de scherpe splinters die in haar dij prikten te negeren. Toen haar andere been. Ze aarzelde even en plonsde ten slotte het koude water in.

Ze moest haar best doen niet te gillen van de schok. Zo snel als ze kon, zwom ze naar de oppervlakte en veegde ze het haar uit haar ogen. Watertrappelend bleef ze naast de sloep.

Toen het schip bereikt was, werd er geschreeuwd en een touw overboord gegooid. De tros landde slechts een paar voet naast haar. Ze zwom snel een stukje achteruit om niet ontdekt te worden.

Terwijl alle aandacht uitging naar het overplaatsen van de lading, zwom Tessa naar de andere kant van het schip. Het viel niet mee om de romp in de klotsende golven te ontwijken; tot tweemaal toe stootte ze haar hoofd tegen het hout. Ze beet op haar lip en bleef zwemmen.

Aan de bakboordzijde van het schip hing een touw en waren een paar voetsteunen tegen de wand geplaatst, zodat de zeemannen om hygiënische redenen het water in konden.

Tessa twijfelde geen moment. Ze kon de vrijheid bijna proeven. Ze greep het touw vast alsof het een reddingslijn uit een moeras was, en trok zichzelf naar boven tot haar ogen vlak boven de rand van het schip uitkwamen.

Het touw sneed in haar handen, maar ze bleef stevig vasthouden. Aan boord van het schip waren alle blikken gericht op de stuurboordzijde, waar de bemanning de lading binnenhaalde.

Met een natte plof kwam ze neer op het dek. Ze keek snel om zich heen en zag een trap die naar het ruim van het schip leidde. Ze was nu afhankelijk van de duisternis.

De vierkante ruimte beneden werd verlicht door een kleine lamp. Achterin de kamer was een deur, die naar een voorraadkast bleek te leiden waarin nog net voldoende ruimte voor haar over was. Tessa trok de deur achter zich dicht, dook achterover en durfde eindelijk weer adem te halen.

Veilig. Bijna vrij.

Ze vroeg zich weer even af waar het schip naartoe zou gaan. Waar zou haar nieuwe leven beginnen? Ver van de eilanden, hoopte ze, Alexandrië of Perzië misschien. Maar hoelang zou ze een reis kunnen overleven onder deze omstandigheden? En als de zeemannen haar tijdens de reis zouden ontdekken? Zouden ze haar overboord gooien? Of zouden ze haar…

Nee, daar moest ze nu niet aan denken. Ze had gedaan wat ze kon en zou nergens spijt van hebben. Ze had geen andere keuze.

Ze wist niet precies waar ze tegenaan leunde, maar ze zakte wat onderuit, waardoor haar voet de deur een stukje openduwde. Ze trok hem snel weer dicht.

Hoe lang zou het duren voordat het schip zou gaan varen?

Ze wist niet hoeveel tijd er voorbijging. Ze dommelde weg en dacht even dat er uren waren gepasseerd, maar het konden ook minuten geweest zijn. De duisternis was benauwend, al merkte ze dat het buiten haar kleine schuilplaats steeds lichter begon te worden.

Toen hoorde ze stemmen, harder dan de stemmen die ze boven had gehoord. Er waren zeemannen naar beneden gekomen. Dat betekende vast dat ze nu snel zouden vertrekken. Haar hart bonsde zo snel dat het haast een muziekritme leek.

Ze deed haar best om de stemmen te kunnen onderscheiden, om te horen wat er werd gezegd. Misschien zou ze iets te weten kunnen komen over hun bestemming.

Met enige verbazing hoorde ze ook een vrouwenstem. Gingen er ook vrouwen mee op reis? Dat had ze zich nooit voorgesteld, maar misschien moesten die de zeemannen verzorgen tijdens de reis.

De stem van deze vrouw kwam haar echter wel erg bekend voor.

Het verlammende besef kwam pas vlak voordat de deur met een ruk openging.

Zelfs in het wazige schemerlicht kon Tessa de honende glimlach op Servia's gezicht zien.

Toen begon Servia te lachen. Tessa bleef bewegingloos zitten. Ze kón niet bewegen; de lach had haar versteend.

Er kwam een zeeman naast Servia staan. De kapitein misschien.

'U heeft inderdaad een kostbare lading,' zei Servia tegen hem. Ze stak een hand in haar *himation* en haalde een buideltje tevoorschijn. Tessa hoorde munten rinkelen terwijl Servia de buidel in de hand van de man drukte.

'Hopelijk vindt u dit een gepaste beloning,' zei ze. Toen stak ze haar hand uit naar Tessa, alsof ze een klein meisje was dat tijdens het spelen was gevallen. 'Kom, Tessa. Tijd om naar huis te gaan.'

Tessa negeerde Servia's hand en krabbelde overeind. Ze deed haar best nog enige waardigheid te behouden in het donker, met haar natte haren en kleding, terwijl de zeeman de munten vasthield waarmee ze was verraden.

Servia lachte weer terwijl ze Tessa van achteren de trap op duwde. 'Waarom vertelde je me niet dat je van plan was op vakantie te gaan, Tessa? Je dacht toch niet dat je onopgemerkt kon vertrekken?'

Tessa klauterde het dek op. Ze werd geamuseerd aangestaard door de matrozen.

Servia gaf haar een por zodat ze door zou lopen. 'Je was meteen gezien toen je de haven in liep.' Ze lachte. 'Het is eigenlijk je eigen schuld. Je hebt de afgelopen jaren zo'n uitgesproken reputatie opgebouwd. Zodra bekend werd dat je Rhodos wilde vertrekken, stonden er diverse behulpzame mannen op de stoep die mij voor een schijntje naar jou toe wilden leiden.'

Tessa klom de rand van het schip over, liet zich in de sloep zakken en ging op de grond zitten. Servia kwam naast haar staan. Zwijgend voeren ze terug naar het dok.

Toen ze weer op de vaste grond stonden, sloeg Servia een arm om

Tessa's middel en fluisterde in haar oor: 'Je hebt vanavond veel vragen gesteld, Tessa. En je hebt dwaze streken uitgehaald. Ik weet niet waarom. Ik heb me er wel om kunnen vermaken. Maar denk niet dat je mij en alles wat ik voor je heb gedaan zomaar de rug kunt toekeren. Als je niet meteen terugkeert naar Glaucus, zul je gaan merken waartoe ik in staat ben.'

Servia gaf haar een duwtje en Tessa strompelde gevoelloos verder. Wankelend liep ze van de waterkant af, naar Helios toe, die haar niet had gered. Even later stond ze aan de voet van het machtige standbeeld naar boven te kijken. Zonder erbij na te denken, klom ze het stenen voetstuk op. Ze ging tussen zijn massieve voeten zitten, die elk zo groot waren als een volwassen os, en leunde achterover tegen een bronzen hiel. Zo tuurde ze uit over de stad.

De morgen was nu volledig aangebroken en ze keek afwezig naar drie jongens die beneden op straat speelden. Ze hadden een kooi bij zich, waarin ze een of ander dier hadden gevangen. Twee van de jongens prikten met stokjes tussen de spijlen van de kooi en de derde stond erbij te lachen en te klappen. Het dier in de kooi schreeuwde. Tessa kromp ineen bij het geluid.

Ze leunde voorover om te zien wat er in de kooi zat.

Tussen de tralies zag ze de gele kat met de groene ogen zitten, waarop ze nog maar een paar uur geleden zo jaloers was geweest. Verbolgen staarde het beest de wereld in.

De traan die langs haar wang biggelde, verraste haar. De bronzen vrouw die ze was geworden, had in lange tijd niet gehuild.

Het is ook wel toepasselijk. Huilend kom je de wereld in. Misschien is het goed om met enig teken van verdriet de wereld te verlaten.

Ze liet haar hoofd weer tegen Helios' hiel rusten. Had ze er maar aan gedacht om een mes mee te nemen voordat ze naar boven geklommen was. Met een zucht keek ze toe hoe de zon opkwam boven haar gevangenis.

ZES

Zes dagen voor de grote aardbeving

Toen Spiro uit bed kwam, speelden de gedachten van de nacht ervoor nog volop door zijn hoofd. Hij was het zat om woorden te verspillen; als hij de macht wilde grijpen, moest hij iets gaan ondernemen.

Het Griekse ideaal werd door alle omringende volken bedreigd. Met debatten alleen zou Rhodos zijn positie als economisch middelpunt van het Egeïsche gebied niet kunnen behouden. Het was tijd voor actie. Geweld zelfs.

Voor de zon zich had losgemaakt van de zee, liet Spiro een knecht en een koetsje halen en vertrok hij naar de agora. Hij zou assistentie nodig hebben om zijn ideeën door te zetten.

Op de agora krioelde het al van de koopmannen en klanten. Spiro stapte van zijn wagen; te voet zou hij in de menigte minder aandacht trekken. Evengoed werd hij door veel mensen herkend en begroet. Sommigen waagden het zelfs zijn kleding aan te raken terwijl hij langsliep.

'Ja ja,' knikte hij terwijl hij zich een weg baande door het volk, hun opmerkingen en klachten negerend.

Op de trappen van het *bouleuterion*, waar de raad bijeenkwam, hield de oude filosoof Apollonius hof. Zijn leerlingen zaten aan zijn voeten, in de traditie van Socrates en Plato, die de filosofie van een stoffige bezigheid voor oude mannen hadden verheven tot de trots van het hellenisme. Apollonius groette Spiro toen die voorbijkwam.

'Wat zegt u ervan, Spiro? Vindt u ook niet dat het op zichzelf goed is om op te komen voor individuele belangen, maar beter en nobeler om het belang van steden en naties te dienen?'

Spiro glimlachte en wuifde afkeurend. 'Van mij mag je je tijd verspillen aan filosofie, Apollonius. Oorlog, allianties, geld – laat zulke wereldse zaken maar over aan degenen die de macht hebben.'

Apollonius zei tegen zijn leerlingen, hard genoeg dat Spiro het kon horen: 'Volgens Plato worden degenen die te slim zijn om zich met politiek bezig te houden, gestraft door te worden geregeerd door dwazen.'

Spiro stond stil, de glimlach nog steeds op zijn gezicht, en overwoog de man te laten geselen. Maar nee, Apollonius was erg geliefd onder de mensen. Spiro gniffelde goedhartig. 'Maar je kunt misschien beter een rijke dwaas zijn dan een arme filosoof.' Daarop liep hij verder.

Goed, een beetje overdreven had hij wel, bedacht Spiro ongerust. Ooit was hij misschien rijk geweest. Maar om zijn reputatie te behouden, leefde hij nu al een tijdje boven zijn stand.

Toen hij de slavenmarkt op liep, liet hij zijn sombere gedachten varen. De aanblik van de verzameling beschikbare mannen en vrouwen deed hem goed. Hij stopte voor het omheinde gebied om de laatste aanwinsten te bekijken. Exotische schoonheden keken hem geïnteresseerd aan, terwijl mannen bars of uitgeput voor zich uit staarden. Een opvallende bruut, die hem zelfverzekerd aankeek, trok zijn aandacht. Spiro wenkte hem zachtjes om dichterbij te komen. De man liep op hem af en stond tegenover hem stil, zo dichtbij dat Spiro hem over het lage hek heen zou kunnen aanraken. De slaaf was minstens een kop groter dan Spiro en zijn hoofd was helemaal kaalgeschoren. Spiro nam hem uitvoerig op. Tot zijn verbazing grijnsde de reus naar hem. Hij had een goed gebit.

'Bevalt het u wat u ziet?' vroeg de slaaf.

Spiro kneep even zijn bovenarm. 'Je bent gebouwd als een os. Hopelijk ben je wel wat slimmer.'

'Slim genoeg om een machtige man te herkennen.'

Spiro trok een van zijn mondhoeken op. 'Hoe heet je?'

'Ajax.'

Naar de Trojaanse oorlogsheld. Vast toepasselijk.

'Ik zoek iemand die discreet kan zijn,' zei Spiro. 'Iemand die een vervelende taak kan uitvoeren zonder er in de lokale taverna over op te scheppen of de aandacht op mij te vestigen.'

Ajax balde zijn vuisten. 'Ik sta tot uw dienst.'

Spiro bekeek hem nog even en knikte toen. Hij liet Ajax achter en ging op zoek naar de slavenveilingmeester.

'Wat kost die kale reus?'

De veilingmeester, een kleine man met dikke lippen, lachte. 'Ha, Spiro, het verbaast me niks dat u meteen voor de allerbeste gaat. Hij zal veel opbrengen in de veiling.'

'Ik wil niet op hem bieden. Ik koop hem meteen, voordat de veiling begint.'

De veilingmeester fronste en schudde zijn hoofd. 'Ik kan mijn beste product toch niet verkopen zonder te weten wat ik ervoor kan krijgen?'

Spiro boog zich naar hem toe. 'Luister, rund, jouw winst interesseert me geen moer. Ik wil niet dat iemand ziet dat ik deze slaaf koop.'

'Maar...'

Spiro wierp hem een strenge blik toe. 'Ben je doof? Hoeveel?'

De man kromp angstig ineen. 'Tien minae.'

Spiro gromde. Duizend drachmen. Zesduizend obolen. Hij had meer in zijn buidel gestopt dan hij zich kon veroorloven en nu vroeg dit gespuis om bijna alles.

Hij keek weer om naar de slavenkooi, waar Ajax boven de menigte uit torende, met zijn armen gekruist over zijn massieve borstkas. De vraag van de vorige avond kwam weer in hem op: *Kun je je vader bewijzen dat jij net zo'n groot leider bent als hij?*

Hij haalde een zakje munten vanonder zijn himation vandaan en drukte die in de hand van de veilingmeester.

'Vertel niemand dat ik hem heb gekocht,' beval hij. 'Laat hem als het donker is naar mijn huis komen.'

De kleine man knikte met een gulzige blik in zijn ogen. Spiro wendde zich snel af van de nare transactie. Met een laatste betekenisvolle blik op Ajax liep hij terug naar het centrum van de agora.

Er was nu geen weg terug. Het geld was uitgegeven. Ajax zou namens Spiro moeten optreden in het geweld dat onvermijdelijk zou gaan uitbarsten.

Hij bewoog zich door de menigte als een schip dat naar een nieuwe haven vaart, zonder te letten op de mensen in zijn kielzog.

Ja, hij zou de stad gaan overnemen.

En als Rhodos eenmaal van hem was, zou hij op de een of andere manier ook Tessa bezitten.

Ω

Helios' gouden zon steeg hoog boven de haven en verwarmde Tessa's gezicht en zijn eigen bronzen beeld waartegen zij rustte. De luchtige stof van haar chiton droogde snel, maar de zware waterval van krullen op haar schouders bleef vochtig.

De tijd kroop voorbij zonder dat Tessa ook maar ergens aan dacht. Beneden op straat onderhandelden koopmannen en handelaren, die vervolgens vertrokken met wagens vol goederen om op de markt te verkopen. De havenarbeiders die 's nachts hadden gewerkt, werden afgelost door een nieuwe ploeg. Kinderen van ouders die elders in het havengebied moesten zijn, haalden zonder toezicht allerlei kattenkwaad uit op straat.

Veel mensen keken naar Tessa, zoals ze daar zat aan de voeten van de kolos. Ze was zich er vaag van bewust, maar het kon haar niet schelen. Een enkele keer had ze oogcontact met een voorbijganger; dan vroeg ze zich af of die zou kunnen raden wat ze van plan was.

Ze bleef maar zitten, tot ze ten slotte haar eigen traagheid verwenste. Als ze zichzelf van het leven zou beroven, had ze een hulpmiddel nodig. Misschien was het lichaam van Glaucus intussen al gevonden en waren ze naar haar op zoek. Ze zou zich niet nog eens laten pakken. Eindelijk klom ze van het voetstuk af en slenterde ze naar de dokken.

Ditmaal koesterde ze niet de illusie dat ze onopgemerkt zou blijven. Ze werd van alle kanten nieuwsgierig aangekeken. Misschien hadden de voorbijgangers gehoord wat er die nacht was gebeurd en hoopten ze op een dergelijke kans om snel rijk te worden.

Of misschien had haar versteende hart eindelijk uitwerking gehad op haar lichaam en wilden de mensen alleen maar zien hoe een wandelend standbeeld eruitzag.

Ze liep langs een matroos die haar met een verlekkerde blik beetpakte. Ze schudde hem van zich af en liep verder langs het dok, langs de dokwerkers die sloepen aan het volladen waren, naar het eind van de kade, waar vissers hun netten over het strand sleepten en hun vangst sorteerden voor de verkoop.

Vissers hadden messen, wist Tessa. Maar ze zou dichtbij moeten komen om er een te kunnen ontvreemden. Ze zou met hen in gesprek moeten gaan, ze moeten vleien en verleiden.

Ooit zou ze hebben gewalgd van zo'n opgave, maar nu deed het haar niets.

Zo ongedwongen mogelijk wandelde ze naar het deel van het strand waar de vissers bezig waren. Met gebogen hoofd liet ze haar blik over de mannen glijden, op zoek naar iemand die een ongebruikt mes in de buurt had liggen. Ze werd onthaald met opgetrokken wenkbrauwen, gegrijns en gepor van ellebogen.

Ze liep naar een groepje mannen toe die bezig waren vissen uit hun netten te trekken en die op karren te smijten. Een van hen zat op de grond een scheur in zijn net te repareren. Zijn donkere huid en gespierde armen konden niet verhullen dat hij nog erg jong was.

Tessa zuchtte theatraal en ging op de grond naast hem zitten. Ze was zich ervan bewust dat haar haar nog altijd loshing en gebruikte dat in haar voordeel door er verleidelijk mee te spelen. 'Het wordt al zo vroeg warm,' zei ze met een blik op de jonge man.

Hij keek grijnzend naar haar en toen naar zijn maten. 'We kunnen wel even afkoelen in de zee.'

'Maar je bent zo druk met het repareren van je net. Je hebt toch geen tijd om met mij te gaan zwemmen?' Ze hoefde geen enkele moeite te doen om uitdagend over te komen – hier was ze nu precies voor opgeleid.

'Och, er zullen altijd netten zijn die gerepareerd moeten worden,' zei hij terwijl hij dichterbij kwam zitten. 'Maar je krijgt niet dagelijks de kans om met een godin te zwemmen.'

Tessa glimlachte met haar lippen, maar haar hart was al teruggekeerd naar de voeten van Helios.

'Wil je me dan eens laten zien hoe je zo'n net repareert?' vroeg ze speels. Het mes dat naast hem in het zand lag, had Tessa wel opgemerkt. Ze boog zich naar hem toe en liet haar arm even langs hem scheren.

Hij haalde zijn schouders op en trok het net naar haar toe. Ze pakte het met haar linkerhand beet, terwijl haar rechterhand naar de grond zakte. Voorzichtig greep ze het mes vast en sleepte het naar haar been.

De jonge visser praatte enthousiast over het woeste water dat voor scheuren in de netten zorgde, en over de slechte kwaliteit van het touw waarmee hij moest werken. Tessa knikte en glimlachte, maar dacht alleen aan het lemmet van het mes waarmee ze haar polsen zou opensnijden.

Toen ze ervan overtuigd was dat het mes nauwkeurig in de plooien van haar kleding was verstopt, leunde Tessa nog eenmaal tegen de schouder van de visser aan.

'Ik moet weer terug naar de stad,' fluisterde ze. 'Maar misschien kunnen we hier later nog eens afspreken. Dan kun je me nog meer over de zee vertellen.'

Hij knikte en grijnsde. 'En dan kunnen we misschien ook nog even zwemmen.'

'Ja,' lachte Tessa, 'dat doen we.' Ze ging staan, behoedzaam om haar rechterhand uit het zicht te houden. Terwijl ze wegliep, negeerde ze de opmerkingen en het gelach van de mannen achter zich.

Ze liep nu niet meer met gebogen hoofd, maar keek op naar Helios, die haar riep.

Ik kom eraan. Ik zal me aan mijn belofte houden.

Tessa wist niet of er iemand keek terwijl de beroemde hetaere de voet van het legendarische standbeeld beklom. Het kon haar niet schelen als er werd gefluisterd of geroepen. Het zou nu snel voorbij zijn. Ze nam weer plaats tussen de voeten van de god, ditmaal met haar rug naar de stad gekeerd, zodat ze over de zee uitkeek, net als Helios boven haar.

Ze liet haar hoofd weer tegen zijn hiel rusten en dacht terug aan de gebeurtenissen van de afgelopen uren, aan alle mannen waar ze mee te maken had gehad.

Glaucus, die zo veel van haar eiste en haar zo vernederde. Spiro, met zijn bedrieglijke charme. De smerige dokwerker op straat, met zijn verrotte adem en ruwe handen. Die arrogante 'held' die haar had geholpen en nu ongetwijfeld meende dat ze hem haar leven schuldig was. De kapitein van het schip, die haar had verraden voor een paar obolen. De jonge visser, die ze zo gemakkelijk voor de gek had gehouden.

Ze had de afgelopen nacht meer aandacht ontvangen van mannen dan sommige vrouwen in hun hele leven. Maar toch… geen van hen gaf echt iets om haar of wist wat zich in haar hart afspeelde. Ze was bekend, ze werd bewonderd en gevreesd.

Maar ik ben niet geliefd.

Ze dacht aan Simeon. Lieve Simeon, die zou misschien wel verdrietig zijn als hij hoorde dat ze een eind aan haar leven had gemaakt. Maar Simeon had een eigen gezin in de Joodse wijk. Hij was vriendelijk, maar kon ongetwijfeld niet houden van een vrouw die zich op zo'n manier gaf als Tessa had gedaan.

Ja, ze had zichzelf gegeven, gaf ze toe. Ze was niet alleen maar slachtoffer. Ze had zelf ook schuld. Ze had gehoopt op liefde. Ze had gehoopt dat iemand in haar hart zou kijken en van haar zou houden.

Liefde en vrijheid. Illusies waren het, die niets méér voorstelden dan de schuimvlokken op de golven van de zee. Ze zou die illusies nu afleggen en de waarheid omarmen. Ze wilde alleen nog maar met rust worden gelaten, zodat ze kon sterven. Haar hart leefde niet meer en het werd tijd dat haar lichaam en ziel zich daarbij voegden.

Ze pakte het mes op dat ze naast zich had neergelegd en keek even om zich heen. Ze werd nog steeds bekeken door voorbijgangers. Zou iemand zien wat ze had gedaan en haar proberen te redden? Ze zat niet te wachten op een held.

Ze overwoog haar plan. Als ze zich had gesneden, zou ze haar handen tussen haar benen houden en die proberen te bedekken met haar kleding. Ze wist niet hoeveel bloed er moest vloeien voor het te laat zou zijn om te worden gered, maar ze hoopte dat het niet lang zou duren.

Tessa keek op naar de kin van Helios, die hij trots omhoog stak boven de haven. Zou hij haar offer aanvaarden en haar veilig het hiernamaals laten binnengaan?

Ze knipperde met haar ogen tegen de felle zon en richtte zich weer op het mes in haar hand. Het was al oud; het houten handvat was versplinterd van het zoute water en de vissen. Ze voelde even met haar duim tegen het lemmet om de scherpte te onderzoeken, en huiverde toen het een sneetje maakte.

Ze legde het koude metaal tegen haar linkerpols. Nee, ze zou eerst in de rechter moeten snijden. Daarmee zou ze beter in staat zijn de volgende snee aan te brengen.

Ze pakte het mes met haar andere hand beet en slikte. Op haar pols zag ze diverse blauwe aderen lopen. Welke moest ze hebben om haar leven zo snel mogelijk te beëindigen? Of moest ze alle aderen doorsnijden?

Ze legde het mes verticaal tegen haar onderarm. Ze begon sneller te ademen. Haar hart bonsde. De reactie van haar lichaam verraste haar – ze had niet gedacht dat ze nog zo veel kon voelen.

Je bent bijna vrij. Doe het. Doe het.

Ze likte langs haar lippen, slikte, hijgde. Ze sloot haar ogen en bad Helios om kracht.

Het duurt maar even. Je hoeft maar even sterk te zijn.

Het geluid van joelende kinderen en krijsende meeuwen vervaagde. Haar blik vertroebelde tot ze zich alleen nog bewust was van het bloed dat door haar aderen stroomde, dat vrij wilde zijn.

Ze aarzelde. Plotseling was de wereld er weer: de zee, de haven, het geschreeuw. Ze verloor de concentratie op het mes.

Ik kan het niet.

Het besef kwam als een harde klap. De heerlijke vrijheid waar ze zojuist nog aan had geroken, verdween als een golf die nooit zou terugkeren.

Ik ben een lafaard.

Heel Rhodos kende Tessa als de gevatte, onverschrokken gezelschapsdame van een van de machtigste mannen van het eiland. Maar Tessa wist wel beter. Het mes viel uit haar gevoelloze hand en kletterde op het stenen voetstuk. Tranen welden op in haar ogen en druppelden op haar polsen.

Ik ben zwak.

Ze kreunde laag terwijl de waarheid zich met een zwaar gevoel in haar borst aandiende.

En ik zal nooit vrij zijn.

Ω

Nikos arriveerde precies bij het aanbreken van de dag bij het huis van Glaucus. Hij was niet eerder gekomen omdat hij anders misschien de hoofdbediende had moeten wekken. Glaucus had hem twee dagen eerder verteld dat die inmiddels zo oud was dat hij tot weinig meer in staat was.

Vlak voor zonsopgang was Nikos zo onopvallend mogelijk door de ontwakende stad geslopen en de rotsachtige heuvel opgeklommen naar de rijke wijk, waar de leiders van Rhodos hun huizen hadden gebouwd. Toen de zon de oostelijke horizon achter de zee verlichtte, vroeg hij een slaaf die met een blauwe waterkruik over straat liep welk huis van Glaucus was. De slaaf antwoordde in gebroken Grieks – waarschijnlijk kwam hij uit een of ander veroverd land – en wees naar het huis aan het einde van de straat. Nikos stak een hand op als dank.

Nog even en hij zou de nieuwe hoofdbediende zijn in dit huis. Dan zou hij toegang hebben tot de geheime samenkomsten van de machtigen en waardevolle kennis opdoen over de Rodische politiek. Aan zeevaarders zou hij regelmatig verslagen meegeven voor zijn vader, die benieuwd was naar de ideeën van bepaalde leiders – met name die van Glaucus.

Het was een luxe woning, zoals Nikos wel had verwacht. Glaucus had veel verdiend aan de producten die waren binnengekomen op de golven van de Egeïsche Zee, net als veel andere zakenmannen op dit eiland. Aan de voorkant van het huis stonden kunstig versierde zuilen, waartussen een korte trap naar een portico leidde. Nikos stond boven aan de trap even stil en draaide zich om in de richting van de zee. Het spectaculaire uitzicht werd gedomineerd door het standbeeld van Helios.

Nog niet al te lang geleden zou Nikos erg onder de indruk zijn geweest van de rijkdom die hier werd geëtaleerd. Maar na een jaar in het huis van zijn vader was hij wel gewend geraakt aan luxe en wist hij precies hoe hij zich in rijke kringen moest gedragen.

Hij ademde diep in, genietend van de frisse lucht die hierboven niet meer stonk naar vis.

De deur stond open, maar hij klopte toch aan.

Uit de donkere hal kwam een oudere man tevoorschijn. De rimpels op zijn gezicht gaven blijk van jarenlang hard werk, en onder zijn ogen hingen donkere wallen, alsof hij de hele nacht niet had geslapen. 'Ja?'

'Glaucus heeft mij gevraagd hier te komen,' zei Nikos. 'Mag ik hem spreken?'

De oude man keek bedenkelijk. 'Wat wilt u van hem?'

Nikos aarzelde. Dit was vast en zeker de hoofdbediende, die hij zou gaan vervangen. Wist deze man af van Glaucus' voornemen? En hoe zou hij daarop reageren – opgelucht of bevreesd om zijn toekomst? Nikos wilde niet degene zijn die hem het nieuws bekendmaakte. 'Ik heb Glaucus een paar dagen geleden op de agora ontmoet,' zei hij. 'Hij vroeg mij vandaag langs te komen, om… een mogelijke betrekking in het huishouden te bespreken.'

De man deed een stap naar voren, waardoor Nikos werd gedwongen iets naar achteren te lopen op de portico. 'We hebben geen bedienden meer nodig,' zei hij.

Nikos voelde aan dat de man van hem af wilde. Hij klopte hem op de schouder. 'Kom, vriend. Je wilt me toch niet vragen zijn verzoek om vandaag langs te komen af te slaan?'

De man knipperde onrustig met zijn ogen, alsof hij een excuus zocht om Nikos niet binnen te hoeven laten. 'Glaucus is nog niet wakker. Hij had gisteravond een bespreking met andere belangrijke mannen.'

Nikos grijnsde en haalde zijn schouders op. 'Dan wacht ik wel even op hem.' Hij liep om de knecht heen en wees naar binnen. 'Zal ik op het binnenplein wachten?'

'Nee!' De oudere man versperde hem de weg. Hij keek even achterom en toen weer naar Nikos. Toen wenkte hij naar een deur. 'Ga daar maar zitten, in het andron. Als Glaucus opstaat, zal ik doorgeven dat je hier bent.'

Nikos liep het andron binnen. Hij draaide zich om, om nog iets tegen de bediende te zeggen, maar die was alweer verdwenen.

De restanten van het feest van de vorige avond lagen nog verspreid door de kamer. In het schemerlicht zag Nikos tafels die kleefden van gemorste wijn en schalen bedervend fruit. Om een schaal met vijgen vloog een kleine zwerm vliegen.

Geen wonder dat Glaucus zijn hoofdbediende wilde vervangen. Zijn eigen vader zou het nooit hebben geaccepteerd als een knecht zijn taken zo laks opvatte. De kamer had al uren geleden schoongemaakt moeten worden, voordat de bedienden naar bed waren gegaan.

Nikos ging op een bank zitten en streek met zijn hand over het rode pluche. Gefrustreerd leunde hij achterover.

Na geruime tijd begon hij te vermoeden dat de knecht zijn aanwezigheid was vergeten. Hij stond op en besloot de bediende te gaan zoeken. Van buiten op straat hoorde hij hoe de knechten en slaven van de omringende huizen zich voorbereidden op de nieuwe dag. In de hal stootte een keukenslaaf ruw tegen Nikos aan terwijl hij langsliep. Nikos haalde een wenkbrauw op om zijn onbeschoftheid.

Maar je bent niet meer dan een arme dokwerker, weet je nog?

Had hij zijn voormalige leven nu al van zich afgeschud, als een gescheurd kledingstuk? Verwachtte hij alweer de behandeling die hij gewend was als zoon van zijn vader? Die zou hij hier nooit ontvangen. Hij zou slechts een bediende zijn – al genoot de hoofdbediende in zo'n rijk huishouden wel veel respect.

Vanuit de hal besloot hij het binnenplein op te lopen. Opeens stond de oude bediende weer voor hem, die hem met grote ogen aankeek. De man kwam voor hem staan, zodat Nikos niet verder kon.

'Waar ga je naartoe?' vroeg hij streng.

'Is Glaucus al wakker?'

'Ik zal je laten halen wanneer hij opstaat.' De oude man keek hem angstig aan. Hij haalde snel adem. Nikos vroeg zich nieuwsgierig af of er misschien meer aan de hand was dan alleen een feestje dat wat was uitgelopen.

'Ga alsjeblieft…' De man brak zijn zin af en keek even achterom. Toen leek hij tot een beslissing te komen. 'Ik moet naar de haven,' zei hij. 'Ik wil dat jij met me meegaat.'

Nikos fronste. 'Ik ben hier voor Glaucus.'

'Glaucus is nog lang niet wakker. Als jij hier komt werken, zoals je beweert, dan zou hij beslist willen dat jij mij bij deze taak assisteert.'

Nikos haalde zijn schouders op. 'Goed dan. Wat is het voor taak?'

De man keek hem bedachtzaam aan. 'We moeten iemand gaan halen.'

Nikos volgde de oude knecht – Simeon heette hij – door de straten van de stad, terug naar de haven.

Een slavenklus. Ik had moeten weigeren.

'We gaan Tessa zoeken,' zei Simeon, alsof die naam Nikos iets moest zeggen.

'Tessa?'

Simeon fronste zijn wenkbrauwen. 'Glaucus' hetaere. Je hebt toch wel van haar gehoord?'

Nikos schudde zijn hoofd. 'Ik ben nieuw in Rhodos.'

Simeon zuchtte. 'Dan zal ik niet veel aan je hebben.' Hij stak een hand omhoog. 'Ze is lang. Erg mooi. Ik geloof dat ze vandaag iets geels aan heeft.'

Ze gingen een bocht om. Simeon knikte naar een slaaf die een kar duwde, en de slaaf glimlachte terug. Ook een Jood, vermoedde Nikos.

'En waarom moet Tessa worden opgehaald als een ongehoorzaam kind?' vroeg hij. 'Is ze gevlucht?'

'Natuurlijk niet! Tessa is een van de meest gerespecteerde vrouwen van dit eiland.' Simeon keek hem streng aan. 'Glaucus vertrouwt op alle terreinen op haar wijsheid en inzicht.'

'En toch weet ze het huis van haar meester niet meer te vinden?'

Simeon schudde zijn hoofd. 'Ze was vanmorgen erg… in de war. Ik maak me zorgen om haar.'

Toen ze het havengebied bereikten, herinnerde Simeon Nikos er nog eens aan hoe Tessa eruitzag. 'Ik vermoed dat ze hier ergens zal zijn.'

In de vroege ochtenddrukte liepen ze in de richting van het water, zoekend tussen alle koopmannen en ruilhandelaren. Nikos was furieus om de vertraging die hij hierdoor opliep. Als die Tessa maar niet voor verdere problemen zou zorgen wanneer ze haar vonden. Voor hem wierp het machtige standbeeld een schaduw over een deel van de haven. Nikos keek bewonderend naar dit technische wonder, zoals hij al zo vaak had gedaan sinds hij in Rhodos was gearriveerd. Hoe hadden ze het toch vervaardigd? Van de fakkel die hij trots omhoog hield tot aan zijn sandalen, die...

Nikos kneep zijn oogleden samen en hield een hand boven zijn ogen tegen de felle zon. Zat daar een vrouw aan de voet van het beeld? Hij stootte Simeon aan en wees naar de rug van de vrouw. Simeon volgde zijn blik en zette het acuut op een rennen. Hij was in betere conditie dan Nikos zou hebben vermoed. Ze holden om het enorme voetstuk heen tot ze voor het beeld stonden. Daar tuurden ze naar boven, naar de vrouw die tegen de bronzen voet aangeleund naar de zee zat te staren.

Simeon had gelijk: ze was opmerkelijk mooi, al was haar kleding vuil en gescheurd.

Maar het was niet haar schoonheid die Nikos verraste.

Hoewel haar ogen geen enkel sprankje leven meer uitstraalden en haar haar in de war zat, was dit duidelijk dezelfde vrouw die hij een aantal uren eerder had bevrijd, de vrouw die hem vervolgens had uitgefoeterd om zijn inspanningen.

Hij vloekte in zichzelf. *Dus dit is Tessa de hetaere.*

Nikos' plan om zich in het huis van Glaucus binnen te werken en zo politieke geheimen voor zijn vader te ontfutselen, begon in duigen te vallen. Hij zou zijn vader al teleurstellen voor hij ook maar was begonnen.

Hoe zou hij ooit hoofdbediende kunnen worden als de invloedrijke hetaere hem zo verachtte?

Ω

Iemand roept mijn naam.
Tessa's blik was allang onscherp geworden terwijl ze naar de pieken

van de rotsen onder het wateroppervlak staarde. Ze voelde zich warm en doezelig, alsof ze in haar eentje een heel eind in het water was afgedreven. Het mes lag ongebruikt naast haar, een herinnering aan haar lafheid.

'Tessa!'

Ze zuchtte diep, maar liet haar ogen niet zakken.

Aan de rand van haar blikveld bewoog iets. Ze probeerde het te negeren. Maar plotseling voelde ze twee paar handen op haar armen. Aan weerszijden van haar stonden mannen aan haar te trekken. Tessa sloot haar ogen. Wéér mannen die iets van haar verlangden.

Kijk ze niet aan. Stribbel niet tegen. Ze gaan vanzelf wel weg.

'Tessa, het is tijd om terug te gaan.'

Ze herkende de stem van Simeon. Die gedachte bood enige troost, al voelde ze geen behoefte om te reageren.

Ze sleepten haar nu mee, weg van de veilige warmte van Helios' voeten naar de goot van haar leven.

Maar ze kunnen je niet dwingen iets te voelen.

Ze voelde zich nu compleet verdoofd. Gelukkig maar.

Voel niets. Niets is belangrijk.

Haar voeten raakten de straat. Om haar evenwicht te bewaren, deed Tessa haar ogen open. Simeon had haar linkerarm vast en aan de rechterkant stond een andere man. Hij kwam haar vaag bekend voor, alsof ze hem in een vorig leven had gekend.

Ze liepen terug naar het huis van Glaucus. Naar het lichaam van Glaucus.

Binnenkort zal iedereen het weten. Wat zou er dan gebeuren? Ze zou worden terechtgesteld wegens moord. Of worden doorgegeven aan de volgende vreselijke meester.

Ik ben te laf om zelf een einde te maken aan mijn leven. Ik zal bidden om executie.

Maar ze kon niet bidden. Ze was alleen in staat de ijzige kou in zichzelf voelen.

Simeon fluisterde in haar oor. 'We moeten beslissen wat we gaan doen,' zei hij. 'We kunnen het niet veel langer stilhouden.'

Tessa zette met moeite de ene voet voor de andere. Wanneer ze haar slentergang staakte, trokken de mannen haar verder, steeds verder richting haar toekomst. De trap op, de portico op en het huis in. In de schemerige hal stonden ze stil.

De onbekende man sprak voor het eerst.

'Nu sta ik erop Glaucus te spreken,' zei hij.

Tessa staarde hem aan.

'Dit is geen geschikt moment,' antwoordde Simeon.

'Maar Glaucus heeft me zelf op dit tijdstip ontboden. Wil je je verzetten tegen een verzoek van je meester?'

Simeon trok een nors gezicht en keek naar Tessa, alsof hij haar om raad wilde vragen.

'Ik zal even gaan kijken of hij je al kan spreken,' zei Simeon ten slotte. 'Blijf hier.' Hij kneep even in Tessa's arm en verdween toen het huis in.

'Ik ben Nikos,' zei de man naast haar. Door de beperkte ruimte in de hal stond hij veel te dicht bij haar.

Ze nam zijn korte, golvende haar en gladgeschoren gezicht op. En zijn nieuwsgierige ogen, die haar hart leken te zoeken.

'Ik herinner me jou.'

Hij knikte. 'Ja, dat vermoedde ik wel.' Hij strekte zijn hand naar haar uit, maar liet die toen weer zakken. 'Je hebt een zware nacht gehad. Heb je…'

'Ben je gekomen om een beloning te halen?'

Nikos schudde zijn hoofd en snoof. 'Ik hoef geen beloning! Dat zei ik vannacht al.' Hij keek in de richting die Simeon op was gegaan. 'Luister naar me, voor hij terugkomt. Ik heb Glaucus een paar dagen geleden ontmoet en hij heeft mij toen gevraagd of ik zijn nieuwe hoofdbediende zou willen worden. Hij vroeg me vandaag langs te komen om Simeons plaats in te nemen. Ik denk niet dat Simeon hiervan op de hoogte is.'

Tessa zuchtte. Dit spel kostte haar veel inspanning. 'Simeon weet het niet,' zei ze, 'maar Glaucus heeft het er met mij over gehad.'

Nikos knikte. 'Neem me dan alsjeblieft mee naar Glaucus.'

'Waarom zou ik dat moeten doen?'

'Heb jij hier niet meer invloed dan Simeon? Dat heb ik gehoord.'

Tessa knipperde met haar ogen en hield haar hoofd schuin. 'Je weet wat ik ben.'

'Ik weet dat je meer in te brengen hebt in dit huishouden dan wie dan ook.' Hij was even stil en keek haar weer onderzoekend aan. 'Ga je daar niet prat op?'

Tessa fronste. 'Denk je dat je me kent?'

Hij haalde zijn schouders op. 'Ik ken jouw soort.'

Tessa voelde opstand tegen zijn opmerking. 'Je bedoelt dat ik onder je sta?' zei ze. 'Onder een naar vis stinkende dokwerker?'

Hij trok zijn schouders naar achteren en leek met moeite zijn mond dicht te houden.

'Nou,' zei ze, 'wat wilde je zeggen?'

Hij schudde zijn hoofd. 'Jij bent de hetaere van Glaucus en ik word zijn hoofdbediende. Ik moet mijn plaats kennen.'

'Je bent nog geen hoofdbediende. Je bent nu slechts een dokwerker met een mening.' Om te accentueren dat ze net zo lang was als hij, deed ze een stap dichterbij en keek hem recht in de ogen. Hoe kwam het toch dat deze man haar zo kwaad maakte? 'Dit is misschien je enige kans om die mening te ventileren. Vertel op, wat voor soort vrouw ben ik?'

Nikos keek haar aan met priemende, pikzwarte ogen. 'Ik weet niet wat voor iemand je ooit was, maar ik kan zien wat je bent geworden. Koud, gevoelloos; je geeft om niemand. Uit die kilte komt een arrogantie voort, en een ondankbaarheid voor alles wat je wordt geschonken of voor je wordt gedaan.'

Tessa's hand jeukte om hem een klap te geven, maar ze wist dat hij slechts de waarheid sprak. Ze was willens en wetens precies geworden wat hij beschreef, en dat zou niet meer veranderen.

Maar als ik zo gevoelloos ben, hoe kan een dokwerker mij dan zo kwaad maken dat ik hem zou willen slaan?

Ze kon geen weerwoord bedenken, wat haar nog meer frustreerde. Wie was hij om haar zo te verwarren? Welk recht had hij?

Toen Simeon terugkeerde, keek ze hem aan als een tijger die op het punt staat om aan te vallen. Hij leek verbaasd om haar blijk van emotie.

'Glaucus wil je niet ontvangen,' zei hij tegen Nikos.

Nikos wendde zich tot Tessa. 'Ik sta erop dat Glaucus mij persoonlijk vertelt dat hij niet van mijn diensten gebruik wil maken.'

Tessa keek naar Simeon, die haar met zijn blik leek te smeken om Nikos de deur te wijzen. Ze schudde haar hoofd. 'Voeg je dan maar bij de andere bedienden, als je wilt. Misschien wil Glaucus je later nog wel een keer spreken.'

Simeon haalde zijn schouders op en wees naar het andron. 'Ga daar maar opruimen, als je dan iets te doen wilt hebben.' Daarop greep hij Tessa weer bij de arm en trok hij haar mee naar het binnenplein. 'Ik moet je persoonlijk spreken.'

Tessa keek over haar schouder naar Nikos, die in de hal bleef staan met zijn armen over elkaar voor zijn gespierde borst. Hij bleef dezelfde intense blik in zijn ogen houden, alsof hij wist wat er aan de hand was en zich niet zo gemakkelijk zou laten afschudden.

Simeon leidde haar het zonovergoten plein over, tot ze in de schaduw stonden, naast het met een deken bedekte lichaam van Glaucus. In het daglicht bood de hoop een groteske aanblik. Tessa rukte haar arm los uit Simeons greep en wendde zich af.

'We moeten beslissen wat we gaan doen, Tessa.'

Ze keek naar haar gescheurde kleding. 'We kunnen niets doen, Simeon.' Ze wilde haar dank aan hem duidelijk maken en probeerde te glimlachen. 'Je bent een goede man en ik weet dat je me wilt beschermen. Maar mijn lot is al beslist. De rest moeten we aan de goden overlaten.'

Van de andere kant van het plein klonken zachte voetstappen. Tessa draaide zich om en keek in de ogen van een meisje dat niets dan haat had geuit voor de man die dood aan hun voeten lag. Persephone.

ACHT

Persephones heldere blauwe ogen schoten heen en weer van Simeon naar Tessa. Ze kwam snel op hen af lopen, maar stopte toen ze de donkere hoop aan hun voeten zag liggen.

'Wat is dat?'

Simeon stak een hand op. 'Persephone, je kunt maar beter...'

'Wat is dat?' Met flinke passen liep ze verder, haar blik gericht op Tessa.

Tessa probeerde haar tegen te houden. 'Nee, kind.'

Persephone negeerde de waarschuwing, bukte en trok de deken opzij.

Ze ademde geschokt in, maar verder toonde ze geen reactie. Toen ze opkeek naar Tessa, straalden haar ogen echter iets uit wat Tessa meteen herkende. Opluchting.

'Wie heeft dit gedaan?' vroeg ze.

Simeon wierp een snelle blik op Tessa. 'Het was een ongeluk.'

Persephone keek Tessa onderzoekend aan. 'Ik zou de moed nooit hebben gehad,' fluisterde ze. 'Ik sta bij je in het krijt.'

Tessa probeerde het meisje beet te pakken. 'Nee, Persephone, je moet niet...'

Ze schrokken van stemmen die van de voorkant van het huis kwamen.

Simeon haastte zich naar de hal die het binnenplein met de voorkamers verbond.

Tessa bukte zich om Glaucus' lichaam weer te bedekken. Ze zag iets glinsteren naast hem. Toen ze beter keek, herkende ze haar gouden haarspeld. Het leek wel of ze die jaren geleden van haar hoofd had getrokken.

Ze ademde diep in en draaide zich om, in de richting van de hal.

Het was tijd. Drie mensen wisten nu dat Glaucus dood was en binnenkort zou het hele eiland ervan op de hoogte zijn.

Tessa schreed door de hal, die in het midden altijd donker was omdat daar geen licht kon komen. Ze liet haar vingertoppen langs de muren glijden. Aan het eind van deze tunnel zou haar bedroevende leven ten einde komen.

Simeon stond op de portico te praten met drie van de tien strategoi van het eiland, die op de witte, marmeren trap stonden.

'We moeten Glaucus ogenblikkelijk spreken,' zei Hermes.

Simeon keek naar Tessa, die naast hem was komen staan. 'Xenophon is dood,' zei hij.

Ze fronste haar wenkbrauwen. 'Hoe is dat gebeurd?'

'Vergiftigd,' zei Hermes. 'We waren er allemaal bij aanwezig. Iemand heeft zijn vijgen vergiftigd. Zijn vrouw wordt ervan verdacht.'

Bemus, een gedrongen man met kleine ogen, keek op naar Tessa. 'Je weet wat voor effect dit op het eiland zal hebben. We moeten snel met de betrouwbaarste mensen over de nabije toekomst spreken.'

De derde, Philo, wees naar Simeon. 'Deze knecht weigert ons naar Glaucus te brengen.'

Tessa glimlachte droevig naar Simeon, die de waarheid nog steeds leek te willen ontwijken. 'Breng ze maar naar Glaucus, Simeon,' zei ze. 'Het is tijd.'

Tessa schrok van een strenge stem achter zich.

'Wie durft de rust in dit huishouden zo vroeg in de morgen te verstoren?' vroeg Persephone.

Hermes keek het meisje geamuseerd aan. 'We moeten je vader spreken.'

Persephone sloeg haar slanke armen over elkaar. 'Mijn vader is ziek,' zei ze terwijl ze de drie strategoi onverschrokken aankeek. 'Hij wil niemand spreken.'

Hermes ging een tree hoger staan. 'We zullen hem niet lang lastigvallen.'

Persephone stak een hand op. 'U weet wat een trotse man mijn

78

vader is, Hermes. Hij is er zwaar aan toe en zou het niet op prijs stellen als iemand hem in deze staat zou zien.'

Bemus trok een somber gezicht. 'Hij overleeft het toch wel?'

Persephone glimlachte. 'Natuurlijk. Een machtige man als mijn vader laat zich niet vellen door wat maagklachten.'

'Vergif?' fluisterde Philo tegen Hermes.

Persephone schudde haar hoofd. 'Zo ernstig is het niet. Hij heeft vast alleen wat bedorven vis gegeten.' Ze richtte zich tot Tessa. 'Mijn vader heeft laten weten dat hij tijdens zijn herstel wil dat Tessa namens hem spreekt. Zij is de enige die hij wil zien. Als er bestuurlijke vragen zijn, kunnen die aan haar worden gericht.'

Persephone draaide zich om en verliet de portico. Tessa en Simeon staarden haar met grote ogen na.

Hermes schraapte zijn keel. 'Het kleine meisje is groot geworden.' Hij glimlachte naar Tessa. 'En ik vrees dat ze meer op jou lijkt dan op haar moeder.'

Tessa staarde hem uitdagend aan. Hermes' voorliefde voor jonge jongens was algemeen bekend, en ze walgde van zijn aandacht voor Persephone.

De zon stond nu boven hun hoofden en heel Rhodos glinsterde achter de mannen terwijl ze wachtten tot Tessa zou spreken.

Ze wist niet of ze Persephone moest bedanken of verwensen. Door te doen alsof Glaucus nog leefde, had ze Tessa tijdelijk vrijheid geschonken – vrijheid van beschuldigingen van moord en vrijheid van de man die haar volgende meester zou worden. Maar die vrijheid was niets meer dan een illusie.

'Tessa, Glaucus moet morgenochtend spreken voor de raad. Nu Xenophon is vermoord, zullen de mensen vrezen dat het leiderschap verzwakt is. Glaucus moet hen geruststellen.'

Tessa voelde iets in zich opwellen. Ze herkende het gevoel aanvankelijk niet en vond het beangstigend. Maar toen besefte ze wat het was.

Hoop.

Ze slikte en pakte toen met een geoefende hand haar haar vast, stak het in één soepele beweging op en maakte het vast met de gouden haarspeld die ze nog vasthield. Ze rechtte haar rug, ademde diep in en kwam een stap dichter bij de mannen staan, wat haar hogere positie op de trap accentueerde.

'Ik verwacht niet dat Glaucus morgenochtend voldoende hersteld zal zijn om in het openbaar te verschijnen, maar we zullen zien.'

Hermes fronste. 'Laten we hopen dat hij volgende week wel naar Kreta kan reizen. Anders zal iemand hem moeten vervangen.'

Tessa negeerde zijn zielige poging om naar de macht te grijpen.

Ze voelde dat er iemand achter haar kwam staan en draaide haar hoofd iets naar achteren. Het was Nikos. Hij stond dichter bij haar dan ze gepast vond. Ze kon zijn lichaamswarmte voelen. Toen ze inademde, merkte ze verrast dat hij helemaal niet naar vis stonk. *Meer naar zoet fruit en wijn.*

Ze keek de drie strategoi minzaam aan. 'Laten we allemaal hopen dat Glaucus snel beter wordt. Ik zal jullie beste wensen aan hem doorgeven.'

De mannen knikten en draaiden zich om. Toen ze waren vertrokken, keek Simeon haar met grote ogen aan. Nikos verroerde zich niet.

'Ik moet alleen zijn,' zei ze tegen de mannen. 'Ik moet even nadenken.'

Ze verdwenen gehoorzaam het huis in, waarop Tessa haar blik weer op het beeld in de haven richtte. *Wat moet ik nu doen?*

Voor ze de kans had haar gedachten op een rij te zetten, verscheen Persephone aan haar zijde. Het meisje keek naar haar op met de sprankelende blauwe ogen die altijd van iedereen de aandacht trokken.

Tessa probeerde te glimlachen. 'Ik weet niet of je mij hebt gered of alleen maar verder in de nesten hebt gewerkt, Persephone.'

Het meisje pakte Tessa's hand vast. 'Maar ik weet wel dat je míj hebt gered, Tessa.'

'Ik heb hem niet…'

Persephone kneep in haar hand. 'Je bent dapper. Dat heb ik altijd al geweten. Maar ik haatte je omdat je de plaats van mijn moeder had ingenomen.'

Tessa zweeg en liet het meisje de woorden uitspreken die ze zo lang voor zich had gehouden.

'Mijn moeder,' zei ze terwijl de tranen in haar ogen opwelden, 'kan niet voor zichzelf opkomen, dus doe ik dat voor haar.'

Tessa knikte.

'Maar nu…' Persephone liet Tessa's hand los en draaide zich naar de haven toe. 'Nu wilde ik wel dat jij mijn moeder was.'

Tessa's adem stokte. 'Nee, Persephone. Zo moet je niet…'

Het meisje keek haar weer aan. De tranen liepen nu over haar gezicht. Er viel een haarlok voor haar ogen. 'Waarom niet? Ik hoorde die vreselijke Hermes wel. Hij zei dat ik meer op jou lijk dan…'

Tessa veegde de lok uit het gezicht van het meisje en glimlachte. 'Als de goden een ander lot voor mij hadden bepaald, zou ik graag een dochter als jij hebben gehad.' Ze liet haar hand zakken en keek het meisje serieus aan. 'Maar het is niet verstandig om nu zulke dingen te zeggen, Persephone. We zullen vriendinnen zijn, jij en ik. Maar die vriendschap kunnen we het beste verzwijgen.'

Persephone glimlachte door haar tranen heen en sloeg toen, impulsief als een klein kind, haar armen om Tessa heen. Na een korte omhelzing vluchtte ze van de portico, Tessa achterlatend met een sterk verlangen om het meisje te behoeden voor alle gevaar.

Ω

Nikos was achter de oude man aan het huis binnen geglipt. Hij verwachtte dat de bediende hem zou wegsturen, maar blijkbaar was hij Nikos vergeten. Hij keek toe hoe Simeon de hal in verdween en sloop toen het andron weer in.

Dus Glaucus is ziek.

Vreemd dat Simeon noch Tessa hem dat had verteld, ook al had hij er meerdere malen op aangedrongen Glaucus te spreken. De dochter had er geen moment geheimzinnig over gedaan. Erg vreemd.

Zijn streven om zich in dit huishouden binnen te werken, nam alleen maar toe. Het gesprekje op de trap had hem ervan overtuigd dat dit huis inderdaad een machtscentrum was op het eiland. Als Nikos aan de opdracht van zijn vader wilde voldoen, moest hij hier zijn.

Simeon liep de kamer binnen met een gefronst gezicht. 'Je hebt gehoord dat Glaucus je niet kan ontvangen. Ga nu alsjeblieft weg.'

'Ik zal hem maar heel even storen...'

'Dat is onmogelijk. Hij tolereert alleen Tessa om zich heen. Je hebt toch gehoord wat zijn dochter zei?'

Nikos liep om een tafel heen die midden in de kamer stond. 'Dan zal ik via Tessa met hem spreken. Zij kan zijn besluit aan mij doorgeven.'

'Blijf bij Tessa uit de buurt,' maande Simeon. 'Zij heeft al genoeg aan haar hoofd zonder zich te moeten buigen over personeelskwesties.'

Nikos haalde zijn schouders op. 'Dat zullen we Tessa laten beslissen.'

Simeon pakte het deurkozijn beet met een blauw geaderde hand. 'Ik waarschuw je...'

Hij draaide zich om toen er achter hem iemand aan kwam lopen. Persephone nam Nikos op met de blik van een meisje dat op het punt staat een vrouw te worden en liet toen verhit haar hoofd zakken.

'Wat is er, Persephone?'

Haar glimlach verdween en ze pakte Simeons arm vast. 'We moeten iets doen,' fluisterde ze, alsof Nikos haar niet kon horen. 'We kunnen hem...'

Simeon pakte haar hand vast en kneep er in. 'Laten we even onder vier ogen met elkaar praten, Persephone.' Hij wierp een blik op Nikos, schudde geërgerd zijn hoofd en leidde Persephone de kamer uit.

Er is hier iets niet pluis.

Nikos keek even om zich heen in de rommelige kamer, pakte een blad half opgegeten fazant van een tafel en sloop naar de hal. Voorzichtig keek hij om een hoekje om te zien of er iemand was. Simeon en Persephone waren verdwenen. Tessa stond waarschijnlijk nog steeds op de portico.

Ik zal te weten komen wat hier gaande is.

Hij liep in de richting van de keuken. Hij wist dat de hal naar het binnenplein leidde, en daar kon hij nu beter even niet komen. Nikos kwam in een kleinere hal terecht, die donkerder was dan de vorige. In de verschillende vertrekken die hij passeerde, waren huisslaven in stilte aan het werk. Aan het eind van de hal trof hij de keuken aan. Een tafel in het midden lag bezaaid met potten en kookgerei, en langs de muren stonden *amforae*. Nikos zette het dienblad met de fazant op een tafeltje naast de deur, negeerde de vragende blik van de keukenknecht en liep de hal weer in. Zo stil mogelijk liep hij terug naar de centrale hal. Ditmaal ging hij wel door naar het zonovergoten binnenplein.

Knipperend tegen het felle licht nam Nikos de ruimte op. Het plein had een standaard ontwerp, met een vijver en een fontein als middelpunt en een zuilengang achterin, waaronder de bewoners konden wandelen of in de schaduw konden zitten.

Het plein was leeg, dus durfde hij het wel aan om even rond te neuzen. Terwijl hij naar het midden van het plein wandelde en de architectuur van het complex bewonderde, hoorde hij voetstappen uit de hal komen.

Hij zocht snel naar een plaatsje waar hij kon schuilen. In een donkere hoek onder de colonnade zag hij wat tuingereedschap liggen. Daar rende hij haastig naartoe. Als iemand hem iets zou vragen, zou hij zeggen dat hij was ingehuurd als tuinman.

In de schaduw pakte hij een hark beet. Toen hij een stap achteruit deed, raakte hij iets met zijn voet en verloor bijna zijn evenwicht. Nikos keek naar de grond om over het obstakel heen te kunnen stappen en schrok zich wezenloos.

Twee in sandalen gestoken voeten.

De voetstappen bleken aan een bediende te behoren, die nu het plein op liep. Nikos hield zijn adem in. De man wandelde langs hem en liep via een andere kamer het huis weer in. Toen Nikos hem niet meer hoorde, keek hij weer naar beneden om te onderzoeken wat daar nu lag. Aarzelend pakte hij een hoekje van het doek beet en trok dat langzaam opzij.

Ondanks de lijkbleke kleur, herkende hij het corpulente gezicht meteen.

Nikos voelde een instinct om de dakpan uit Glaucus' voorhoofd te trekken, maar hij besefte dat hij voorzichtig moest zijn. Voor Glaucus was het al te laat. Hij kon het lichaam maar beter onaangeroerd laten liggen.

Zou hij nog een kans hebben gehad als er meteen iemand was geweest om Glaucus te helpen? Nee, de tegel was waarschijnlijk te diep ingeslagen. Nikos zuchtte en legde de geïmproviseerde lijkwade terug op zijn plek.

Dit verandert alles.

Wist Tessa hiervan? Dat moest wel.

Nikos holde terug het plein over, de hal door en de portico op. De vrouw stond met haar rug naar het huis toe gekeerd, precies zoals hij haar had achtergelaten. Ze draaide zich niet om.

Hij kwam achter haar staan en volgde haar blik op de haven. 'Glaucus lijkt er ernstiger aan toe te zijn dan jullie zeiden,' merkte hij op.

Tessa draaide haar hoofd een klein stukje zijn kant op bij het horen van zijn stem, en richtte zich toen weer op de haven.

'Bid maar tot de goden dat hij snel herstelt,' antwoordde ze.

Nikos zag de spanning in haar rug en schouders. *Wat heeft dit voor consequenties voor haar?*

Hij kwam dicht achter haar staan en fluisterde in haar oor: 'We weten allebei dat bidden nu niet veel zin meer heeft.'

Hij hoorde haar geschrokken inademen.

'Heb je hem vermoord?' vroeg hij.

Ze bleef bewegingloos staan en zei niets. Ten slotte antwoordde ze: 'Maakt dat wat uit?'

'Voor mij wel.' Hij bekeek haar gespannen kaaklijn en delicate hals. *Ze is net een angstig kind dat dapper probeert te zijn.* 'Wat zal er nu met jou gebeuren?'

'Ik hoop dat ik zal worden terechtgesteld wegens moord.'

Nikos legde een hand op haar arm en verbaasde zich erover hoe koud die aanvoelde. 'Hoop je daarop?'

Ze rukte haar arm los. Op straat kwam een geit aanlopen, die ze even bekeken. 'Als ze me niet ter dood veroordelen, zal ik het bezit worden van iemand die nog erger is dan Glaucus. Dan sterf ik nog liever.'

Nikos sloot zijn ogen. *Wat kunnen de goden wreed zijn.*

Achter hen schraapte iemand zachtjes zijn keel. Simeon stond in de deuropening met Persephone naast hem. 'Tessa,' zei hij, 'mag ik je even alleen spreken?'

Tessa's blik bleef op het standbeeld gericht. 'Je kunt vrij spreken, Simeon. Nikos heeft ons geheim ontdekt.' Toen ze zich omdraaide, zag Nikos dat ze had gehuild. 'Jullie hebben een voor een de waarheid ontdekt, en binnenkort zal het hele eiland weten wat er is gebeurd.'

Persephone zette een stap naar voren. Ze had een felle blik in haar ogen. 'Maar ik heb ze voor de gek gehouden, Tessa! Ik heb ze laten geloven dat mijn vader alleen maar ziek is. Je hoeft niet...'

Tessa glimlachte treurig. 'We kunnen dit niet geheimhouden. Je vader is een publiek figuur.'

Nikos' gedachten raasden door zijn hoofd. Het had hem heel wat moeite gekost om een positie te verwerven in een machtig Rodisch huishouden. Hij had geen tijd om opnieuw te beginnen – maar misschien hoefde dat ook niet. Als Tessa haar positie als Glaucus' woordvoerder kon behouden, zou hij misschien alsnog kunnen ontdekken wat hij wilde weten.

'Ik denk dat we dit nog wel even geheim kunnen houden,' zei Nikos. Tessa keek hem aan alsof ze was vergeten dat hij er ook nog was.

'Ik zal jullie helpen,' zei hij. 'We kunnen zijn dood verborgen houden tot je een ander plan hebt bedacht.'

Tessa keek hem met priemende ogen aan. 'Waarom zou je dat doen?'

Hij keek even naar Simeon en Persephone, die hem aandachtig aanstaarden. 'Omdat jij mij een positie in dit huishouden kunt geven.'

Tessa keek even aarzelend naar Simeon en toen weer naar Nikos. 'Goed, je mag blijven.' Ze wikkelde haar gescheurde chiton strakker om haar lijf. 'Maar dan zul je in de keuken moeten werken, tussen de slaven. Ik zal niemand in dit huis laten vervangen.'

Nikos dacht aan zijn armoedige verleden en de vastberadenheid waarmee hij zich had voorgenomen nooit meer zo te leven. Maar zijn vader had hem een opdracht gegeven en hij wilde hem niet teleurstellen. Hij zou voor zijn vader tot het uiterste gaan.

Hij knikte naar Tessa. 'Ik zal het doen.'

Het felle zonlicht dat de straat verwarmde, herinnerde Spiro eraan dat het al laat werd. Hij moest nodig naar het badhuis, waar hij met de uitvoering van zijn plannen zou beginnen. Hij had de gewoonte zich daar 's morgens bij de andere strategoi en stadsleiders te voegen, maar had vertraging opgelopen door zijn bezoek aan de slavenmarkt.

Spiro versnelde zijn pas, voortgedreven door de nieuwe bezieling die hij voelde sinds de moord op Xenophon de avond ervoor. Hij bereikte het badhuis en liep tussen de zuilen door de schemerige ruimte binnen. Vanuit het grote, rechthoekige bad midden in de kamer stegen dikke flarden damp op. Er hing een geur van geparfumeerde olie.

Er kwam een meisje naar hem toe dat hem hielp zijn himation uit te trekken. Het water rimpelde toen hij erin stapte. Hij voelde de behoefte zich vandaag helemaal in het water onder te dompelen, zodat de hitte zijn hele wezen zou doordringen.

Tegenover hem zaten Orion en Balthasar aan de rand van het bad zachtjes met elkaar te praten. Hun gemompel vormde een onverstaanbare brom onder het koepelvormige dak. Spiro besloot eerst maar even alleen te blijven. Hij moest nadenken, plannen maken. Het badhuis was daar de uitgelezen plek voor. De weelderige locatie wist zijn honger naar pracht en praal bijna te verzadigen.

Er knaagde nog een honger aan hem – de altijd sluimerende honger naar macht. *Rhodos kan van mij zijn.* Aansluiting bij de Achaeïsche Bond was niet alleen economisch aantrekkelijk, maar zou ook een einde maken aan het gedateerde concept van democratie. En van daaruit was het nog maar een kleine stap naar autonomie. *En dan word ik monarch.*

Spiro besteedde veel tijd aan het bestuderen van politiek en had daarbij een belangrijke les geleerd over macht: wie het dictatorschap ambieert, moet eerst een held worden. Terwijl Rhodos lag te slapen, grotendeels onbewust van Xenophons dood, was er een plan in hem gaan groeien.

De jonge bediende kwam weer langs, nu met een dienblad vol druiven en met honing gezoete gebakjes. Ze bukte en hield Spiro het blad voor. Hij koos een paar sappige, paarse druiven uit. Toen het meisje weer rechtop ging staan, pakte hij haar pols beet en trok haar weer naar zich toe. Met een glimlach greep hij nog een handvol druiven en rukte die los van de stam. Het meisje wendde haar ogen snel van hem af, alsof ze bang was dat Spiro haar ook zou verorberen.

Spiro beet in een druif, liet het sap zijn mond in lopen en kauwde langzaam.

Een held, dus. Om dat te kunnen worden, zou hij zich eerst op Glaucus gaan richten. Diens mening over de Joodse bevolking op Rhodos – het Joodse *probleem* – bood een ideaal uitgangspunt voor het zaaien van verwarring. Tijdens de raadsvergadering van morgen zou Spiro de aandacht vestigen op Glaucus' steun aan de Joden en hem dwingen daarover stelling te nemen.

Vervolgens zouden de relletjes beginnen – daar zou Spiro wel voor zorgen. Wanneer iedereen Glaucus had aangewezen als bron van alle problemen, zou Spiro zich als redder in nood opwerpen.

Hij at de laatste druif op en liet zich dieper het bad in zakken, tot het hete water tot vlak onder zijn kin kwam.

Het was een ambitieus plan, daarvan was hij zich wel bewust. Hij zou de verlangens en belangen van het hele eiland moeten manipuleren.

Tegenover hem stonden de twee mannen op uit het bad, om op de banken te worden ingesmeerd met olie. Spiro ging ook staan en liep de mannen glimlachend tegemoet.

'Spiro.' Orion knikte. Er klonk enige minachting door in de stem van de jonge man. Zijn familie was al generaties lang een van de rijkste van het eiland en Orion had de neiging daar flink over op te scheppen.

Spiro ging net als de twee mannen op een met linnen bedekte bank liggen en liet een jonge slaaf olie op zijn huid aanbrengen. Hij keek de jongen even aan en wees naar zijn amfora met olie. 'Niet te zuinig zijn, hè,' zei hij. De jongen knikte met gebogen hoofd en goot nog wat olie in zijn hand, waarmee hij Spiro's kuit begon in te wrijven.

Balthasar lag op zijn buik, met zijn armen onder zijn kin gevouwen, terwijl een jongen zijn rug insmeerde. 'Was jij gisteravond aanwezig bij het symposium van Xenophon, Spiro?' vroeg hij.

'Het was vreselijk,' antwoordde Spiro. Hij sloot zijn ogen en snoof de geurige olie met genoegen op. 'We begonnen in het andron van Glaucus, maar die kreeg last van hoofdpijn, dus besloten we de samenkomst voort te zetten bij Xenophon.'

'Jammer voor Xenophon dat jullie niet bij Glaucus bleven,' zei Orion.

Balthasar lachte. 'Als Tessa erbij was, is er geen andron waar ik liever zou zijn dan dat van Glaucus, of die nu hoofdpijn had of niet.'

'Hmm,' beaamde Orion. 'Die doet je hart wel sneller kloppen, hè?'

Spiro draaide zijn hoofd, om Orion vanuit zijn ooghoek aan te kunnen kijken. 'Zonde dat ze verspild is aan Glaucus, nietwaar?'

De stilte in het badhuis was om te snijden, maar Spiro bleef rustig op een reactie wachten terwijl de slaaf zijn bovenarmen inwreef. Hij moest de steun van deze twee winnen.

Uiteindelijk gniffelde Orion. 'Je moet toegeven dat Glaucus door de goden wordt gezegend. Ik denk niet dat wij ooit zo veel geluk zullen hebben.'

'Daar kun je niet zeker van zijn.'

Orion tuitte zijn lippen en keek Spiro onderzoekend aan. 'Misschien moet iemand Glaucus waarschuwen van de vijgen af te blijven.'

De jongen begon nu de olie en het vuil van Spiro's huid te schrapen met de *strigil*, beginnend bij zijn benen. Spiro voelde zijn huid verstrakken, maar dat kwam niet door de handeling van de slaaf. Tessa.

Om de een of andere reden was zij symbool gaan staan voor alles wat hij wilde hebben, alles waarvan zijn vader Andreas, die over Kalymnos regeerde, niet geloofde dat hij het verdiende.

Maar hij zou zijn vader nog gaan verrassen. Hij zou *alles* bezitten. Spiro's handen klampten de bank zo stevig vast dat ze er zeer van deden, en hij dwong zichzelf te ontspannen.

'Ik denk niet dat vijgen voor Glaucus' ondergang zullen zorgen,' zei hij. 'Hij zou binnenkort wel eens spijt kunnen gaan krijgen van bepaalde opinies die hij heeft geuit. Misschien morgen al, wanneer hij voor de raad spreekt. Vraag hem dan maar eens naar zijn mening over het Joodse probleem.'

Balthasar draaide zich om op zijn bank, zodat zijn slaaf zijn buik kon bewerken. 'Er bestaat een kans dat Glaucus morgen helemaal niet zal spreken.'

Spiro hief zijn hoofd op en fronste. 'Waarom niet?'

'Hij is ziek. Die hoofdpijn van gisteren was blijkbaar nog maar het begin. Ze zeggen dat hij niemand wil zien. Hij communiceert alleen via Tessa.'

Spiro ging met een ruk rechtop zitten en zwaaide zijn benen van de bank, waardoor de slaaf zijn evenwicht verloor. Hij ademde even diep in. 'Denk je niet dat het van cruciaal belang is dat de mensen Glaucus horen spreken, in verband met de moord op Xenophon?'

Balthasar trok zijn schouders op. 'Wat kunnen we eraan doen? De man is ziek.'

Spiro ging staan en pakte een linnen doek. 'Misschien moet iemand naar hem toe gaan en erop aandringen dat hij komt spreken.'

Orion moest lachen. 'Je zou haast gaan denken dat jij Glaucus' grootste bewonderaar bent, Spiro.'

'Ik bewonder iedereen die het beste voorheeft met Rhodos. Maar ik geloof dat Glaucus beslissingen neemt die dit eiland economisch zullen ruïneren, en niemand vraagt hem zich daar ooit voor te verantwoorden. Dat recente gedoe met de Joden is daar slechts één voorbeeld van.'

'Hoe zit het dan met de Joden?' vroeg Orion.

Spiro schudde zijn hoofd. 'Ik zal niet uitweiden over zijn mening. Je moet die dwaasheid maar uit zijn eigen mond horen. Hij móét morgen spreken, terwijl de mensen nog onder de indruk zijn van Xenophons dood.'

Balthasar richtte zich tot Orion. 'Misschien kunnen we onze invloed aanwenden om bij Glaucus aan te dringen.'

'Laten we hopen dat jullie invloed zo ver reikt als jullie zelf geloven,' zei Spiro. 'Als Glaucus zijn status op het eiland wil behouden, moeten de mensen ervan overtuigd blijven dat hij een sterke, capabele leider is. Anders zullen we twee leiders tegelijk verliezen.'

Spiro hoopte maar dat hij de plank niet missloeg met zijn overdrijving.

Orion knikte. 'Ik ben het met je eens. Glaucus moet morgen de raad toespreken. Ik zal met Hermes en Philo overleggen en dan zullen we eens kijken of we Glaucus kunnen dwingen om te komen.'

Spiro ging weer op de bank liggen en wenkte de jongen om hem te parfumeren.

Ja, dit zou hem wel gaan lukken. Hij zou het eiland voor zich kunnen winnen.

Niets zou hem tegenstaan.

Ω

Tessa bekeek het drietal dat voor haar stond op de zonovergoten portico. Simeon keek bedenkelijk, twijfelend of zoiets gewichtigs als de dood van zijn meester ook maar één dag geheim kon worden gehouden. Persephone leek in haar naïviteit te geloven dat dit geheim haar leven op de een of andere manier zou verrijken. En Nikos... Ze keek de knecht met samengeknepen ogen aan. Hij was er stellig van overtuigd dat hij haar zou kunnen helpen om nog een poosje vrij te blijven.

In de loop der jaren had ze geleerd dat ze niemand kon vertrouwen. Hoe kon ze haar lot dan nu in de handen van deze drie leggen?

Ze dacht terug aan het gesprek met de drie strategoi en aan de macht die ze had gevoeld toen Persephone haar de rol van Glaucus' woordvoerster had toegedicht.

'Goed,' zei ze als antwoord op de onuitgesproken vraag die in de lucht hing. 'Voorlopig zullen we niemand vertellen dat Glaucus het hiernamaals in ingegaan.'

'Tessa.' Simeon stak zijn hand naar haar uit, maar ze wilde niet naar hem luisteren. Ze deed een stap achteruit en liet haar hand tegen een zuil steunen. Simeon liet zijn arm weer zakken. 'Tessa, dit is onmogelijk. En wat heeft het voor zin? Of het eiland er nu of pas over een paar uur of een paar dagen achterkomt, de uitkomst is toch hetzelfde.'

'Misschien kan ik nog van nut zijn,' zei Tessa. 'Misschien kan het ik het mensen als Spiro nog moeilijk maken, die zich tegen de democratie keren.'

'Maar hoe lang?'

Tessa tuurde naar het water in de verte, naar de koppen van de golven die in het zonlicht glinsterden als juwelen uit een ver land. Langs de horizon liep de kust van Anatolië en daarachter lagen allerlei rotsachtige eilandjes, veelal onbewoond, soms niet groter dan een paar rotsblokken. Zoveel eilanden. Tessa keerde de anderen haar rug toe.

'Kreta,' zei ze.

De andere drie wisselden verwarde blikken met elkaar.

'Over een week reist Glaucus af naar Kreta om als strategos te spreken met leiders van andere stadstaten. Ik word geacht hem te vergezellen.' Ze wreef met haar hand over de ruwe zuil. Het scherpe oppervlak voelde verkwikkend aan, omdat die bewees dat ze nog iets voelde. 'Glaucus zal die reis maken, al zal niemand hem aan boord van het schip zien stappen. Ik zal aan zijn zijde zijn. We zullen geen van beiden terugkeren.'

Nikos trok een wenkbrauw op en glimlachte licht.

Persephone sprong naar voren en greep Tessa's arm vast. 'Je moet mij ook meenemen.'

Tessa had het meisje wel willen omhelzen, maar haar arm leek van hout. 'Dit is *mijn* lot, Persephone, niet dat van jou.'

Ze liet niet los. Tessa realiseerde zich dat ze het meisje moest waarschuwen. 'Persephone, je moet deze week erg goed op je woorden letten. Voor je het weet, laat je iets…'

'Je kunt me vertrouwen, Tessa, dat beloof ik.'

De ogen van het meisje straalden hoop uit en Tessa besefte verbaasd dat ze waarschijnlijk haar eigen blik reflecteerden. De hoop die de voorgaande avond was opgekomen en toen weer was vernietigd, toen Servia haar uit het ruim van dat schip had gehaald, keerde voorzichtig terug. Maar nu sterker dan voorheen.

Ze veegde het stof van de zuil van haar handen en wendde zich tot de hoofdbediende. 'Simeon, ik weet dat ik veel van je vraag, maar wil je proberen dit één week geheim te houden?'

De oude man boog zijn hoofd. 'Mijn grootste wens is dat jij vrij zult zijn, Tessa. In lichaam en geest. Ik zal alles doen wat ik kan om je daarbij te helpen.'

Tessa knikte. 'Dank je, Simeon. Je bent een goede man.'

Ik zal proberen je te geloven.

Van binnen in het huis klonk geroep van slaven. Tessa keek naar Nikos. 'Je moet mij helpen van het lichaam af te komen. We hebben weinig tijd. Dat nog niemand iets heeft ontdekt, is een wonder.'

Nikos knikte. 'Ik wacht op je instructies.'

Peinzend schoot Tessa langs hen het huis binnen. Zouden ze dit kunnen volbrengen? Konden ze Glaucus' dood een hele week verborgen houden? Ze zou hen moeten vertrouwen.

En dan zal ik vrij zijn.

Er werd iets geroepen op straat. Ze liep terug naar de deuropening en zag dat Philo de trap op kwam lopen.

'Wat is er, Philo? Je weet toch dat Glaucus niemand wil ontvangen?'

Philo haalde zijn schouders op. 'Ik kom een boodschap bezorgen, Tessa. Je mag het hem zelf vertellen. De strategoi hebben besloten dat Glaucus morgen op de raadsvergadering moet spreken, of hij nu ziek is of niet.'

Tessa deed haar uiterste best om haar gezicht in de plooi te houden.

'Als hij niet komt, zijn er veel mannen die zijn positie in de raad graag willen overnemen, Tessa.' Philo glimlachte. 'En er zijn ook veel mannen die in zijn plaats zouden willen afreizen naar Kreta.' Philo zwaaide even en klom toen de trap weer af. 'Morgenochtend, Tessa. Dan zal Glaucus de raad geruststellen over zijn leiderschap. Anders wordt zijn positie aan een ander gegeven.'

Tessa keek toe hoe hij wegliep en worstelde om haar prille hoop niet te laten vermorzelen door paniek.

Ze kon dit. Het zou haar lukken.

Op de een of andere manier zou ze vrij zijn.

Deel II

'Zieke natuur breekt vaak uit
in wondere uitbarsting; tierende aarde,
gekweld en geknepen met kramp
door opsluiting van weerspannige wind
in haar schoot, die streeft naar ontsnapping,
de aarde doet schudden, en omkeert
de spitsen en torens met mosgroei bedekt.'
— William Shakespeare, *Henry IV*

TIEN

Tessa ging het huis weer in. Ze probeerde de woorden van Philo van zich af te schudden.

'Zie je wel, Tessa,' zei Simeon, 'we kunnen niet…'

Ze gebaarde dat hij zijn mond moest houden. 'De zorgen van morgen komen later wel. Nu moeten we eerst Glaucus' lichaam van het binnenplein weghalen.' *Voordat er nog iemand langskomt.* Ze knikte naar Persephone, die onafgebroken naar Nikos opkeek als een puppy naar een nieuw baasje. 'Ga jij maar naar het vrouwenverblijf. Je hoeft hier niet bij te zijn.'

Persephone deed haar mond open alsof ze wilde protesteren, maar vluchtte toen met een laatste glimlach naar Nikos het huis in.

'Simeon, ik wil dat jij ervoor zorgt dat niemand van het personeel het plein op komt. Nikos, jij en ik zullen het lichaam verplaatsen.'

Simeon sloeg nerveus zijn handen samen. 'Wat ga je ermee doen?'

'We vinden wel een geschikte plek.'

Eenmaal op het binnenplein probeerde Tessa zich met alle macht op de klus te concentreren, en niet op de lugubere realiteit onder de deken.

'Hij is groot,' merkte Nikos op.

'En ik ben sterk.' Tessa reikte met haar handen onder het doek en pakte Glaucus' voeten beet. 'We zullen hem voorlopig naar een voorraadkamer verslepen. Dan bedenken we later wel wat we moeten doen wanneer we naar Kreta vertrekken.'

Nikos glimlachte. 'Je spreekt over hem alsof hij nog leeft.'

Tessa ging rechtop staan en staarde Nikos fel aan. 'Glaucus leeft ook, en ik wil niemand de komende week iets anders horen beweren.'

Nikos lachte opnieuw. 'Zoals je wilt.' Hij ging naast Tessa staan en pakte ook een enkel beet.

'De wraak van Poseidon!'

Ze schrokken beiden zo van de uitroep dat ze het lichaam abrupt loslieten en een stap achteruit deden. Tessa legde het kleed snel weer over Glaucus heen.

Een broodmagere gestalte fladderde met uitgestrekte armen het plein op.

Nikos keek Tessa vragend aan.

'Daphne,' fluisterde Tessa. 'De vrouw van Glaucus.'

Daphnes ogen schoten stormachtig heen en weer, van de fontein naar de bomen aan haar linkerkant en naar het dak van de colonnade. Toen kreeg ze Nikos in het oog.

'Waar is mijn man?' vroeg ze. Met een bevende hand speelde ze met een touwtje om haar nek, waar een amulettenbuideltje aan hing.

Nikos liep over het plein naar haar toe. 'Hij is ziek, meesteres.'

'Een vloek van Poseidon!' Ze pakte het zakje met amuletten beet en hield het omhoog. 'We hebben meer vlas nodig.'

Nikos wendde zich met gefronste wenkbrauwen tot Tessa, maar die liep voorzichtig een stukje verder naar achteren, de schaduw in.

Daphnes groene chiton hing losjes om haar ondervoede lijf heen en haar haren staken onder haar hoofddoek vandaan als de veren van een pauw.

'Meer vlas! Meer vlas!' Ze schreeuwde nu, terwijl ze onzichtbare pluisjes van haar kleding plukte. 'We hebben meer vlas nodig!'

Nikos kwam dicht bij haar staan. 'Er komt vast snel vlas binnen,' zei hij. 'Ik geloof zelfs dat er vandaag een schip aankomt dat vlas vervoert.'

Ze keek hem gebiologeerd aan. 'Het komt uit Egypte, weet je dat wel?'

Hij glimlachte. 'Ik geloof inderdaad dat het beste vlas uit Egypte komt.'

Ze kakelde van het lachen; de haren op Tessa's nek gingen ervan overeind staan. 'Het beste vlas komt uit Egypte!' Haar zangerige stem weerklonk over het plein. Ze wierp haar hoofd achterover en zong naar de hemel: 'Het beste vlas komt uit Egypte!'

Toen boog ze haar hoofd plots weer voorover en tuitte haar lippen. 'Waar is mijn man?'

Nikos raakte haar arm aan. 'Hij is ziek. Hij wil u niet besmetten.'

Daphne keek naar Nikos' hand op haar arm en toen weer naar zijn gezicht. Toen greep ze zijn kleding vast. 'Een vloek van Poseidon!' zei ze. 'De wereld beeft! De zeegod!'

Nikos maakte haar handen voorzichtig los van zijn kleding. Verbaasd wierp hij Tessa een zijdelingse blik toe. Toen hij zich weer omdraaide, zag hij dat Daphne een knokige hand had opgestoken. Nikos deinsde terug, bang dat ze hem zou slaan, maar ze hield alleen haar amuletring omhoog. Tessa wist dat er een krab in de ring gegraveerd stond, het embleem van Poseidon, waar Daphne een obsessie voor koesterde.

Ze kuste de ring en hield die toen voor Nikos' gezicht, zodat hij hem ook kon kussen. In plaats daarvan pakte Nikos geruststellend haar pols beet en duwde hij zachtjes haar arm weer omlaag.

'Het vlas komt eraan,' zei hij. 'Misschien kunt u nu het beste teruggaan naar uw verblijf om erop te wachten.'

Ze glimlachte. 'Ja.' Toen leek ze voor het eerst Tessa op te merken, waarop haar glimlach terstond verdween. Ze legde haar handen weer in haar nek. 'Tessa!' siste ze. Haar ogen puilden uit. In een flits rende ze het plein over en vloog ze op Tessa af, haar handen als klauwen voor zich uitgestrekt.

Bewegingloos keek Tessa de vrouw aan. In de hitte kon ze haar zware parfum ruiken. De mierzoete geur maakte haar duizelig. Er kwam een bittere smaak boven in haar keel en ze deed een wankele stap achteruit.

Plotseling stond Nikos tussen de twee vrouwen in. Hij trok opnieuw voorzichtig Daphnes armen naar beneden en liet ditmaal zijn handen op haar bovenarmen rusten. 'Het wordt hier warm, meesteres,' zei hij. 'Laten we de koelte van uw verblijf opzoeken.' Hij leidde haar vaardig bij Tessa vandaan, het plein over, naar de deuropening van waaruit ze was verschenen.

Tessa bleef hijgend in de schaduw staan.

Even later keerde Nikos terug. 'Ik heb haar aan een andere bediende gegeven,' pufte hij terwijl hij weer tegenover haar kwam staan.

Tessa had haar armen om haar middel geslagen en liet die nu langzaam zakken. Ze probeerde Nikos' inlevende blik te negeren. Voelde hij de schaamte aan die bij haar opkwam als ze Daphne zag? Zou hij geloven dat Tessa verantwoordelijk was voor haar krankzinnigheid?

Ze rechtte haar rug en kwam uit de schaduw tevoorschijn. 'We moeten dit lichaam verbergen,' zei ze.

Nikos aarzelde en keek haar onderzoekend aan. Ze stak haar kin naar voren en staarde terug.

Zijn licht geamuseerde glimlach begon haar te irriteren. Ze legde haar handen op haar heupen. 'Blijf je daar staan als een statisch tempelbeeld of ga je mij gehoorzamen?'

Hij liet zijn hoofd zakken. 'Ik leef om je te gehoorzamen.'

Tessa had de glimlach die om zijn lippen speelde wel opgemerkt.

ELF

Met zijn nieuwe slaaf Ajax aan de teugels reed Spiro in zijn koetsje de Joodse wijk van Rhodos in. De slaaf stond fier rechtop, met ontbloot bovenlijf. Achter hem stond Spiro enigszins gebukt, om niet te worden herkend. De straten waren hier, tussen de vervallen huizen en bedrijfjes, smaller dan elders in de stad. Spiro merkte wel dat hij af en toe werd bekeken, maar de meeste mensen gingen onverstoord verder met hun bezigheden.

Spiro kon het niet laten even op te kijken toen ze langs het statige watergebouw reden. Ervoor stonden diverse vrouwen met waterpotten met elkaar te keuvelen, over de familie en de laatste roddels waarschijnlijk. Spiro lachte flauwtjes.

Over een paar uur zal het hier gedaan zijn met de vredige sfeer.

Binnen enkele minuten bereikten ze de rand van de stad. Via een zandweg reden ze de heuvels in. Als zijn klus was volbracht, zou hij Ajax terugsturen naar de Joodse wijk om de zaden te zaaien die morgen hopelijk chaos zouden laten opkomen.

Met zijn rechterhand masseerde Spiro zijn stijve linkerhand. De pijn was een constante herinnering aan een blessure uit zijn jeugd, waarmee hij erg was gepest. Hij keek even achterom en zag de stad uit het zicht verdwijnen.

Zijn plan was eigenlijk doodeenvoudig. Morgen zou Glaucus tijdens de raadsvergadering het verzoek van de Joden om stemrecht steunen, maar Spiro zou de raadsleden ervan overtuigen dat het beter was als alle Joden van het eiland zouden worden gedreven. Glaucus zou worden weggehoond als een dwaas.

Diverse strategoi waren al overtuigd van de voordelen van aansluiting bij de Achaeïsche Bond. Als na Xenophon nu ook Glaucus zou zijn uitgeschakeld, hoefde Spiro nog maar een of twee anderen over te halen, dan zou het eiland de bond eindelijk omarmen.

En dan zal ik nog maar één stap verwijderd zijn van mijn doel.

'Monarchie.' Hij fluisterde het woord en het voelde aan als honing op zijn lippen. In gedachten hoorde hij meteen de stem van zijn vader, die hem geringschattend toesprak, maar hij deed zijn best die te negeren.

Nu eerst het water.

Hij tikte de slaaf op zijn schouder en wees naar een stapel stenen op een heuvel boven hen. Ajax knikte en liet het paard de juiste richting op rijden. Ze moesten van het pad wijken, en de wagen slingerde en denderde over het ruige terrein. Toen ze hun bestemming hadden bereikt, stapte Spiro af. Ajax volgde hem. Spiro pakte de aardewerken lamp van de koets en knikte naar een voorwerp dat tussen de houten planken ingeklemd zat.

'Vergeet het zwaard niet.'

De stenen boog maakte een misplaatste indruk in de bergwand, maar Spiro wist dat in de duisternis erachter een van de belangrijkste bouwwerken van het eiland stond.

Een aquaduct.

Het water dat naar de watergebouwen in de stad stroomde, kwam voort uit de bronnen boven de stad. Via een complex systeem van ondergrondse tunnels, bassins en pijpleidingen stroomde het naar verschillende locaties in de stad. Achter deze boog stond een van de twee aquaducten waarmee de toevoer werd gereguleerd.

Spiro stootte Ajax aan. 'Kom mee.'

Ze stapten de duisternis in. De kleine vlam van de olielamp zorgde voor flikkerende schaduwen op de stenen wanden. Spiro hield de lamp voor zich uit en hield met zijn andere hand zijn himation dicht om contact met de vuile muren van de tunnel te vermijden.

De tunnel werd steeds smaller, tot Spiro's schouders bijna aan weerskanten langs de muren schuurden. De druk van de rotsen aan alle kanten en de vochtige lucht maakten hem benauwd. Spiro was opgelucht toen hij in de verte water hoorde stromen.

Toen ze een paar minuten verder hadden gelopen, werd de ruimte weer wat breder. Spiro ademde diep in en hield de olielamp boven zijn hoofd.

Ze hadden het aquaduct bereikt.

Aan de linkerkant stroomde water, afkomstig uit natuurlijke bronnen verderop in de rotsen, een groot bassin in. Rechts onder in het bassin waren drie openingen, van waaruit het water de stad in stroomde. Boven elk kanaal stond de locatie aangegeven waar het water in de stad terechtkwam.

Spiro richtte zich op het derde kanaal.

'Dit is hem.'

Ajax kneep zijn ogen samen. 'Dat is een erg groot gat.'

Spiro haalde zijn schouders op. 'Je zult er dus wel even mee bezig zijn.'

Ajax keek om zich heen. 'Er is hier niet voldoende modder en steen om de opening van het kanaal te blokkeren.'

'Dan zul je buiten stenen moeten halen. Maar je moet wel opschieten. Het water moet deze avond nog ophouden met stromen.'

Ajax wierp het zwaard voor Spiro neer. 'Misschien zou u grond kunnen losmaken om tussen de stenen te voegen die ik van buiten haal?'

Spiro lachte en liet het zwaard op de grond liggen. 'Je vergeet dat ik heb betaald voor een erg competente slaaf.'

Ajax haalde zijn schouders op en verdween de tunnel weer in. Spiro trof een stukje boven zijn hoofd een richel aan in de stenen wand en zette daar de olielamp op. Vervolgens veegde hij de modder van een platte steen naast het bassin en ging daarop zitten wachten.

Op de viezigheid na, was het bijna aangenaam om naast het stromende water te zitten, nadenkend over de toekomst. Als hij zijn ogen sloot, kon Spiro zich voorstellen dat hij in een koele nacht naast een waterval zat. Misschien wel met Tessa aan zijn zij...

De tijd ging snel voorbij terwijl hij dagdroomde. Voor hij het wist, was Ajax teruggekeerd, met een aantal grote stenen in zijn armen.

Die legde hij neer naast het bassin, waarna hij over de rand klom en zich in het water liet zakken. Hij ademde diep in en verdween toen onder water.

Spiro wachtte ongeduldig tot hij weer boven zou komen. Dit was geen tijd voor recreatie.

Even later schoot Ajax het water uit. Hij schudde even met zijn hoofd. Spiro stapte snel opzij om niet nat te worden.

'De stenen, idioot! Schiet op.'

De grote opening van het kanaal dat ze moesten hebben, stak half boven het wateroppervlak uit; de andere helft lag onder water. Ajax pakte de grootste steen beet en plonsde weer in het water. Even later kwam hij boven zonder de steen. Hij herhaalde deze handeling met de andere stenen en kwam toen drijfnat het bassin weer uit.

'Aan de kant!' Spiro greep de uiteinden van zijn himation vast, die nat waren geworden van de spetters.

Ajax pakte het zwaard op en richtte zich sarcastisch tot Spiro. 'Het spijt me, meester. Ik zou het vreselijk vinden als u nat werd.'

Spiro keek hem streng aan, maar toen Ajax onverschillig terug bleef staren, voelde hij zijn woede omslaan in bewondering. Hij lachte. 'Jij bent echt nergens bang voor, hè, Ajax?'

Ajax grijnsde. 'Ik ben niet gek op spinnen.' Daarop verdween hij de tunnel weer in. Spiro begon zich een beetje duizelig te voelen, zo in het schemerlicht, met de muffe geur van water en grond om zich heen. Zonder zicht op de zon had hij geen idee meer van de tijd. Op den duur hield hij niet meer bij hoe vaak Ajax de ruimte in en uit liep. Hij begon zenuwachtig te worden. De muur van stenen had nu het wateroppervlak bereikt, maar de opening moest helemaal dicht – en snel ook, als de versperring vanavond nog effect moest hebben.

Hij hoorde Ajax weer aankomen in de tunnel.

'Je moet sneller werken, Ajax,' zei hij. 'De tijd dringt.'

Er verscheen een figuur in de opening. Spiro's maag kromp ineen. Het was niet zijn slaaf.

'Spiro!'

De man die voor hem stond, had hem blijkbaar meteen herkend, maar Spiro had geen idee wie hij was. Hij sprong op. 'Wie bent u?'

De kalende man was een kop kleiner dan Spiro en zweette flink. Beduusd keek hij eerst naar Spiro en toen naar de opening van de half geblokkeerde tunnel. Zijn ogen werden groot. 'Wat bent u aan het doen?'

'Ik vraag nogmaals: wie bent u?' Spiro rechtte zijn rug en keek autoritair op de man neer.

'Ik ben Erasmus.' De man sliste en was moeilijk te verstaan. 'Ik ben verantwoordelijk voor het onderhoud van het zuidelijke aquaduct.' Hij keek nog eens naar de stenen voor het kanaal. 'Waarom barricadeert u de watertoevoer naar de Joodse wijk?'

Spiro zocht naarstig naar een logische verklaring, maar wist geen geloofwaardig verhaal te bedenken.

De man deed een stap achteruit.

'Waar ga je naartoe?' Spiro liep met gebalde vuisten op hem af. Hij zou deze dwaas niet toestaan zijn plan te dwarsbomen.

'Ik... ik moet het bassin op de heuvel gaan inspecteren,' zei hij met nog een blik op het kanaal.

Plotseling zag Spiro iets glinsteren achter Erasmus. Er klonk een zwiepend geluid en toen een doffe dreun, terwijl de vlakke kant van het zwaard Erasmus' kale hoofd raakte. De man viel aan Spiro's voeten neer. Achter hem stond Ajax, die zonder enige blijk van emotie naar Spiro staarde.

Spiro ademde gespannen uit. 'Goed gedaan, Ajax. Goed gedaan.'

'Hij stelde mij buiten al vragen. Ik wist dat hij uw plan zou ontdekken.'

Spiro knikte en ging op zijn hurken naast de man zitten. Zelfs in het schemerlicht kon hij een donkere plas om het hoofd van Erasmus zien ontstaan.

Ajax knielde naast het lichaam neer en legde een hand op zijn borst.

Hij keek op naar Spiro. 'Daar zult u geen last meer van hebben, meester.'

Spiro glimlachte licht. 'Je hebt een beloning verdiend, Ajax.' Hij keek naar het water dat nu grotendeels door de twee andere kanalen stroomde. 'Maar eerst moet deze klus worden afgemaakt.'

Toen ze het lichaam aan de kant hadden gelegd en Ajax weer stenen was gaan halen, pakte Spiro het zwaard op. Hij bekeek het lemmet, zag het kleverige bloed eraan en knikte. Een aanvaardbaar offer. En dit zou niet het laatste zijn.

Hij wierp het wapen op de grond naast het bassin. Het werd laat. Het was tijd om zijn eigen handen ook vuil te maken.

Ω

Uren later lag Spiro ontspannen op de bank op zijn avondmaaltijd te wachten en na te denken over de gebeurtenissen die hij in gang had gezet. Nadat Ajax Spiro had thuisgebracht, was hij teruggekeerd naar de Joodse wijk om onrust te kweken. *Het aquaduct gaat het begeven*, fluisterde hij tegen iedereen die wilde luisteren. *De leiders van de stad weten dit, maar hebben besloten het niet te repareren. Ze willen de Joodse gemeenschap uitroeien.*

De geruchten zouden voldoende beroering moeten veroorzaken, maar Spiro wilde niet alleen vertrouwen op de woede van de Joden. Ajax zou vanavond ook het zuidoostelijke deel van de stad bezoeken. Wanneer het water in het Joodse watergebouw ophield te stromen, zouden de mensen daar naartoe gaan om water te halen. En daar zouden Spiro's plannen pas echt tot bloei komen.

Zijn maag knorde. Spiro riep een slaaf bij zich. Een jonge man haastte zich naar binnen, met gebogen hoofd en een dienblad in de hand.

'Ik ben uitgehongerd! Waar bleef je?'

'Mijn moeder is ziek, meester. Ze heeft niets te eten en is zo zwak dat ze amper nog kan bewegen.' Hij zette het blad neer op de lage tafel.

Spiro keek de slaaf vermoeid aan en pakte ten slotte een grote homp geroosterde eend van een bord. 'Hier,' zei hij en wierp de slaaf het vlees toe. 'Geef haar dit maar.'

De slaaf boog en prevelde zegeningen voor Spiro terwijl hij de kamer uit liep.

Ja, de goden zullen mij goedgezind zijn. En dat geldt ook voor u, vader.

Morgenochtend zou heel Rhodos weten dat de Joden geen burger-schap maar uitzetting verdienden. Spiro scheurde een stuk brood af en glimlachte.

In politiek opzicht was Glaucus zo goed als dood.

TWAALF

De avond viel weer in Rhodos en Glaucus' lichaam bleef verborgen in de opslagruimte. Tessa stond voor een raam op de bovenste verdieping van zijn huis. Ze had toegekeken hoe de laatste strepen roze en paars aan de horizon veranderden in diep donkerblauw. Het was nu bijna tijd.

Ze had die middag de slaap ingehaald die ze de afschuwelijke nacht ervoor had gemist. Simeon had een helderblauwe chiton uit Daphnes vertrek gehaald, om het gescheurde kledingstuk van Tessa te vervangen. Ze durfde nog niet terug te gaan naar haar eigen huis, terwijl Glaucus' lichaam hier beneden verborgen lag. Ze hadden besloten te wachten tot het helemaal donker was voor ze hem verder zouden verplaatsen.

Lastig dat een lichaam zo snel ontbindt.

Ze probeerde de gruwelijke gedachte te verdringen. Hoewel zij en Simeon de rest van het huishouden hadden verteld dat Glaucus ziek in zijn slaapkamer lag, waar hij niet gestoord mocht worden, konden ze hem daar onmogelijk de hele week laten liggen, tot het schip naar Kreta vertrok. Het was al bijna Skirophorion, een van de warmste perioden van het jaar.

'Tessa.' Een zachte stem achter haar maakte duidelijk dat de tijd was aangebroken. Ze draaide zich om naar Simeon en probeerde te glimlachen.

Hij knikte. 'Nikos staat klaar. De wagen staat in de steeg achter het huis.'

'Dank je, Simeon.'

'Ik zal je helpen.'

Ze schudde haar hoofd. 'Nee. Ik weet dat je volgens jouw wetten onrein zou worden als je het lichaam aanraakt. En er moet toch ook iemand op wacht staan?' Ze voegde er niet aan toe dat ze zich zorgen maakte om zijn leeftijd. Als hoofdbediende had hij het zwaardere werk al jaren geleden opgegeven.

Tessa volgde Simeon door de gang, langs het vrouwenverblijf, waar Daphne waarschijnlijk achter haar weefgetouw zat om meer garen te spinnen dan het huishouden ooit nodig zou hebben, van het vlas dat regelmatig binnenkwam uit Egypte. Tessa hield haar adem in terwijl ze erlangs liepen, biddend tot de goden dat de vrouw binnen zou blijven. Daphne was wel de laatste die ze nu wilde tegenkomen, helemaal nu ze ook nog een van haar chitons aanhad.

Het bleef stil in de hal. Samen liepen ze de trap af. Tessa liet Simeon achter bij de deur van de kamer waar Glaucus verborgen lag. Ze schoof het gordijn opzij en trof daar Nikos aan, die stond te wachten voor het bedekte lichaam dat ze op een kussen hadden gelegd. Hij keerde zich om en keek haar in de ogen. 'Weet je zeker dat je dit wilt doen?'

'Pak jij zijn hoofd of zijn voeten?' antwoordde ze.

Na wat gemanoeuvreer besloten ze naast elkaar te gaan staan en het lichaam ieder onder een arm vast te pakken. Ze sleepten het van het kussen, goed oplettend dat het kleed niet van hem af zou glijden. Simeon stond wel voor de deur, maar je wist maar nooit.

Langzaam sleepten ze het lichaam de opslagruimte uit.

Als Glaucus niet zo'n veelvraat was geweest, zou deze klus een stuk makkelijker zijn.

Ze schoof het gordijn opzij en stak haar hoofd even om de hoek van de deuropening.

Simeon knikte. 'Er is niemand. Maar je moet wel opschieten!'

Nikos raakte haar arm aan en zei nog eens: 'Weet je zeker dat je dit kunt?'

Tessa schudde hem van zich af. 'We verspillen tijd!'

Ze begonnen weer te trekken en Tessa voelde een steek in haar onderrug van inspanning. Ze probeerde de aanraking van Nikos' schouder tegen die van haar te negeren terwijl ze het lichaam door de achterhal sleepten.

Het was buiten fris geworden, maar ze waren beiden bezweet toen ze de achterdeur hadden bereikt. Nikos zette een pot die in de buurt stond tegen de deur aan, om die open te houden, en kwam toen weer naast Tessa staan. Toen ze halverwege de steeg waren, beiden over het lichaam heen gebogen, stak er een windvlaag op tussen de huizen. De wind pakte een hoekje beet van het doek dat Glaucus bedekte en rukte het van zijn lijf.

Tessa werd plotseling aangestaard door de dode ogen van Glaucus, met daar tussenin de dakpan die zat vastgeklemd in zijn voorhoofd als een bijl in een houtblok. Ze kokhalsde en proefde gal in haar mond. Ze liet zijn arm vallen en zette een wankele stap achteruit. Nikos greep het doek vast, dat nu bijna de straat op was gewaaid. Hij bedekte het lichaam er weer mee en maakte het nu beter vast.

Bezorgd keek hij Tessa aan. 'Laat me Simeon halen,' zei hij. 'Dan kun jij weer naar binnen.'

Tessa slikte en stak haar kin vooruit. 'Ik ben niet zo zwak als jij blijkbaar denkt.'

Hij schudde zijn hoofd. 'Ik zeg ook niet dat je zwak bent. Zelfs de sterkste vrouw zou dit een vreselijke klus vinden.'

'Ik ben in de loop der jaren ongevoelig geworden voor vreselijke klussen.'

Nikos bestudeerde haar met die blik waar ze steeds onrustig door werd. 'Misschien moet je jezelf weer eens toestaan om iets te voelen.'

'Misschien moet jij eraan denken dat je hier maar een ingehuurde kracht bent.'

Nikos trok een wenkbrauw op – een onuitgesproken verwijzing naar haar eigen positie.

Aan het eind van de smalle steeg hoorden ze voetstappen. Ze bleven beweginloos staan. Het geluid stierf langzaam weg, waarna ze zich snel weer over Glaucus' lichaam heen bogen. De wagen stond een paar voet verderop, maar na de moeite die ze tot dusver hadden gehad, kon Tessa zich amper voorstellen hoe ze het lichaam erop zouden krijgen.

Toen het lijk vlak voor de wagen lag, haalde Nikos een plank van de bodem, die hij tegen de rand zette als een soort oprit. Toen ze Glaucus een stukje omhoog hadden gehesen, gleed de plank opzij en kletterde de straat op. Glaucus' benen bungelden van de wagen terwijl Tessa en Nikos grommend aan zijn bovenlijf bleven trekken. Met één laatste ruk wisten ze de benen ook over de rand te hijsen. De beweging kostte zo veel kracht dat ze er beiden van achterover vielen. Hijgend bleven ze even op het harde houten bed liggen. Tessa keek Nikos triomfantelijk aan, alsof ze hem uitdaagde haar nog eens zwak te noemen.

Hij zei niets, maar boog iets naar haar toe en veegde een vochtige krul uit haar ogen.

Ze krabbelde overeind. 'Het wordt laat en we hebben nog een hele reis voor de boeg.'

Nikos kwam naast haar staan en fronste. 'Ik vind dit nog steeds geen goed idee, Tessa. Laat mij het toch alleen doen.'

'Nee, ik zal dit afmaken.'

'Maar wat je nu moet doen, moet zelfs jij afschuwelijk vinden.'

Zelfs een vrouw van steen, bedoel je?

'Ik zal doen wat nodig is.' Ze keek neer op het lichaam aan haar voeten en zakte toen door haar knieën. 'Je hebt toch nog een deken meegenomen?'

Nikos pakte van achter de voorbank van de wagen een kleed. 'Ik zal jullie beiden hiermee bedekken.'

Tessa ademde diep in, sloot haar ogen en ging naast Glaucus liggen. Ze voelde een briesje terwijl Nikos het kleed in de lucht boven hen uitspreidde en voelde het toen over haar heen vallen als een lijkwade. In het donker keerde ze haar hoofd van het lichaam af om de ontbindingslucht te ontwijken. Opnieuw vocht ze tegen de oprispingen en ze deed haar best om door haar mond te blijven ademen.

Het moest op deze manier, dat wist ze. Nikos kon 's avonds best in een wagen de stad uit rijden, maar niet met de bekendste hetaere van Rhodos aan zijn zij. Ze had overwogen hem alleen te laten gaan, maar dit was haar strijd en ze zou erop toezien dat alles goed zou gaan. Bovendien was dit haar enige kans op vrijheid – waarom zou ze daarbij al haar vertrouwen stellen op een vreemdeling?

De wagen schommelde licht en Tessa wist dat Nikos op de bank was gaan zitten. Hij mompelde een opdracht tegen de os die hij ervoor had gespannen en de wagen schokte vooruit.

Tessa had het plan eerder op de dag bedacht. Nog maar tien dagen geleden had het Skira-festival plaatsgevonden. Vlak buiten de stad lag een weg waarlangs veel graven in de rotsen waren uitgehakt. Er was ook een kuil die werd gebruikt voor het storten van varkensresten tijdens het festival. Dit ritueel werd uitgevoerd door de vrouwen, die de resten vervolgens bedekten met zand. Tessa had er zelf ook regelmatig aan meegedaan. Tijdens de warme maanden Skirophorion en Hekatombaion bleven de vleesresten daar liggen rotten, om in Pyanopsion, tijdens het Thesmophoria-festival, weer te worden opgegraven. Wat er over was, werd door de vrouwen verspreid over een aantal altaren, als onderdeel van een traditioneel vruchtbaarheidsritueel.

Wat zal er van Glaucus zijn overgebleven wanneer de resten worden opgegraven?

Aan zijn botten zou vast wel te zien zijn dat er niet alleen varkens in de kuil waren begraven. Maar zou iemand het zwijn Glaucus kunnen herkennen? Ze had geen idee hoelang het duurde voor een lichaam zo ver ontbonden was dat het onherkenbaar werd.

De wagen ging een bocht om. Terwijl de wielen van het ene spoor in het andere vielen, schommelde de wagen zo dat Glaucus' lichaam tegen Tessa aan rolde.

Ze begon sneller te ademen. Met alle macht duwde ze tegen de massa, maar er kwam geen beweging in. Het gewicht van het lijk duwde haar tegen de zijkant van de wagen en ze voelde dat haar borstkas schokkend op en neer ging.

Het duurde even voor ze besefte wat er gebeurde: ze huilde. Het was een diepe, onhoorbare uiting van tien jaar angst en haat en walging, die haar dreigde te verpletteren.

De wagen hobbelde over de kalkstenen weg en het versplinterde hout van de zijplank schuurde tegen haar gezicht, maar ze merkte het amper op.

Geplet tussen de wagen, Glaucus' gewicht en de druk op haar borst, moest Tessa strijden om haar verstand niet te verliezen. Het leek wel of ze zichzelf langzaam voelde wegzweven. Ze was bang dat ze zou gaan gillen. Ze verlangde ernaar om te gillen.

Ze wilde net zo lang gillen tot dit allemaal voorbij zou zijn.

Ze voelde de paniek toenemen in haar borst, tot de wagen plotseling stopte. Tessa draaide ongedurig met haar hoofd. *Waarom staan we stil?*

Een paar tellen later werd het doek van haar afgetrokken. Nikos stond boven haar. 'Waar zijn we?' Haar stem kraakte.

Nikos zette zich schrap tegen de zijkant van de wagen en duwde tegen Glaucus aan. 'We zijn een eindje buiten de stad. Ik zag dat het lichaam tegen je aan was gerold, dus stopte ik.'

Ze keek naar hem op, niet in staat haar dankbaarheid te uiten. Hij knielde naast haar neer en raakte haar gezicht aan. Ze was zich ervan bewust dat haar wangen droog waren – blijkbaar kon ze snikken wat ze wilde, maar was ze niet meer in staat tranen te produceren.

'Tessa,' zei hij.

Ze staarde hem alleen maar aan, wensend dat ze de kracht had om haar hoofd opzij te draaien.

'Rij maar verder,' fluisterde ze uiteindelijk.

Het medelijden in zijn ogen was ondraaglijk, dus sloot ze haar eigen ogen maar. Het doek werd teruggelegd en ze voelde Nikos de wagen af springen en weer plaatsnemen op de bank boven haar. Toen reden ze weer.

De minuten die volgden, waren iets minder erg. Hoewel Tessa

voor zich uit staarde naar de donkere deken die haar bedekte, zag ze alleen de meelijdende blik in Nikos' ogen voor zich.

Toen ze de wagen eenmaal van de weg af voelde rijden op het zachte gras dat voor de kuil lag, had Tessa Nikos' gezicht alweer vervangen voor dat van Glaucus, om zich geestelijk voor te bereiden op de volgende vreselijke taak die ze moest uitvoeren.

$$\Omega$$

Nikos bracht de wagen naast de weg tot stilstand, in de buurt van de wegmarkering die Tessa had beschreven. Hij sprong het gras op. Toen hij naar de achterkant van de wagen liep, zag hij dat Tessa al onder de deken vandaan was gekropen en rechtop zat. Hij bood haar een hand aan, maar ze klom eruit zonder die aan te nemen. *Zo ken ik Tessa weer.* Vreemd genoeg was hij opgelucht om te merken dat haar zelfvertrouwen was teruggekeerd. Hij had nu geen tijd voor andere zorgen. Hij stond even naast haar in het door de maan verlichte veld en bekeek de weg in beide richtingen, om er zeker van te zijn dat er niemand aankwam. Langs de kant van de weg lagen overal graven; sommige goed onderhouden, veel andere verwaarloosd en door gras overwoekerd. Er heerste een doodse stilte. Als de kuil niet zo vreselijk had gestonken, was het misschien een rustgevende plek geweest.

Nikos keek Tessa aandachtig aan. Zelfs in het maanlicht zag hij de rode blos op haar wangen. 'Gaat het?'

Ze knikte trots. 'Natuurlijk. Laten we dit afmaken.'

Ze trokken ditmaal aan zijn enkels. Nikos was verbaasd dat Tessa nog zo veel kracht kon opbrengen.

Respect voor de dode had allang plaatsgemaakt voor een passieve doelmatigheid. Nikos liet het lichaam van Glaucus gewoon van de wagen op de grond rollen. Het kleed bleef al die tijd om hem heen gewikkeld.

'Wil je iets reciteren?' vroeg hij Tessa.

Ze keek hem geërgerd aan. 'Denk je dat het mij iets kan schelen of de riten worden toegepast?'

Ze gedraagt zich als een gewond dier. Ze moet veel hebben meegemaakt.

'Klaar?' vroeg hij. Ze knikte. Samen bukten ze om het lichaam te pakken.

Het kostte heel wat inspanning om Glaucus naar de rand te rollen. Toen duwden ze een laatste keer tegen hem aan. De kuil was niet diep; ongeveer zo hoog als de lengte van een mens. Nikos hoorde het lichaam de bodem raken en meteen daarop het geschuifel en gesis van slangen, die een nieuwe prooi hadden gevonden.

'We moeten hem bedekken,' zei Tessa. 'Voor het geval er iemand komt kijken vóór Thesmophoria.'

Nikos haalde de brede schoffel op die hij had meegenomen. Hij wenkte Tessa om van de rand van de kuil weg te lopen en begon te graven.

Terwijl hij grond in de kuil liet vallen, fluisterde hij de riten, voor zover hij zich die kon herinneren.

'Hou op,' klonk Tessa's ijzige stem in de duisternis. 'Hij verdient geen echte begrafenis.'

Nikos stopte even en leunde op de schoffel. 'Vind je dit dan een echte begrafenis?'

Ze snoof. 'Als je met grond wordt bedekt, kun je het hiernamaals binnengaan. Dat is eigenlijk al meer dan hij verdient.'

'Tessa, ik weet dat hij je pijn heeft gedaan, maar…'

'Jij weet helemaal niets!'

Nikos ging weer aan het werk. Bij Zeus, wat was ze kil. Mooi en kil, als een van de marmeren beelden in de tempel van Pallas Athena. De kuil was zo donker dat het moeilijk te zien was of Glaucus' lichaam helemaal bedekt was. Dat zouden ze alleen in het daglicht kunnen beoordelen, maar zo lang konden ze niet blijven. Nikos veegde het zweet van zijn voorhoofd en ademde diep in, tot hij de vreselijke lucht gewaarwerd.

Zijn handen zagen zwart van de modder.

'Zo is het denk ik wel genoeg,' zei hij.

Tessa wuifde ongeïnteresseerd met haar hand. 'Hij hoeft maar een week begraven te blijven. Daarna ben ik toch weg.'

Laten we het hopen.

Nikos smeet de schoffel weer op de wagen en kwam naast Tessa staan. Ze had haar armen om haar lijf geslagen alsof ze het koud had.

'Denk je dat je naast mij kunt rijden tot we de stad bereiken?'

Tessa staarde de kuil in en toen omhoog, naar de lucht, die aan de horizon al iets lichter werd. 'Glaucus moet deze morgen voor de raad spreken,' zei ze. 'We moeten snel teruggaan.'

'Wat zul je tegen ze zeggen?'

Ze keek hem aan en glimlachte licht. 'Ik zal hun doorgeven wat Glaucus tegen mij heeft gezegd.'

Plotseling hoorde ze in de verte een hoge melodie, die duidelijk niet van een vogel afkomstig was. Nikos draaide zijn hoofd in de richting van het geluid. 'Wat is dat?'

Ze wachtten en luisterden tot ze de melodie opnieuw hoorden. 'Een fluit,' zei Tessa.

Nikos keek haar verwonderd aan. 'Wie zou er op dit uur op een fluit spelen?'

Tessa kreeg een panische blik in haar ogen. 'Een begrafenis.'

Op dat moment kwam er een rouwstoet de bocht om lopen, met fakkels om de weg te verlichten. Het geluid van de fluit werd nu vermengd met vrouwelijke klaagzangen.

Ze zouden worden gezien.

Nikos zag de paniek in Tessa's blik en deed het eerste wat in hem opkwam. Hij pakte haar vast, trok haar mee naar de grond en ging een stukje over haar heen liggen.

Ze sloeg met haar vuisten tegen zijn armen. 'Stop! Waar ben je mee bezig?'

'Sst. Ze zullen denken dat we een stelletje zijn dat hier is gekomen om alleen te zijn.' De rouwstoet kwam dichterbij en het gehuil klonk steeds harder. 'Hou je hoofd omlaag,' zei Nikos. 'Anders herkennen ze je misschien.'

Ze werkte hem niet meer tegen, maar duwde wel met haar handen tegen zijn borst aan om te zorgen dat er ruimte tussen hen bleef. Hij trok haar alleen maar steviger naar zich toe, en zo bleven ze bewegingloos liggen. Nikos voelde de spanning in haar handen waarmee ze probeerde hen uit elkaar te houden. Hij keerde zijn hoofd van de weg af en boog zijn gezicht naar dat van haar toe, in de hoop dat de stoet voorbij zou gaan zonder een van hen te herkennen.

Tessa kon ten slotte de kracht niet meer opbrengen en liet haar armen zakken, zodat de ruimte tussen hen in kleiner werd.

Haar gezicht was nu nog maar een handbreedte verwijderd van dat van hem. Ze rook naar hyacinten, en hij voelde de warmte van haar lichaam tegen zich aan.

Ze is dus toch niet zo kil...

Haar blik straalde pure angst uit. Nikos besefte wel dat ze net zo bang was voor hem als voor de mensen op de weg. Terwijl de tocht langs hen trok, verwachtte hij dat ze zich weer zou terugtrekken, maar ze bleef roerloos liggen. Hij hield zijn mond vlak bij haar oor.

'Wees niet bang, Tessa,' fluisterde hij. 'Je bent veilig bij mij.'

Toen ze hem aankeek, voelde hij heel voorzichtig iets veranderen. De spanning in haar lijf verminderde. Haar lippen gingen een stukje uit elkaar en ze keek hem aan met een wanhoop die hem tot in zijn ziel raakte. Hij voelde een plotselinge woede jegens Glaucus en alle andere mannen die haar pijn hadden gedaan.

Lagen ze hier allemaal maar in deze kuil weg te teren.

Ze draaide haar hoofd om en keek naar de fakkels op de weg.

'Het is de begrafenis van Xenophon,' fluisterde ze.

Nikos volgde haar blik en zag de houten doodskist die op een wagen naar zijn laatste rustplaats werd vervoerd. Een paar mensen keken hun kant op, maar ze interesseerden zich duidelijk niet voor een romantische ontmoeting van twee onbekende geliefden.

'Ze zijn bijna weg,' zei Nikos. 'We zijn zo veilig.'

Tessa begon regelmatig adem te halen. Nikos keek haar weer aan. De koude blik was weer terug in haar ogen, alsof ze op het moment dat hij de andere kant op had gekeken van hem was weggevaren. Misschien was er niets in Tessa veranderd, dacht Nikos, maar dat ging voor hemzelf niet op. Het moment had maar heel even geduurd, maar hij wist dat hij een blik van haar hart had opgevangen en wat hij daar had aangetroffen, had alles veranderd.

Misschien ben je voor een deel van brons, Tessa van Delos. Maar zelfs brons kan worden omgesmolten.

DERTIEN

Vijf dagen voor de grote aardbeving

Tessa wendde zich van Nikos af en begroef haar gezicht in het groene gras. Ze ademde diep in, hopend dat de geur van grond en gras de smerige lucht van de kuil zou verbloemen. En de geur van Nikos.

De geluiden van de rouwstoet verdwenen in de duisternis. Ze duwde Nikos van zich af en ging zitten. Hij bleef liggen, rustend op een elleboog, en keek haar aan.

'We moeten opschieten,' zei ze met een blik op de lucht. 'De ochtend breekt al bijna aan.'

Nikos strekte een hand uit naar haar gezicht. 'Ik weet dat dit moeilijk voor je was.'

Ze sloeg zijn hand zachtjes weg. 'Het viel wel mee.' Ze was niet van plan hem te vertellen hoe vreselijk ze het had gevonden om zijn lichaam zo dicht bij dat van haar te voelen.

Ja, vreselijk. Ze probeerde zichzelf ervan te overtuigen, maar de woorden klonken zelfs in haar gedachten hol.

Ze ging snel staan. 'Ik zal achterin gaan liggen. We moeten nu geen risico's nemen.' Ze negeerde zijn tegensputteren en klom achter in de wagen. Nu Glaucus niet meer naast haar lag, kon de terugrit alleen nog maar meevallen. Ze trok de muffe deken over haar hoofd, ging liggen en probeerde alle gedachten aan Glaucus en Nikos uit haar hoofd te bannen.

Ik moet me concentreren op de volgende uitdaging. De toespraak.

Philo had erop gestaan dat Glaucus zou spreken en hij leek daarbij te worden gesteund door de andere strategoi. Zouden ze haar accepteren als zijn woordvoerster? Zou ze het aandurven om voor hen te staan en te spreken met de autoriteit van Glaucus?

Gespannen gluurde Tessa af en toe even van onder de deken naar de schemerende lucht. Ze mocht niet te laat komen en ze moest zich eerst nog wassen en verkleden. De gebeurtenissen van deze nacht hadden haar kleding geen goed gedaan.

Daphnes kleding.

'Schiet op!' riep ze. 'Kan die os niet sneller lopen?'

Nikos lachte – dat deed hij vaak, was haar inmiddels wel opgevallen. 'Dat moet je aan de os vragen.'

Tessa gromde gefrustreerd. Nikos lachte opnieuw.

Ze voelde aan de structuur van de weg onder de wagen dat ze de stad inreden en durfde niet opnieuw de deken opzij te trekken. Op straat zouden op dit uur al slaven en vrouwen met waterkruiken lopen. Ze probeerde zo stil te blijven liggen als ze kon en drukte haar lichaam tegen de ruwe bodem van de wagen.

Toen de wagen met een ruk tot stilstand kwam, bleef ze bewegingloos liggen.

Pas toen Nikos het doek opzij trok, deed ze haar ogen open. 'Kom,' fluisterde hij. 'Er is niemand in de buurt. We gaan het huis weer binnen zoals we eruit zijn gekomen.'

Hij pakte haar hand vast om haar van de wagen te helpen stappen, en het lukte haar niet meer die weg te trekken. Even later stonden ze weer binnen.

Met een bezorgd gezicht stond Simeon hen in de hal op te wachten. 'Is het gebeurd?'

Tessa knikte. 'Niemand heeft ons gezien.'

Hij bekeek haar kleding, waarna ze zelf ook haar hoofd boog om zichzelf te bekijken. Ze had dicht bij Nikos gestaan terwijl hij groef en had veel modder op zich gekregen. En de bodem van de wagen was ook niet erg schoon geweest. Ze vroeg zich af of haar gezicht en haren net zo vuil waren als haar kleding en keerde haar hoofd beschaamd van Nikos af.

'Ik moet me wassen,' zei ze tegen Simeon, 'en ik heb kleren nodig voor de raadsvergadering.'

Simeon knikte alleen maar rustig. 'Ik heb al voor water en kleding gezorgd.'

Natuurlijk, Simeon denkt altijd overal aan.

Tessa richtte zich nog even tot Nikos voor ze met Simeon meeging. Ze kon hem niet aankijken, maar zei: 'Dank je wel.'

Vanuit haar ooghoek zag ze zijn warme glimlach, die aanvoelde als een warme deken die over haar heen gleed. 'Ik sta graag tot je dienst, Tessa.'

Simeon schraapte zijn keel. 'De raadsvergadering begint al bijna, Tessa. We moeten opschieten.'

Tessa wierp een snelle blik op Nikos. Hij knikte en glimlachte. 'Je kunt het wel, Tessa.'

Terwijl ze zich naar het vrouwenvertrek haastte, vroeg Tessa zich af hoe een enkele glimlach haar voldoende vertrouwen kon geven om de komende beproeving te doorstaan.

Ω

Spiro had zichzelf echt voorgenomen de morgen na zijn expeditie naar het aquaduct thuis te blijven. Maar toen de zon boven Rhodos opkwam en hij nadacht over alles wat die morgen zou gaan plaatsvinden, won zijn nieuwsgierigheid het van zijn gebruikelijke zelfbeheersing.

Tegen de tijd dat de vrouwen uit de Joodse wijk aan hun dagelijkse taken waren begonnen, had Spiro zich in de buurt van het watergebouw opgesteld. Hij was er niet bang voor om door een paar eenvoudige vrouwen te worden opgemerkt. Opgewonden wreef hij over zijn linkerhand en wachtte af.

Het watergebouw had qua architectuur veel van een tempel. En terecht, vond Spiro, want water was in alle eerlijkheid nog veel belangrijker dan de goden. Voor de ingang van het witte, vierkante gebouw in de Joodse wijk stonden maar vier zuilen, veel minder dan voor de meeste andere watergebouwen. Binnen borrelde er in een groot bassin gestaag een stroom water, die werd aangevoerd vanuit het aquaduct op de bergwand. Tenminste – zo ging het meestal.

Van een eindje verderop in de straat kwam een magere vrouw een deur uit wandelen met een oranje kruik in de handen. Ze genoot duidelijk van dit zeldzame moment buiten en nam rustig de tijd. Haar ogen speurden langs de andere deuren in de smalle straat en Spiro zag dat ze begon te lachen toen er uit een ander huis ook een vrouw verscheen, die de straat overstak om haar te vergezellen.

Samen wandelden de vrouwen langs Spiro, die aan de overkant stond.

De twee verdwenen het watergebouw in. Spiro hield de deur nauwkeurig in de gaten.

Een. Twee. Drie…

Toen was het Spiro's beurt om te glimlachen. Beide vrouwen kwamen tegelijk het gebouw uit rennen, zonder hun kruiken. Een paar voet vóór hem gingen ze uit elkaar en vluchtten ieder hun eigen huis in. Een paar tellen later verschenen ze weer buiten met hun echtgenoten. Schreeuwend holden ze naar het watergebouw. Al snel kwamen er nog meer vrouwen naar buiten, die ook kruiken droegen. Toen ze de mannen zagen rennen, keken ze elkaar tot Spiro's genoegen verward aan.

Binnen een paar minuten stond praktisch de hele straat buiten. Als mieren met een vertrapte hoop scharrelden ze rond voor de ingang van het watergebouw. Boven het geroezemoes uit klonk boos geschreeuw. Uiteindelijk ging de menigte de straat weer op.

'Ze weten het al geruime tijd,' schreeuwde een man boven de herrie uit. 'Ik heb gehoord dat de overheid het probleem met opzet negeert! Het is maar water voor de Joden, zeggen ze!'

Spiro glimlachte, opnieuw verbaasd over het gemak waarmee mensen gemanipuleerd konden worden.

Ω

Het was een halfuur lopen naar het dichtstbijzijnde watergebouw, in het zuidoostelijke deel van de stad. Aangezien de boze horde Joden zich waarschijnlijk sneller voortbewoog dan hij, wist Spiro dat hij moest opschieten.

Ajax stond voor het watergebouw, met zijn rug tegen de muur geleund en zijn armen over elkaar. Toen hij Spiro zag, zette hij zich af tegen de muur.

'Is het geregeld?' vroeg Spiro.

Ajax knikte kordaat. 'Het gonst van de geruchten over boze Joden die in deze wijk de watervoorziening willen komen overnemen.'

'En de bewaker?'

Ajax keek naar de ingang van het watergebouw. 'Dood.'

'Getuigen?'

'Eentje, zoals afgesproken. Die zal zweren dat hij midden in de nacht een Jood binnen zag sluipen om de man te vermoorden.'

Spiro klopte de slaaf op de schouder met een zeldzaam gevoel van genegenheid. 'Goed werk.'

Achter hen kwam een stel keuvelende vrouwen naar het watergebouw gewandeld. Spiro en Ajax verlieten het gebouw en gingen een eindje verderop op straat staan.

In de verte klonk een tumult. Spiro keek op. De Joden kwamen eraan.

Hij kon al snel afzonderlijke stemmen opvangen, die tegen elkaar schreeuwden. Toen stroomde er een groep Joden de straat op, als water uit een kan, groter dan Spiro had durven hopen.

Ajax' werk van de voorgaande avond had zijn uitwerking niet gemist. Het zuidoostelijke deel van de stad was erop voorbereid. Uit huizen en stegen kwamen mannen tevoorschijn. De vrouwen bleven binnen, terwijl zich in de Joodse groep wel veel vrouwen bevonden, de kruiken nog in hun handen.

Verschillende mensen uit de omgeving hadden stokken bij zich. Spiro knikte bij zichzelf.

Het kan niet anders dan met geweld.

De mannen met de stokken stormden de Joodse menigte in. Er werd hoog geschreeuwd door een aantal vrouwen, wat de angst en woede alleen maar deed toenemen.

Er kwam een man uit het watergebouw rennen. 'Feodore is dood!' riep hij boven het kabaal uit. 'Zijn keel is doorgesneden.'

Een oude man met samengeknepen ogen sprong druk op en neer. 'Ik heb vannacht een Jood naar binnen zien gaan! Een Jood! Een Jood!'

De rel brak nu echt los. In de kronkelende menigte werd geschreeuwd, geduwd en geslagen. Kruiken braken. Er lagen mannen en vrouwen op de grond. Een kind huilde.

Spiro's hart bonsde bij de aanblik.

Koste wat het kost.

Ajax kwam naast hem staan. Spiro greep hem bij de arm.

Een vechtend groepje mannen kwam angstwekkend dicht bij Spiro in de buurt. Ajax trok hem opzij.

'We moeten naar huis, Spiro.'

'Nog niet. Nog niet.'

Ajax trok hem nog een stukje naar achteren. 'We zijn hier klaar. Het werk is volbracht. U bent niet veilig.'

Spiro liet zich wegleiden door Ajax, maar kon zijn ogen niet van de chaos afhouden.

Zonder het te weten, doen ze mijn wil.

Hij wreef over zijn linkerhand en draaide zich eindelijk om. Even leek het verstikkende verlangen om het respect van zijn vader te winnen wat af te nemen.

U zult nog versteld staan.

VEERTIEN

In Glaucus' lege slaapkamer waste Tessa zorgvuldig alle sporen van de afgelopen nacht van haar lichaam.

Ze glimlachte om Simeons behulpzaamheid. Op tafel had hij een kan water neergezet en op het kussen van het bed lagen schone kleren. Naast het water lagen bovendien diverse schoonheidsmiddelen, die ze hard nodig zou hebben om indruk te maken als Glaucus' woordvoerster.

Ze bekeek haar spiegelbeeld in een bronzen bord en bracht wit poeder aan op haar gezicht, voor een blanke huidskleur. Het poeder was gevormd van corrosie die van lood was afgeschraapt en was veel waard. Ze maakte haar wangen en lippen rood met moerbeien, omlijnde haar ogen met houtskool en stak haar haren op met een hoofdband van juwelen. De chiton die Simeon voor haar had klaargelegd, was donkerpaars met goud borduurwerk.

Een vorstelijke kleurcombinatie.

Maar wat ze ook droeg of op haar gezicht smeerde, Tessa zou zich nooit een koningin voelen.

Ik hoor thuis in die kuil buiten de stad.

Ze schudde de sombere gedachten van zich af. Het werd al laat en ze moest opnieuw een voorstelling gaan geven.

Op het binnenplein stonden Simeon en Nikos zachtjes te praten. De twee mannen keken tegelijk op toen ze verscheen. Ze probeerde de bewondering in hun ogen te negeren.

'Staat de wagen klaar?'

Nikos wees naar de voorkant van het huis. 'Op straat.'

Ze knikte en liep hen voorbij. Nikos volgde haar.

'Ik heb geen behoefte aan een koetsier,' zei ze zonder zich om te draaien.

'Dat weet ik. Maar het zou ongebruikelijk zijn als een vrouw als jij zonder begeleiding zou rijden.'

Een vrouw als ik.

Onder aan de trap voor het huis stond een verguld koetsje met twee wielen klaar, met een zwart paard ervoor. Tessa liet Nikos voor haar op de wagen klimmen. Hij draaide zich om en pakte haar hand om haar te helpen de koets te bestijgen.

Met haar blik maakte ze hem duidelijk wat ze van zijn hulp vond. Hij pakte de teugels en klakte met zijn tong, waarop het paard begon te lopen, op weg naar de agora. Nikos keek haar over zijn schouder aan. 'Na die vreselijke nacht is het toch een prachtige morgen, vind je niet?'

'Je hoeft geen praatje met me te maken, hoor. Je hoeft alleen maar de wagen te besturen.'

Hij lachte en zei op spottende toon: 'Ja, Nikos, het is een schitterende morgen. Ik dacht er juist aan hoe mooi de wereld toch is, zoals ik wel vaker doe.'

Tessa fronste. Haar poging om weer een gepaste afstand tussen hen te creëren, had duidelijk weinig effect.

Alle wegen leken wel naar de agora te leiden. Hoe dichter ze bij de markt kwamen, hoe drukker het op straat werd.

In het centrum van de stad lag het grootste plein van Rhodos. Er stonden tientallen standbeelden tussen de tegels, en aan de oostelijke kant van het plein waren een tempel en een lange stoa gebouwd. Naast de stoa stond het bouleuterion, waar de raad bijeenkwam en waar de strategoi regelmatig moesten spreken.

Nikos reed met de koets de agora op. Door de drukte moesten ze langzaam tussen de kraampjes door rijden. Overal waren kopers die rustig de tijd namen om de tafels en wagens vol wijn, olijven, olie, honing een kazen af te speuren naar aanbiedingen. Tessa's maag knorde en ze herinnerde zich dat ze sinds de vorige avond niets meer had gegeten.

'Opzij!' schreeuwde Nikos.

Verschillende kopers reageerden met boze gebaren. Het gemarchandeer van de koopmannen schalde over het plein als geblaat van een kudde schapen. Dat gaf Tessa de gedachte dat deze mensen net als schapen sterk leiderschap nodig hadden.

Ze reden langs looiers en pottenbakkers en snoven scherpe geuren op van vers gevangen vissen, eenden en hazen, die in de zon hingen om bewonderd en gekocht te worden. Tessa merkte wel dat ze door veel mensen werd aangestaard, maar ze keek niet een keer terug. Dat zou niemand ook van haar verwachten.

De zon scheen fel op haar rug en ze voelde haar chiton vochtig worden. De zenuwen maakten het alleen maar erger.

Naast een kraam van een kaasboer zette Nikos de wagen even stil. Van onder zijn bovenkleed haalde hij een obool tevoorschijn, waarna hij op een klein pakje wees.

De koopman, een zware man met lang haar en een ongekamde baard, hield zijn hand op en keek Nikos verbaasd aan. 'De mevrouw zal toch wel een groter stuk van deze heerlijke kaas willen?'

Nikos drukte de munt in de hand van de man. 'Later misschien,' zei hij. 'Maar nu heeft ze honger.'

De man haalde theatraal zijn schouders op en overhandigde het pakje aan Nikos. Die gaf het door aan Tessa zonder om te kijken.

Terwijl ze verder reden over de agora at Tessa van de zachte kaas, die zo scherp was dat haar ogen ervan traanden.

Toen ze bij het bouleuterion arriveerden, haalde Tessa diep adem. Nikos keerde zich om en keek haar aan.

'Ik zal hier op je wachten,' zei hij.

Ze knikte afwezig en staarde naar het raadhuis. Binnen zou ze vijftig mannen en acht strategoi aantreffen, wist ze, die allemaal wilden horen hoe Glaucus dacht over de Joodse kwestie.

En dat zal ik hun laten weten.

Ze stapte van de wagen en liep de trap op. Voor de ingang van het bouleuterion bleef ze even staan en sloot haar ogen.

Achter haar klonk een bloedstollende gil.

'Tessa!'

Ze draaide zich met een ruk om. Beneden op de agora kwam Daphne naar haar toe gerend, met uitgestrekte armen alsof ze wilde wegvliegen. 'Waar is mijn man?' schreeuwde ze.

Tessa stormde de trap af om Daphne te woord te staan. Van alle kanten werden ze aangestaard. Hoe was die vrouw hier eigenlijk gekomen? Tessa sprak op rustige, zakelijke toon. 'Hij is thuis, Daphne. Hij is ziek.'

Nikos stond al snel naast hen. Zijn aanwezigheid werkte als een balsem. Daphne liet haar armen zakken en keek hem aan.

'Wil jij me naar hem toe brengen?'

Nikos keek even naar Tessa en knikte toen. 'Ik zal u thuisbrengen.'

Terwijl ze zich omdraaiden, fluisterde hij tegen Tessa: 'Ik kom zo terug.'

Tessa zuchtte diep, knikte nog even naar degenen die nieuwsgierig hun kant op bleven kijken en liep de trap toen weer op. Toen ging ze het bouleuterion binnen, het centrum van de democratische macht op het eiland.

De zaal gonsde van alle ernstige gesprekken die werden gevoerd door de tientallen aanwezige mannen. Het gebouw bestond uit een enkele ruimte, met rijen marmeren stoelen langs drie kanten en een open ruimte in het midden, die door zuilen werd ondersteund. Iedereen kon Tessa dus zien binnenkomen. Het viel meteen stil, alsof er een zwaar deksel op een pan kokend water was gelegd. Alle ogen waren op haar gericht. Had ooit eerder een vrouw deze ruimte betreden?

Tessa stak haar kin naar voren, rechtte haar rug en marcheerde de zaal in. Ze wierp een snelle blik op de stoelen en koos een lege uit in de buurt van de ingang. Haar voetstappen op de trap weerklonken in de stilte. Ze ging zitten en richtte haar aandacht op de voorkant van de zaal.

Het geroezemoes nam weer toe, maar nu klonk het onheilspellend.

Iedereen bleef naar haar kijken.

Dit is nog maar het begin.

De raad van vijftig mannen werd met het lot gekozen om een tiende van het jaar het eiland te dienen, waarna weer een nieuwe groep werd uitgeloot. De Vergadering was opgesteld uit mannelijke burgers van variërende leeftijds- en inkomstengroepen, en was officieel de hoogste regerende macht in Rhodos. Daarnaast was er de Raad, die voorstellen deed aan de Vergadering, de beslissingen van de Vergadering uitvoerde en de alledaagse staatszaken regelde, zoals het beheer van publieke financiën en gebouwen. De tien strategoi werden jaarlijks verkozen door de Vergadering, en die tien mannen hadden op hun beurt veel macht over de Vergadering en de Raad.

De vergadering begon met een aantal lopende zaken, voordat de grote, actuele onderwerpen aan de beurt kwamen. Tessa deed haar best zich op de besproken zaken te concentreren, maar haar gedachten dwaalden af naar de toespraak die ze straks zou voeren. Toen kwam het gesprek op de moord op Xenophon. Er zou snel een vervanger voor hem moeten worden gekozen. Er ontstond een debat over de vraag of daar een speciale vergadering voor moest worden georganiseerd, of dat de zaak tijdens de volgende reguliere vergadering geregeld zou kunnen worden. Tessa tikte met haar sandaal tegen de vloer en probeerde rustig adem te halen.

Ze hoefde niet lang te wachten. Spiro stond op uit zijn stoel en wachtte tot alle aandacht op hem was gevestigd.

'In het licht van de dood van Xenophon vind ik dat we de Joodse kwestie moeten bespreken. Xenophons standpunt hierover was bekend: hij was voor het Joodse burgerschap. Nu hij is weggevallen, zou zijn medestander Glaucus het woord moeten voeren.' Hij liet zijn blik op Tessa vallen. 'Maar Glaucus heeft geweigerd voor deze raad te verschijnen, dus stel ik voor...'

Tessa ging staan en onderbrak Spiro.

'Ik ben hier om namens Glaucus te spreken.'

Spiro stopte abrupt met praten. Er klonk weer geroezemoes, nu luider dan eerder.

'Glaucus is ziek,' verklaarde Tessa. 'Niet levensbedreigend, maar wel zo ernstig dat hij hier niet aanwezig kan zijn. Hij heeft mij de autoriteit verleend om namens hem te spreken over deze zaak.'

De *epistates* van de Raad, die de zitting voorzat, stak een hand op, alsof hij geen geschikt antwoord kon bedenken op zo'n bespottelijke opmerking. Tessa maakte gebruik van de stilte.

'Glaucus heeft zich duidelijk uitgesproken over de Joodse bevolking in Rhodos. Ik weet dat velen van u hem steunen in zijn standpunt. Hij is ervan overtuigd dat de Joden onze positie als sterke handelsnatie alleen maar zouden versterken als zij worden erkend als burgers van Rhodos. De Joden hebben broeders in de naties waarmee wij handel bedrijven en vaardigheden die beter kunnen worden ingezet. Als zij zich zouden kunnen onttrekken aan de armoede die voortkomt uit hun vreemdelingenstatus, zullen zij aan de rijkdom van Rhodos bijdragen door belastingen te betalen en aan het economische verkeer deel te nemen. Niemand heeft er belang bij als de Joden in armoede onder ons blijven leven.'

Daarmee was Tessa uitgesproken, maar ze ging niet zitten. Ze verwachtte reacties, zelfs tegenstand, maar de raadsleden leken vooral verward.

Spiro ging weer staan en glimlachte haast teder. 'Tessa lijkt er veel voor over te hebben om haar positie als de meest politiek betrokken hetaere van Rhodos te behouden, ondanks de stijgende populariteit van Berenice.' Er klonk geamuseerd gemompel vanuit de zaal. 'Tessa is beslist een eloquente spreekster, maar het is duidelijk dat zij noch haar meester op de hoogte zijn van de Rodische actualiteit. Het zou ons niet moeten verbazen dat ze niets weet van de moord die vanmorgen is gepleegd en de vernielingen die zijn aangericht door de Joden. Glaucus zit nogal eens met zijn kop in het zand. Of in de wijn.'

Er werd instemmend gemompeld.

Moord? Vernielingen? Tessa's hart bonsde. Hoe kon ze zich verweren tegen beschuldigingen waar ze niets over wist?

Vasilios riep haar toe: 'Nou, wat is je antwoord, Tessa? Hoe kunnen wij het burgerschap van de Joden steunen als zij onze wetten overtreden en onze inwoners vermoorden?'

'Ja,' riep Balthasar van de andere kant van de zaal. 'Misschien wordt het tijd dat de mannen die zo dwaas zijn om het Joodse burgerschap te steunen van hun machtsposities worden ontheven.'

Juist op dit ongelegen moment begon Tessa's haarband van haar voorhoofd te glijden. Ze was niet van plan haar kapsel te herstellen terwijl de ogen van de hele raad op haar gericht waren, dus greep ze de band vast en trok die los. Haar krullen vielen vrij op haar schouders, wat Tessa om de een of andere reden zelf ook een bevrijd gevoel gaf. Vastberaden keek ze Balthasar in de ogen, net zolang tot hij er ongemakkelijk van in zijn stoel begon te schuiven. Het werd helemaal stil in de zaal.

'Glaucus heeft u altijd trouw gediend,' zei ze. 'Hij heeft Rhodos trouw gediend. Hij is verkozen door het volk, dat zijn leiderschap respecteert en zijn intelligentie bewondert. Zulke brutaliteit van mannen die slechts door het lot zijn verkozen, kan niet worden getolereerd.'

Ze schudde haar haar over een schouder, liet een ijzige blik over de aanwezigen glijden en verliet toen haar zetel om de drukte van de agora weer op te zoeken.

De Joden.

Ze kookte van woede. Ze was bijna vrij; over een paar dagen zou ze al naar Kreta varen. Maar het kleine, hoopvolle vlammetje dat was aangestoken na de dood van Glaucus, was erg kwetsbaar. Het zou makkelijk kunnen worden gedoofd door een gemeenschap van mensen waar zij niets vanaf wist.

VIJFTIEN

Terwijl ze terugreden naar het huis van Glaucus, vertelde Nikos Tessa wat hij te weten was gekomen over de rel in de zuidoostelijke wijk. Fronsend concludeerde hij: 'Ik begrijp niet waarom de Joden zo gewelddadig werden ontvangen door de bewoners van die wijk. Het leek wel alsof ze werden opgewacht.'

Tessa kwam naast hem staan voor op de wagen. 'Als we vannacht niet zo lang bezig waren geweest, had ik hier misschien al iets over gehoord voordat ik mezelf zo vreselijk voor schut zette tijdens de raadsvergadering.'

Ze raasden door de straten en Tessa's losse haar wapperde wild om haar gezicht.

'Ik ben ervan overtuigd dat je jezelf niet voor schut hebt gezet, Tessa.'

'Nou ja, het maakt nu ook weinig meer uit, hè?' Ze sloeg met haar vlakke hand tegen de zijkant van de koets. 'Als ze Glaucus niet meer in staat achten om strategos te blijven, zullen ze een ander naar Kreta sturen en zal ik dit eiland nooit af komen!'

Nikos liet het paard voor het huis van Glaucus tot stilstand komen. Plotseling werd Tessa overmand door een vreselijke vermoeidheid, alsof de wind de hele nacht haar zeilen had gevuld en nu opeens wegviel, waardoor al haar spieren verslapten. Ze greep de rand van de wagen. De trap voor de portico danste voor haar ogen.

'Tessa, ben je ziek?'

Ze hoorde de vraag wel, maar vaag, alsof die van een grote afstand werd gesteld. Ze deed haar best zich te beheersen.

'Tessa!'

Het huis zweefde weg en de blauwe lucht vulde haar blikveld. Was ze gevallen?

Nee. Hij draagt me.

Haar vermoeidheid won het van haar verlangen zich tegen hem te verzetten. Ze sloot haar ogen en voelde even later de heerlijk zachte kussens van een van de banken in het andron onder zich.

Nikos knielde naast haar neer.

Wegwezen, Nikos. Ik ben vandaag niet sterk genoeg om met je te strijden.

'Zal ik water voor je halen?'

'Ik ben alleen maar moe. Laat me met rust, alsjeblieft.'

Hij leek haar haar even aan te willen raken, dat uitgewaaierd lag op het kussen, maar liet zijn hand toen weer zakken.

'Ga maar slapen, Tessa. Je bent hier veilig.'

Hij verdween de kamer uit, waarop Tessa wachtte tot de slaap haar zou overmannen, maar dat gebeurde niet.

In plaats daarvan ging ze in gedachten terug naar de raadsvergadering, naar de blunder die ze had gemaakt door Glaucus' mening over de Joden te uiten zonder iets te weten over de opstand van die morgen.

Ik moet zijn reputatie weer op zien te vijzelen.

Ze probeerde met alle macht een list te verzinnen, maar werd afgeleid door de zachte bank, de hitte in de lucht en het luie gezoem van een dikke bromvlieg die door de kamer vloog. Haar gedachten verloren alle samenhang. Ten slotte sloot ze haar ogen en gaf ze eindelijk toe aan de uitputting.

Ω

Nikos liet Tessa achter in het andron, hopend dat ze een tijdje zou blijven uitrusten. Hij had zelf ook al twee nachten amper geslapen, maar was nog niet van plan te gaan rusten. Hij had tot nu toe nog bijna niets bereikt en op zeker moment zou zijn vader antwoorden van hem eisen.

Hij trof Simeon aan in de haardruimte. De oude knecht was midden in de kamer een kolenvuur aan het stoken. Naast de haard lag een pas gedode fazant, die nog moest worden kaalgeplukt. Simeon keek even op naar Nikos en richtte zijn aandacht toen weer op het vuur.

In de rokerige haardruimte nuttigden de bewoners vaak hun maaltijden, of zaten ze ter ontspanning. Omdat de kamer aan de keuken grensde, werd er ook gekookt. Langs de muur stonden allerlei potten en pannen en bronzen bussen waarin eten werd bewaard.

Nikos schoof een kist die langs de muur stond dichter bij het vuur en ging erop zitten.

'Wat heb je vanmorgen van de Joden gehoord, Simeon?'

De oude man gaf niet meteen antwoord. Hij herschikte de kolen in de haard en ging ten slotte op zijn hurken zitten om Nikos aan te kijken.

'Ik heb gehoord dat de inwoners van Rhodos hun oordeel snel klaar hebben.'

Nikos knikte. Hij voelde wel aan dat de man hem niet helemaal vertrouwde. Hij zou eerst zijn argwaan moeten wegnemen als hij meer te weten wilde komen. De situatie was stukken ingewikkelder geworden sinds hij in het huis van Glaucus was gearriveerd.

'Het verbaast mij dat het probleem met de watertoevoer zo snel is uitgelopen op geweld.'

Simeon prikte met een pook in het vuur. 'Waarom zou een Griek zich interesseren voor de problemen van de Joden?'

Nikos pakte de fazant beet en begon de zachte veren van zijn lijf te plukken.

'Ik maak me zorgen om Tessa,' zei hij. 'Vanmorgen heeft ze in de raadsvergadering Glaucus' steun aan de Joden verdedigd zonder dat ze iets afwist van de gebeurtenissen van vanmorgen. Dat is niet goed gevallen.'

'Dat verklaart nog niet waarom jij er meer over wilt weten,' zei Simeon. 'Tessa heeft jouw bescherming niet nodig.'

'Omdat jij haar beschermt?' Hij zei het niet onvriendelijk, maar

Nikos kon wel zien dat zijn woorden de hoofdknecht raakten als een goed gemikte pijl. 'Simeon, sta mij toe jou te helpen om voor haar te zorgen. Ik wil net zomin als jij dat haar iets overkomt.'

Simeon wreef met zijn knoestige vingers in zijn ogen. 'Ze moet dit eiland verlaten, dat is haar enige kans op hoop.'

'Dan zullen wij ervoor zorgen dat dat gebeurt.'

Terwijl hij verderging met het kaalplukken van de vogel, voelde hij dat Simeon hem opnam. Toen Nikos klaar was, gaf hij de fazant aan Simeon, die het beest aan een spit reeg en boven het vuur hing.

'Simeon, wat weet jij over het geweld van vanmorgen?'

De oudere man veegde de veren op een hoop en knikte toen zachtjes. 'Voordat de watertoevoer er gisteren mee ophield, gingen er al geruchten rond in de Joodse wijk dat dit zou gebeuren.'

'Maar hoe had iemand dat kunnen zien aankomen?'

Simeon wuifde met zijn hand tegen de rook die zijn kant opkwam. 'Mijn dochter wist niet wie het nieuws had verspreid. Ze kon me alleen vertellen dat ze er gisteren voor het eerst over hoorde. Er werd gezegd dat de stadsbestuurders al wisten dat er iets met de waterleiding aan de hand was, maar dat ze het aquaduct niet hadden gerepareerd omdat het ze niets kon schelen als de Joden omkwamen.'

Nikos deed zijn armen over elkaar en dacht daar even over na. Er klonken sissende geluiden terwijl er sap van de fazant in de vlammen druppelde.

'Er is nog meer aan de hand,' zei Simeon. 'De bewaker in het watergebouw in de zuidoostelijke wijk is vannacht vermoord. Een getuige beweert dat hij een Jood naar binnen zag gaan. Er wordt vermoed dat de Jood water kwam halen of de bewaker om de een of andere reden heeft bedreigd, en hem uiteindelijk heeft vermoord.'

'Maar waarom? Het heeft toch geen enkele zin om de bewaker te vermoorden?'

'Nou, het zette de mensen hoe dan ook aan om mijn volk op te wachten op straat.'

Nikos zuchtte. 'Is je dochter gewond geraakt, Simeon?'
De oude bediende schudde zijn hoofd. 'Nee, zij en haar echtgenoot zijn ongedeerd. God is genadig geweest.'
'Gelukkig.'
Simeon keek hem met een verdrietig glimlachje aan. 'Ik bid dat God Tessa net zo genadig zal zijn.'
Nikos knikte. 'Ze kan de hulp van alle goden wel gebruiken.'
Simeon draaide aan het spit. 'Er is maar één ware God, Nikos. Eén God Die ons redden kan.'
Nikos haalde zijn schouders op. 'Ik heb nooit zoveel met de goden opgehad. Ik geloof niet dat ik ooit hulp van ze heb ontvangen.'
'Jahweh bemoeit Zich met de zaken van alle mensen, ook met hen die geen kinderen van Israël zijn.'
'Een god die zich met andere rassen bemoeit? Dat zal dan wel een hebzuchtige god zijn.'
Simeon glimlachte. 'Hij wil dat alle mensen hun valse goden verwerpen en alleen Hem aanroepen.'
'Ik laat de omgang met jouw god aan jou over, Simeon. Ik heb nu wel andere dingen aan mijn hoofd.'
'In onze geschiedenis komen veel buitenstaanders voor die uiteindelijk ook bogen voor Jahweh.'
'Hmm. We zullen zien.'
De fazant siste in het vuur en Nikos stond op om Simeon verder te laten koken. Tessa was voorlopig veilig. En aan de andere kant van de stad lag een wijk waar hij plotseling veel belangstelling voor had.

Ω

Tessa werd wakker op de bank en zag aan het licht in de kamer dat de zon alweer aan het zakken was. Het moest laat in de middag zijn. Ze ging met een ruk rechtop zitten, haalde even diep adem en sprong van de bank af.

Ik heb veel tijd verspild.

Ze dacht met ergernis terug aan haar moment van zwakte op straat met Nikos. Alles wat zich tijdens de nacht en die vreselijke morgen had afgespeeld, had haar gewoon helemaal uitgeput.

En nu moet ik dat vreselijke ongedaan gaan maken.

Na die toespraak hadden Spiro en zijn collega's iets op haar voor. *Op Glaucus voor*, corrigeerde ze zichzelf. Als zij de schijn van Glaucus' autoriteit wilde ophouden in de stad, zou ze vat moeten krijgen op het Joodse probleem.

Ze ging op zoek naar Simeon en trof hem aan in de keuken. Hij wendde zich af van de slaven die hij opdrachten aan het geven was en wenkte haar om mee te komen naar de haardruimte.

De warmte in de kamer overweldigde haar. Haar ogen begonnen te tranen van de rook.

'Tessa, de slaven beginnen vragen te stellen over Glaucus. Ik vrees dat ik hen en de vrouw van de meester niet langer kan tegenhouden om zijn kamer binnen te gaan. En dan zullen ze zelf zien dat hij er niet is.' Hij wierp een blik op de hal en ging nog zachter praten. 'Ik denk dat jij de komende dagen maar hier moet blijven, in plaats van naar huis te gaan.'

Tessa haalde een hand door haar haar. 'Daar zullen de mensen in de stad geschokt op reageren.'

Simeon draaide aan een spit dat boven het vuur hing, waar een vogel aan werd geroosterd. 'Dat weet ik,' zei hij, 'maar je moet hier zijn om namens Glaucus te spreken als ze hem nodig hebben – en om de nieuwsgierigen op afstand te houden.'

Tessa stak haar kin vooruit. 'Je hebt gelijk. En waarom zou het mij iets kunnen schelen hoe er over mij wordt gedacht? Ze verwachten zoiets toch wel van mij,' zei ze. 'Ik heb alle andere conventies al in de wind geslagen. Dit kan er ook nog wel bij.' Ze liep naar de deuropening. 'Ik zal mijn intrek nemen in Glaucus' kamer. Zeg tegen de slaven dat ik de enige ben die eten naar hem mag brengen en hem mag verzorgen.' Ze keek neer op haar geleende kleding.

'Maar ik moet wel langs mijn eigen huis om kleren op te halen. Ik kan niet in de kleding van zijn vrouw blijven lopen.'
'Laat me Nikos sturen…'
Tessa dacht aan het huis waar Servia haar meisjes opleidde.
'Nee. Ik zal zelf gaan.'

Ω

Toen de zon laag aan de horizon stond, keerde Tessa terug met een grote zak vol kleren en andere persoonlijke spullen. Ze had zich gerealiseerd dat ze misschien niet meer thuis zou komen voordat ze naar Kreta zou reizen, dus had ze al haar waardevolle eigendommen meegenomen. Zo veel was dat niet – alles paste in die ene zak. Ze sjouwde de zak de trap op en het huis van Glaucus in.
Tot haar opluchting was het stil in huis. Via het binnenplein liep ze naar de achterkant van het huis. Toen ze langs de zuil liep waarnaast Glaucus was gevallen, zag Tessa hem daar in gedachten weer liggen. Ze bleef even staan om het beeld te verwerken.
Wat zag ze daar voor vlek op de grond?
Ze bukte zich om beter te kunnen kijken en realiseerde zich geschokt dat de stenen aan de voet van de zuil donker zagen van het opgedroogde bloed – een stille aanklacht die vroeg of laat zeker door iemand zou worden ontdekt.
Tessa haastte zich naar de kamer van Glaucus, liet daar de zak achter, en ging op zoek naar Simeon. Met een angstige blik in haar ogen rende ze de haardruimte in.
'Wat is er?' vroeg Simeon bezorgd.
'Bloed!' fluisterde ze. 'Glaucus' bloed ligt nog op het binnenplein.'
Hij liet het handvat van een kookpot los. 'Ik kom er zo aan.'
Tessa keerde terug naar het binnenplein en ging op de rand van een bank zitten wachten. Ze klemde haar handen om de randen van de zitting. Ten slotte kwam Simeon het plein op met een paar witte

doeken bij zich. Ze ging naast hem bij de fontein staan, doopte een doek in het stenen bassin en kneep die boven het koele water uit. Even later zaten ze beiden op hun knieën de bewijzen van Glaucus' dood weg te boenen. De doeken kleurden rood van het bloed. Tessa's knieën en knokkels schaafden pijnlijk langs de ruwe tegels, maar ze schonk er geen aandacht aan en hield niet op met boenen.

Hoe konden we de bloedsporen toch over het hoofd zien?

Het werk was bijna voltooid toen er een onwelluidend gezang over het plein klonk. Tessa deelde een snelle blik met Simeon. De stem was uit duizenden herkenbaar.

Simeon pakte de doek van haar af. 'Ga naar zijn kamer. Ik zal haar afleiden.'

Maar het was al te laat. Met een dromerige blik in haar ogen kwam Daphne het plein op slenteren. Haar hoge gezang stierf weg toen ze Simeon zag zitten. Ze glimlachte naar hem, maar hield daarmee op toen ze Tessa in het oog kreeg.

'Wat doe jij hier?'

Haar stem klonk helder. Er liep een siddering langs Tessa's rug.

'Ik... ik zorg voor Glaucus,' zei ze.

Daphne fronste haar wenkbrauwen. 'Glaucus is ziek.'

'Ja. Hij... hij heeft mij gevraagd voor hem te zorgen tot hij beter is.'

'Blijf je hier?'

Tessa slikte en veegde een lok uit haar gezicht. 'Ja.'

'Juist.' Daphne liet haar blik over Tessa's losse haar, geleende kleding en witgemaakte huid glijden. Ze kneep haar ogen samen. 'Mogen de goden jou dan behandelen zoals jij mij hebt behandeld.'

Daarmee keerde ze zich om, waarna Tessa opgelucht ademhaalde.

Een jonge slaaf kwam het plein op lopen met een dienblad in zijn hand. Tessa keek hem even na en riep toen: 'Waar ga je naartoe?'

De slaaf draaide zich om. 'Ik ga Glaucus zijn avondmaaltijd brengen.'

Tessa schudde haar hoofd. 'Dat is mijn taak.' Ze keek even naar Simeon.

Kunnen we hiermee wegkomen, Simeon?

Hij glimlachte en knikte, alsof hij antwoord gaf op haar vraag. Ze liep naar de slaaf toe en nam het bord van hem over, waar een kom dikke linzensoep en een stuk brood op lag. Ze liep ermee naar zijn kamer.

Toen ze achter het gordijn stond, besefte ze dat ze nog niets had gegeten sinds Nikos dat stuk kaas voor haar had gekocht op de agora. De linzensoep rook naar knoflook. Ze doopte er een stuk donker brood in en at er gretig van.

Met alleen het linnen gordijn tussen haar en de rest van het huishouden, voelde Tessa zich erg kwetsbaar. Ze zou gemakkelijk kunnen worden ontdekt. Maar er was niets aan te doen.

Nog vier dagen. Dan zal ik in Kreta zijn.

ZESTIEN

Toen de avond was gevallen, kon Tessa geen minuut langer in Glaucus' kamer blijven. Ze verlangde ernaar de wind in haar gezicht te voelen, de nachtelijke bries die het stof en vuil uit de stad wegblies. De afgelopen uren had ze op het bed gezeten en nagedacht over alles wat de afgelopen dagen was gebeurd. Ze had zich afgevraagd of deze hele façade wel de moeite waard was. Moest ze ermee doorgaan? Haar middagdutje had de ergste vermoeidheid weggenomen en de muren van de kamer kwamen nu op haar af.

Maar beter de muren dan de wanden van een doodskist. Goed, als ik hier nog vier dagen moet wonen, zal ik eerst wat veranderingen moeten aanbrengen.

Glaucus' slaapkamer was groter dan de meeste andere vertrekken in het huis, zoals paste bij een man van zijn omvang. Aan één muur hingen weelderige wandtapijten en aan beide kanten van de deuropening stonden standbeelden van de graangodin, wat wel aangaf hoeveel belang Glaucus aan de oogst had gehecht.

Voordat ze de kamer verliet, moest ze de indruk wekken dat Glaucus in zijn bed lag, voor het geval een nieuwsgierig stel ogen achter het gordijn zou loeren. Tessa stond op van het bed en liep naar een grote kist die tegenover de deur tegen de muur stond. Ze haalde er een wollen deken uit, die ze een aantal keren in de lengte opvouwde, en legde die op het bed. Om de omvang van haar voormalige meester te evenaren, zou ze wel wat meer dekens nodig hebben.

In de opslagruimte vond ze nog een aantal dekens, die ze ook op het bed legde. Ten slotte arrangeerde ze een enkele deken over de hoop heen en deed een stap naar achteren om haar werk te beoordelen.

Als iemand even oppervlakkig kijkt, is het wel geloofwaardig. Hopelijk is dat voldoende.

Met een laatste blik op het bed ruilde ze de benauwende kamer in voor de relatieve vrijheid van het binnenplein. Ze had een restje fruit van Glaucus' maaltijd bewaard en stopte dat tussen de tralies van de kooi van Myna. Ze floot zachtjes naar de vogel, waarop die haar hoofd een beetje kantelde en Tessa bestuderend aankeek, alsof het beestje zich ook afvroeg wat zij hier nog deed. Tessa glimlachte en wandelde verder naar de trap. Toen ze die half had bestegen, hoorde ze Simeon haar naroepen.

'Tessa, waar ga je naartoe?'

Ze draaide zich om en ontmoette Simeons bezorgde blik. 'Ik ga alleen even een luchtje scheppen op het balkon.'

Hij fronste, maar knikte.

Met een glimlach liep Tessa verder naar boven. *Zou het zo zijn om een vader te hebben?* Maar toen dacht ze aan die arme Persephone en was ze blij dat ze niet met nóg een man rekening had moeten houden in haar leven.

Eenmaal op het balkon zag Tessa hoe het laatste restje lavendel in de lucht veranderde in indigoblauw. Beneden in de stad werd het rustiger en er stak een verkoelende wind op, die zachtjes met haar haren speelde. Ze sloot haar ogen en ademde in, zodat ze de zoute lucht van de zee kon ruiken. In de buurt floten diverse soorten nachtvogels. Tessa concentreerde zich op de verschillende geluiden en probeerde de vogels te herkennen – een van haar favoriete bezigheden. Er vloog een nachtzwaluw voorbij, een fluweelgrijs beestje bedekt met witte vlekken. Ze stak haar hand uit, hopend dat de vogel even bij haar op het balkon zou komen zitten. Kon ze maar met het diertje meevliegen naar zijn huis, ergens aan de rand van een groot bos.

In gedachten keerde ze terug naar de rampzalige toespraak van die ochtend. Morgen zou Hermes of Spiro of een van de anderen ongetwijfeld een stemming eisen om Glaucus van zijn functie te ontheffen wegens zijn ziekte.

Er moest iets op te verzinnen zijn.

Ze hoorde een voetstap achter zich op het balkon en keerde zich om.

'Nikos. Is er niet ergens een klus waar jij je om moet bekommeren?'

'Mijn werk voor vandaag zit erop. Ik wilde je even spreken.'

Tessa richtte haar blik weer op de stad.

'Tessa, ik heb met Simeon gesproken over het geweld onder de Joden van vanmorgen.'

Tessa luisterde aandachtig, maar draaide zich niet om. Nikos leek niet gehinderd door haar zwijgen. Hij kwam naast haar staan, tegen het stenen muurtje van het balkon aan, en tuurde naar de lucht. Hij veegde een paar losse steentjes van de rand van het muurtje.

'Er zit een luchtje aan de hele zaak. Gisteren gingen er geruchten rond dat de stadsleiders van tevoren al wisten dat het aquaduct het zou begeven...'

'Wat een onzin! Als dat zo was, zou ik het wel hebben gehoord.'

Nikos stak zijn hand op. 'Dat weet ik. Dat bedoel ik juist. Die geruchten staken gisteren pas de kop op. Hoe had iemand kunnen weten dat het water niet meer zou stromen, als de strategoi en de raad het niet eens wisten?'

Tessa fronste. 'Dat is onmogelijk.'

'En dan die vermoorde bewaker – welk motief zat daar achter? Het zette de mensen in de zuidoostelijke wijk alleen maar aan om geweld tegen de Joden gebruiken.'

'Denk je dat er opzet in het spel is?'

Nikos keek haar aan. 'Misschien wilde iemand de indruk wekken dat de Joden gevaarlijk zijn. En tegelijkertijd Glaucus' reputatie bezoedelen omdat hij ze steunt.'

'Wie zou...' Met een misselijk gevoel brak ze haar zin af. 'Spiro.'

Nikos gooide een paar steentjes naar beneden. Tessa hoorde ze beneden tegen de straatstenen tikken. 'Spiro?' zei Nikos zachtjes.

'Hij heeft een hekel aan Glaucus. Hij probeert hem altijd te kleineren waar de andere strategoi bij zijn, net zoals hij vanmorgen tijdens de raadsvergadering deed. Hij wil graag een einde maken aan de democratie. Je had hem moeten zien; hij was zo tevreden met zichzelf toen hij die informatie tegen mij gebruikte.' Ze corrigeerde zichzelf: 'Tegen Glaucus, bedoel ik.'

'Wat ben je van plan?' vroeg Nikos.

Wat kan ik doen? Ze richtte zich op. 'Maak jezelf maar niet druk om...'

'Hou op, Tessa.'

Ze verstrakte bij zijn familiaire toon. 'Pardon?'

'Je hoorde me wel. Je moet me niet blijven gebieden om me niks aan te trekken van het gevaar waarin jij verkeert.'

'Je bent maar een knecht...'

Nikos greep de muur vast. 'Mijn status interesseert jou niets, dat weet je zelf ook wel. Je bent alleen maar bang om je voor iemand open te stellen.'

De wind voelde plotseling koud aan en Tessa sloeg haar armen om haar lijf. 'Ik ben nergens bang voor, dat zal iedereen die mij kent, beamen.'

'Het kan mij niet schelen wat anderen zeggen!' Nikos sloeg met zijn vuist op de rand van de muur, waardoor er nog meer steentjes loskwamen. 'Alleen al het idee dat je iemand zou moeten vertrouwen, beangstigt je.'

En wat dan nog? 'Het leven is mijn leermeester geweest, Nikos. En ik heb mijn lesjes goed geleerd.'

Hij draaide zich naar haar toe en pakte haar pols beet. 'Ik dacht dat je vrij wilde zijn.'

Ze trok haar arm terug, maar hij liet niet los. 'Ik zoek vrijheid voor mijn lichaam, Nikos. Laat mijn hart met rust.'

Nikos liet haar los. 'Vertel me wat je van plan bent. Sta mij toe iets dichterbij te komen.'

Goed dan. 'Bewijs,' zei ze. 'Ik zoek bewijs van Spiro's onbetrouwbaarheid. Iets waarmee we naar de raad kunnen stappen.' Ze verhief haar stem en deed haar best zichzelf in bedwang te houden. 'Als ik kan bewijzen dat Spiro dit allemaal in gang heeft gezet om Glaucus in diskrediet te brengen, dan zal hij verantwoordelijk worden gehouden voor de moord op de bewaker van het watergebouw en als strategoi worden afgezet, en dan zal Glaucus' reputatie in ere worden hersteld. En zal de reis naar Kreta doorgaan.'

Nikos knikte.

Tessa zuchtte en keek uit over de stad. Beneden op straat liep een man met gebogen hoofd richting het huis. Hij werd gevolgd door een vrouw. Tessa keek even gedachteloos op het stel neer, tot ze hen ineens herkende.

'Hermes!' fluisterde ze geschrokken.

Nikos keek haar verward aan.

Ze wees naar de straat en herhaalde: 'Hermes!'

Ze vluchtte van het balkon, rende de trap af en het binnenplein op. Hermes was al binnen. Ze kon Simeon horen klagen over het late uur van zijn bezoek. Ze zette haar hand schrap tegen de deur naar de hal.

'Stuur hem maar door naar het plein, Simeon. Ik zal hier wel met hem spreken.' Ze liep terug naar de bank en ging zo ontspannen mogelijk zitten.

Hermes beende het plein op, gevolgd door Berenice, de hetaere over wie iedereen het de laatste tijd steeds had. Hij bleef staan toen hij haar zag.

'Wat kan ik voor je doen, Hermes? Dit is niet het uur voor een sociaal bezoekje.'

Hermes tuitte zijn lippen. 'Ik hoopte eigenlijk te vernemen dat Glaucus hersteld is.'

'Nog niet, vrees ik. Al lijkt hij wel aan de beterende hand.'

De vrouw naast hem trok aan zijn arm. Hij gaf haar een klein duwtje naar voren. 'Tessa, je kent Berenice vast wel.'

Berenice glimlachte geslepen. 'Over Tessa wordt in het huis van Servia gesproken alsof ze een godin is,' zei ze. 'Maar zelfs godinnen kunnen natuurlijk van hun troon worden gestoten.'

Tessa keek geërgerd naar Berenice en toen naar Hermes. De verlangens van die man waren blijkbaar onbegrensd. 'Heb je een nieuw speeltje gevonden, Hermes?'

Hermes lachte. 'Jaloezie past niet bij je, Tessa.'

Berenice verliet Hermes' zij en slenterde over het binnenplein. Tessa hield haar blik op haar gericht, maar sprak tegen Hermes.

'Is er een bepaalde boodschap die ik aan Glaucus moet doorgeven?'

'Ik ben erg benieuwd naar zijn gedachten over de Joodse zaak na de gebeurtenissen van vanmorgen.'

'Glaucus is ervan overtuigd dat de waarheid wel aan het licht zal komen.' Ze keek hem weer aan en glimlachte. 'Misschien zit het allemaal wat anders in elkaar dan op het eerste gezicht lijkt.'

Hermes trok aan een blaadje van een vijgenboom in een plantenbak en keek toen naar Tessa als een aanklager die tegenover een verdachte staat. 'Laat ik nou precies diezelfde gedachte hebben gehad.'

Tessa's maag trok zich samen, maar de glimlach verdween geen moment van haar gezicht. 'Dan zal ik de goden smeken de waarheid aan het licht te brengen.'

Hij bleef haar strak aankijken en knikte. 'Ik zal me daarbij aansluiten.'

'Glaucus vraagt zich ook af wat er wordt gedaan aan het waterprobleem in de Joodse wijk.'

'Wat daaraan wordt gedaan?'

Ze snoof. 'De mensen kunnen niet leven zonder water. Wordt het aquaduct gerepareerd?'

Hermes trok zijn schouders op en wreef schaapachtig in zijn handen. 'Na de gebeurtenissen van vanmorgen en de moord op Xenophon had de raad al wel genoeg te bespreken. We hebben soldaten bij het watergebouw in de zuidoostelijke wijk neergezet om verder geweld te voorkomen. En er wordt gezocht naar de beheerder van het aquaduct.'

Zich ervan bewust dat Berenice uit het zicht was verdwenen, stond

Tessa op en wierp haar hoofd in haar nek. 'Misschien hadden de Joden gelijk in hun veronderstelling dat het de magistraten van Rhodos niets kan schelen of zij leven of sterven!'

Hermes deed zijn mond open om iets te zeggen, maar opeens stond Persephone op het binnenplein.

Niet nu, kind, niet nu.

'Hij is hier niet welkom! Laat hem weggaan!' Persephone draaide woest aan haar chiton.

Tessa kwam voor haar staan en zei tegen Hermes: 'Goedenavond, Hermes. Ik zal Glaucus laten weten dat je naar zijn gezondheid hebt geïnformeerd.' Ze riep in de richting van het huis: 'Berenice, tijd om terug te keren naar je hok.'

Berenice verscheen vanuit een deuropening met een minachtende uitdrukking op haar gezicht en voegde zich weer bij Hermes.

De man zei niets, deed alleen een paar passen achteruit terwijl hij Persephone aankeek, draaide zich toen om en liep weg.

Even later kwam Nikos naast Persephone staan. 'Ik luisterde mee van boven.'

'Weet hij iets?' vroeg Persephone. Ze pakte Nikos' arm beet en keek met grote ogen naar hem op. Hij klopte geruststellend op haar hand, waarop ze zich weer leek te ontspannen.

'We moeten iets doen,' zuchtte Tessa. 'Hermes zal dit niet laten rusten tot hij het naadje van de kous weet.'

Ω

In de donkere nacht was het beeld van Helios nog net zichtbaar boven de haven, maar de bewegingen van de ratten op straat waren niet te zien. Nikos stapte voorzichtig naast de goot en bleef dicht langs de rottende gebouwen lopen. Na alles wat er vandaag was gebeurd, had hij niet veel vertrouwen meer in Tessa's plan, dus was hij vastberaden zelf een manier te bedenken om haar vrijheid te realiseren.

Hij schoot een man op straat aan, die hem kon vertellen waar het huis van Servia stond, maar met een knipoog toevoegde dat Nikos meer kans had haar te vinden in de dichtstbijzijnde taverna.

De taverna was schemerig verlicht, amper feller dan het steegje buiten. Het restant van de klanten van de avond lag uitgeteld op de banken die langs de muren stonden, en Nikos' maag draaide zich haast om van de geur van goedkope wijn, zweet en vuil.

De barman groette hem en hield een beker omhoog, waarschijnlijk al gevuld met hetzelfde spul waar zijn andere klanten laveloos van waren geworden. Hij was uitzonderlijk klein, met een kalende kruin en lang haar dat vlak boven zijn oren begon. Nikos liep over de kleverige vloer naar hem toe en nam de beker aan. Toen hij de man betaalde, zag hij dat die bijna blind leek te zijn.

Dat krijg je van een leven in zulke duisternis.

Nikos' binnenkomst had van nog iemand de aandacht getrokken. Servia keek hem aan vanuit een hoek en kwam door de duisternis naar hem toe gekronkeld.

Toen ze glimlachte, blonk haar gouden tand als een derde oog in het zwakke licht. 'Ik zei toch dat je er spijt van zou krijgen dat je mijn aanbod afsloeg?' Ze nam hem uitgebreid op, alsof ze probeerde in te schatten hoeveel geld ze hem zou kunnen aftroggelen.

Meer dan je zou vermoeden.

Achter hen schoten twee mannen in de lach, ongetwijfeld om een grap waarom ze in nuchtere toestand nog niet zouden glimlachen.

Servia boog zich naar hem toe en aaide over zijn arm. 'Kom maar eens mee,' fluisterde ze. 'Ik heb wel iets dat je zal bevallen.'

Ondanks zijn weerzin sloeg Nikos de bittere inhoud van zijn beker achterover. Hij deed een stap achteruit om minder dicht bij Servia te staan.

'Ik ben maar in één meisje geïnteresseerd.'

Haar wenkbrauwen schoten omhoog. 'Een man die weet wat hij wil.' Ze raakte zijn arm weer aan. 'Wat verfrissend.'

'Hoeveel wil je hebben voor Tessa van Delos?'

Alle warmte leek uit Servia's vingers te verdwijnen. Ze trok haar hand terug.

Nikos bleef haar aanstaren.

'Zij is de hetaere van Glaucus.'

'Ik zal je meer betalen dan hij doet.'

Ze lachte. 'In één keer of wekelijks?'

'Eén betaling. Nu direct. En dan is ze volledig van mij.'

Servia nam een passieve uitdrukking aan. Nikos had geen idee hoe ze zou reageren.

'Hoeveel?' zei ze ten slotte.

Eindelijk.

Nikos haalde een buideltje onder zijn kleding vandaan en schudde twee talenten in zijn hand – een bedrag waar de meeste onopgeleide arbeiders zo'n twintig jaar voor zouden moeten werken. De munten glinsterden in het schemerlicht. Toen hij opkeek naar Servia, zag hij dat ze hem geamuseerd aankeek. Vlug leegde hij de rest van het zakje in zijn hand.

Servia begon te grinniken, eerst zachtjes, toen steeds harder, tot haar zware lijf ervan schudde. Nikos keek haar nijdig aan en stopte de munten terug in het buideltje.

'O, dat hoeft niet meteen, hoor,' lachte Servia terwijl ze zijn boven-kleed vastpakte. 'We kunnen vast wel een andere manier vinden om dat te besteden.' Servia leek haar gebulder niet in te kunnen houden. 'Weet je zeker dat we het over dezelfde Tessa hebben?'

Nikos verborg de buidel weer onder zijn kleding en schudde Servia's hand van zich af. In het zakje zat al het geld dat hij naar Rhodos had meegenomen. Hij zou wel meer van zijn vader kunnen krijgen, maar niet op korte termijn.

Servia verhief haar stem, zodat de hele ruimte kon meeluisteren. 'Tessa zal mij in mijn leven meer opbrengen dan welk ander meisje ook. Ik heb veel in haar geïnvesteerd, maar dat heb ik al ruimschoots terugverdiend. En ik zal zelfs na Glaucus' dood aan haar blijven verdienen. Nog steeds zijn er mannen bereid te betalen om op de wachtlijst te komen.' Ze prikte met een vinger op de plek waar de buidel onder zijn kleding hing. 'Ik zou voor het dubbele nog geen afscheid van haar nemen.'

Nikos draaide zich om en liep naar de uitgang.

'Wil je echt niemand anders?' riep Servia hem na.

Ik wil niemand anders.

Ω

De zee was onstuimig. Nikos stond vanaf de voet van het standbeeld uit te kijken naar de schepen die met gehesen zeilen in de haven lagen, klaar om te vertrekken naar verafgelegen oorden. Ergens daartussen moest toch wel een schip te vinden zijn dat Tessa mee zou kunnen nemen, van Rhodos af? En een kapitein die de veilige overtocht van een vrouw zou willen garanderen voor alle drachmen die Nikos kon opbrengen?

Na zijn ontmoeting in de taverna voelde hij zich niet meer helemaal veilig met die buidel vol geld onder zijn kleren. Er liep een groep matrozen langs hem. De mannen riepen en gebaarden druk naar elkaar terwijl ze naar de sloep liepen die hen naar hun schip zou brengen. Nikos volgde hen.

'Is jullie kapitein aan wal?' vroeg hij een matroos.

De jonge man was langer en dunner dan hij en had een opvallende, oranje haardos. Hij tuitte zijn lippen. 'Hij is aan wal geweest voor wijn en vrouwen, maar moet intussen wel weer aan boord zijn gestrompeld.' De matroos nam Nikos uitgebreid op en wierp hem een flauwe glimlach toe. 'Ben je op zoek naar vertier?' vroeg hij met een opgetrokken wenkbrauw.

Nikos deed een stapje opzij om een veilige afstand te bewaren. 'Ik zoek alleen de kapitein.'

Toen ze de kade bereikten, wees de matroos een verweerde zeeman aan. 'Daar heb je 'm.'

Langs de kade lag een middelgrote sloep, waar de matrozen nu inklommen terwijl ze autoritair werden toegeschreeuwd door hun kapitein.

'Mag ik u even spreken?' vroeg Nikos. Hij wenkte de man een stapje opzij te doen.

De kapitein keek hem behoedzaam aan, maar liep een paar passen met hem mee. Een mank been zorgde ervoor dat hij traag bewoog.

'Waar gaat u naartoe?' vroeg Nikos.

Aan de taaie huid van de kapitein was moeilijk te beoordelen waar hij vandaan kwam. 'Halki,' gromde hij.

'Heeft u ruimte voor een passagier?'

De kapitein keek hem nors aan. 'Voor wie ben je op de vlucht?'

'Het gaat niet om mij, maar om een vrouw.'

Nikos probeerde zijn ergernis te verbloemen toen de kapitein geamuseerd glimlachte.

'Een vrouw zal het misschien niet... makkelijk hebben op een schip vol mannen.'

'Dat risico durf ik te nemen. Ze moet van dit eiland af komen.'

'Van wie is ze?'

Nikos fronste. 'Hoe bedoelt u?'

De kapitein snoof geïrriteerd. 'Wie bezit haar, man? Je zou hier nu niet met mij staan te praten als ze vrij was.'

'Een vrouw die Servia heet.'

De kapitein grijnsde. 'Ha, met Servia wil je geen ruzie krijgen.'

Nikos hield een talent omhoog. 'Hoeveel?'

De kapitein likte langs zijn lippen en bestudeerde de munt. Toen keek hij Nikos weer in de ogen. 'Hoe heet het meisje?'

Nikos aarzelde, maar bedacht toen dat Tessa toch wel herkend zou worden. Hij kon de details maar beter meteen afhandelen.

'Tessa.'

De kapitein stak abrupt zijn handen omhoog.

'De hetaere?'

Nikos wreef over de munt. 'Ja. Ze moet...'

'Nee.' De kapitein schuifelde terug naar zijn sloep, nog altijd met een opgestoken hand. 'Een onbekende slaaf meesmokkelen is tot daaraan toe, maar Servia's meest begeerde hetaere is een ander verhaal. Je zult in de hele Egeïsche Zee geen kapitein vinden die zo stom zal zijn daar z'n leven voor op het spel te zetten. Servia zal niet rusten tot degene die haar heeft meegenomen zijn verdiende loon heeft ontvangen.'

Nikos pakte nog een talent uit zijn buidel. 'Niemand hoeft het te weten...'

De kapitein schudde zijn hoofd en begon in de sloep te klimmen die hem naar zijn schip zou brengen. 'Hou je geld maar. Dan hou ik m'n leven.' Even later voer de sloep de open zee tegemoet terwijl Nikos stond toe te kijken met zijn buidel vol geld waar hij hier niets aan zou hebben.

Dit is geen eiland. Dit is een kooi.

ZEVENTIEN

Vier dagen voor de grote aardbeving

De steile wandeling naar de Acropolis van Rhodos zou meer tijd kosten dan Spiro zich eigenlijk kon veroorloven. Maar hij had twee redenen om deze morgen de godin te bezoeken. Ten eerste was het alweer weken geleden dat hij een votiefgeschenk in de tempel had gebracht – en daarnaast had hij gehoord dat Philo en Bemus, de twee strategoi die zich samen met Hermes en Glaucus tegen de Achaeïsche Bond keerden, er vandaag ook te vinden zouden zijn.

Het was al vroeg heet en Spiro's nek werd nat van het zweet onder zijn ongebruikelijk lange haar. De Acropolis, die het westelijke, hoogste deel van de stad domineerde, was bereikbaar via een onaanzienlijke zandweg. Vanaf waar hij liep, onder aan de heuvel, kon Spiro de stoa al zien die aan het tempelgebouw grensde. Al snel zou de tempel van Athena Polias – Athena van de stad – in zicht komen.

Spiro's maag knorde en hij voelde gulzig aan het touwtje van het linnen pakje olijven en gedroogde vis onder zijn mantel. Maar nee, hij zou wachten tot na hij zijn offer in de tempel had gebracht. *En nadat ik een paar strategische woorden heb gefluisterd in de oren van degenen die moeten horen.*

De welige begroeiing aan beide kanten van de weg werd steeds wilder terwijl hij de heuvel besteeg. Boven hem lagen velden en bossen met verborgen spelonken, die werden gebruikt voor recreatieve en godsdienstige doeleinden. Toen Spiro de top bijna had bereikt, werd hij welkom geheten door een overweldigend uitzicht op de tempel

en de zee erachter. Hij stond even stil om ervan te genieten.
Magnifiek.

De Acropolis was net een stad op zichzelf, al was die niet versterkt zoals die in Athene en Thebe. Verspreid over de heuveltop stonden een bibliotheek, een stadion, een gymnasium en de tempel van Apollo. Grote zuilen sierden alle kanten van de tempel van Athena Polias, en het glinsterende marmer werd omringd door palmbomen. In het gebouw lagen de teksten van verdragen met andere staten, en in de heilige kamer stond het standbeeld van Athena.

Spiro ging stil de tempel binnen en liep naar de westelijke muur, waar votiefgeschenken in inkepingen in de muur werden geplaatst. Hij haalde een zakje gerst uit de buidel onder zijn mantel en goot dat in zo'n opening.

Vanuit zijn ooghoek zag hij dat Philo en Bemus aan de noordkant van de tempel met elkaar stonden te fluisteren, in de buurt van de *cella*, waar het beeld van Athena stond. Met het hoofd devoot gebogen wandelde Spiro naar hen toe, tot hij de voeten van Philo vlak bij die van hem zag staan.

'Spiro,' hoorde hij Philo zeggen. Met geveinsde verbazing keek hij op.

'Philo. Bemus. Jullie ook hier om de godin te eren?'

'Heb je nog iets gehoord over Glaucus en de raadsvergadering van gisteren?' vroeg Philo.

Spiro keek even om zich heen, naar de andere aanbidders in de tempel. 'Laten we naar buiten gaan uit eerbied voor de godin,' zei hij. 'Hebben jullie al gegeten?'

Philo wees naar de uitgang. 'Zoals je wilt.'

Buiten ging Spiro hen voor over een grasveldje naar een stapel stenen, waar een aantal bomen omheen stond. 'Zullen we hier gaan zitten?'

De drie mannen haalden ieder een pakketje tevoorschijn en begonnen te eten.

Spiro keek uit over het water. 'Het is hier prettig vertoeven, zo boven de zee, nietwaar?'

Bemus gromde. 'De temperatuur is…'

'Philo, jij vroeg naar de Joden, als ik me niet vergis,' viel Spiro hem in de rede.

Philo nam een hap brood en kauwde er langzaam op. 'Ik had het alleen over de vergadering van gisteren. Maar die situatie met de Joden is wel bijzonder lastig.'

Spiro leunde achterover op zijn geïmproviseerde stenen zitplaats en haalde zijn schouders op. 'Zonder Xenophon en Glaucus zouden we het er nu niet eens over hebben. Dan hadden we al veel eerder met de Joden afgerekend.'

'Maar Xenophon is dood,' zei Bemus.

Spiro scheurde een stukje gedroogde vis af. 'En Glaucus is incompetent.' Hij liet de opmerking een tijdje in de lucht hangen terwijl ze in stilte verder aten.

Alleen jullie tweeën en Hermes zijn nu nog over.

Uiteindelijk sprak Philo weer. 'Ik vind het vreselijk om geweld te zien oplaaien in onze stad, ook al maakt dat onze positie misschien sterker.'

'Dat ben ik met je eens,' zei Bemus. 'Ik verafschuw alle soorten geweld.'

Spiro kauwde op zijn laatste hap vis en slikte die door. 'Maar als een volk zichzelf moet leiden, zal het uiteindelijk altijd afglijden in geweld, nietwaar?'

'Dit is een eeuw van verlichting,' antwoordde Philo. 'Onze filosofie maakt ons steeds beter in staat tot zelfbestuur.'

Spiro glimlachte. 'En toch houden jullie beiden jullie leidinggevende posities aan. Waarom zou je, als mensen inmiddels wel in staat zijn zichzelf te leiden?'

Bemus zuchtte. 'De moord op Xenophon, de opstandige Joden – soms zou je haast denken dat democratie toch niet de beste optie is.'

'Een verstandige man denkt zelf na, Bemus,' zei Spiro. 'Ik vind het prijzenswaardig dat je je eigen weg bewandelt.' Spiro negeerde de verwarde blik op Bemus' gezicht en praatte verder: 'Het lijkt erop dat de moordenaar van Xenophon binnenkort zal worden berecht. Laten we hopen dat er ook snel een oplossing wordt gevonden voor het Joodse probleem.'

Zijn metgezellen knikten.

De zware klim was de moeite waard geweest, besloot Spiro. De komende dagen zouden er inderdaad oplossingen komen voor zijn problemen, daarvan was hij overtuigd.

Ω

Toen Tessa haar ogen opendeed en het felle zonlicht op Glaucus' bed zag schijnen, was het er opeens: het plan waarmee ze zou onthullen dat Spiro de aanstichter was van het Joodse geweld. Ze keek even naar de bolling naast haar die Glaucus moest voorstellen. Ook al wist ze dat het maar een stapel dekens was, ze huiverde bij het idee. Maar ze durfde de massa nog niet weg te halen. Er kon altijd een ijverige slaaf binnenkomen die op eigen initiatief bij Glaucus zou aankloppen voor een taak.

Ze stond op en een uur later had ze Simeon haar plan verteld, Nikos erbij betrokken en was ze gereed om te vertrekken.

Simeon ontmoette haar op het binnenplein.

'Nikos brengt de wagen voor,' zei hij terwijl hij haar een rol perkament overhandigde, die met touwtjes was dichtgebonden.

'Dank je wel, Simeon. Weet je zeker dat je...'

'Ik zal je geheim bewaren, Tessa.' Simeon pakte haar hand vast en kneep erin. 'Je moet mij vertrouwen.'

Zijn woorden bezorgden haar koude rillingen. *Weer iemand die het onmogelijke van me vraagt.*

Voor het eerst vroeg Tessa zich af wat er met Simeon zou gebeuren nadat zij zogenaamd met Glaucus naar Kreta was vertrokken. Zou hij Daphne blijven dienen? Hoelang zou het duren voordat men ontdekte dat Glaucus dood was?

Maar Simeon was oud. Misschien was het inderdaad tijd dat hij zou stoppen met werken.

'Weet je zeker dat je dochter ons zal ontvangen?'

'Mijn dochter is een goede vrouw.' Hij wees naar de rol en glimlachte. 'Ze zal haar vader gehoorzamen.'

Tessa hield de rol een stukje omhoog. 'Nogmaals bedankt.'

'Je moet nu maar gaan.'

Tessa trof Nikos voor het huis, in het koetsje waarmee ze eerder naar de agora waren gereden. Persephone stond naast hem en Tessa bleef even staan om naar hun gesprek te luisteren.

'Een andere keer, Persephone,' zei Nikos. 'Deze reis is alleen voor Tessa bedoeld. Maar ik zal binnenkort ook een ritje met jou maken.'

Daar leek het meisje genoegen mee te nemen. Ze draaide zich om en glimlachte zelfbewust naar Tessa. Toen ze Tessa op de trap passeerde, kneep ze even in haar arm alsof ze samen een geheim deelden.

Tessa wachtte tot het meisje weer binnen was en snelde toen de trap af.

'Dat kind moet nog veel leren, Nikos,' zei ze. 'Je moet haar voorzichtig behandelen.'

Hij fronste. 'Ik heb haar heus niet aangemoedigd, hoor.'

'Nou, hou dat zo.'

Met een glimlach keek hij naar de os. 'Je klinkt jaloers.'

'Jaloers op een kind?'

'Ze is geen kind, Tessa. Dat lijkt iedereen te beseffen behalve jij.'

Tessa wierp haar hoofd achterover, om haar losse haren uit haar gezicht te schudden. Dat begon een soort gewoonte te worden.

Nikos lachte en trok zijn wenkbrauwen op.

'Wat is er?'

'O, niks.'

'Nou, laten we dan gaan!'

'Zoals u wilt, meesteres.'

Hoe eerbiediger je praat, hoe spottender je klinkt, Nikos.

Het was minder dan een uur rijden naar de Joodse wijk. Simeon had Nikos uitgelegd hoe hij het huis van zijn dochter kon bereiken. Eenmaal daar aangekomen, zou Tessa Marta en haar buren ondervragen over de geruchten die waren rondgegaan voordat de watervoorziening was opgehouden. Als ze konden achterhalen hoe de geruchten op gang waren gekomen, konden ze de bron misschien herleiden naar Spiro en ontdekken hoe hij de situatie had gemanipuleerd.

Het was een prachtige morgen, met een strakblauwe hemel en een lichte bries, maar Tessa dacht alleen aan Spiro's verraad en had geen oog voor haar omgeving.

'Probeer dit nu eens te voelen, Tessa.'

Nikos' opmerking onderbrak haar gepeins.

'Ik heb nu even geen zin in raadsels.'

'Ik probeer je ook helemaal geen raadsel voor te houden. Ik wil je alleen uitdagen om de zon te voelen, de ochtend, het gevaar zelfs van wat we van plan zijn.'

'Je praat als een acteur in een komisch theaterstuk.'

Hij glimlachte. 'Echt waar? Nou, misschien hebben de komedies ons ook wel veel te leren.'

Tessa trok een verbolgen gezicht. 'Wil je dan dat ik mijn ondergang lachend tegemoet ga?'

Hij draaide zich een stukje om en keek haar aan. 'Ik wil dat je het *levend* tegemoet gaat, Tessa. *Leef.*'

De rest van de rit zwegen ze.

In de Joodse wijk waren de straten smaller en stonden de huizen dichter op elkaar dan in de rest van de stad, alsof ze het niet zouden kunnen verdragen om verder van elkaar af te staan. Een eindje verderop zag Tessa een groep kinderen spelen op straat. Hun geroep en gelach weerkaatste tegen de huizen. Toen de os die hun wagen trok in de buurt kwam, staakten de kinderen hun spel en gingen ze aan de kant. Met hun ruggen tegen de huisjes aan weerskanten van de straat, keken ze nieuwsgierig naar het beest en de vreemde mensen die voorbijkwamen.

Nikos reed stapvoets langs de kinderen. Toen één jongetje het uiteindelijk aandurfde de os aan te raken, was het hek van de dam. Zo'n tien paar handen strekten zich uit naar de os, naar de wagen en naar Tessa en Nikos. De kinderen spraken allemaal tegelijk, in een taal waar Tessa geen woord van kon verstaan. Ze deinsde terug van al die vuile handen, terwijl Nikos de wagen tot stilstand bracht, blijkbaar bang om over blote voeten heen te rijden.

'Laat ons erlangs, kinderen,' zei hij lachend.

Een jongetje van een jaar of zes keek Tessa lachend aan. Er liepen vuile vegen over zijn gezicht en hij miste een aantal tanden. Met twee vingers raakte hij voorzichtig haar arm aan, alsof hij nog nooit zoiets exotisch had gezien. Tessa slikte. Die onschuldige bruine ogen maakten het haar onmogelijk haar arm weg te trekken. Ze keek naar de vingers die over haar chiton aaiden en in haar arm prikten. De aanraking van het jongetje bracht een schok teweeg in haar hart. Ze voelde haar ogen volschieten – het leek wel of dit haar meer deed dan alles wat er de voorgaande dagen was gebeurd. Ze legde haar hand over die van het jongetje en vouwde haar vingers om die van hem.

Nikos legde een hand op de schouder van een van de oudere jongens. 'Jij lijkt me wel een leider, jongen. Wil jij je vrienden opdracht geven ons erlangs te laten? Als jullie ons volgen, zal ik jullie straks wat hooi geven om de os te voeren.'

De jongen leek wel een halve kop te groeien toen hij dat hoorde. 'Laat ze erlangs, allemaal,' riep hij. 'Aan de kant. Volg mij.'

Tessa liet het handje van haar bewonderaar los en keek hem nog een keer in de bruine ogen. Toen reden ze weer verder, terwijl de kinderen hen volgden als een kudde hongerige schapen.

In de volgende straat vond Nikos het huis van Marta. Hij zette de ossenwagen zo ver mogelijk aan de kant en hielp Tessa afstappen. De kinderen bleven achter de wagen wachten, aangevoerd door de lange jongen die autoritair zijn hand opstak. Nikos pakte het baaltje hooi dat hij had meegenomen en gaf het aan de jongen.

'Hoe heet je, jongen?'

'Matthias.'

'Geef iedereen een beetje hooi, Matthias. En pas goed op dat de os niemand in de vingers bijt.'

Matthias knikte gehoorzaam.

Toen Tessa zag hoe blij de kinderen uit hun ogen keken, leek het wel alsof de zon wat feller ging schijnen.

'Ben je klaar?'

'Wat?'

'Klaar om naar binnen te gaan?'

'O. Ja.' Tessa pakte de perkamentrol vast die Simeon had geschreven en volgde Nikos naar de deur. Hij klopte aan en even later werd er opengedaan door een mooie vrouw die niet veel ouder was dan Tessa. Ze droeg een blauw doekje over haar haar, en haar handen en donkerblauwe kleding waren bedekt met iets wits. Meel, misschien. Haar blik schoot heen en weer, van de ene naar de andere vreemdeling die voor haar stond. Tessa zag wel in wat een misplaatste indruk zij tweeën in deze buurt moesten wekken.

Ze deed een stapje naar voren. 'Bent u Marta?'

'Ja. Kennen wij elkaar?'

Tessa schudde haar hoofd en hield de rol voor de vrouw. 'Nee. Ik ben Tessa, een... vriendin... van uw vader.' Aan de reactie op Marta's gezicht zag Tessa dat ze werd herkend. 'Dit is Nikos, ook een knecht in ons huishouden. U krijgt de groeten van uw vader, die u deze brief stuurt.'

Met gefronste wenkbrauwen nam Marta de rol aan. 'Is mijn vader ziek?'

'Nee, nee. Het gaat... heel goed met hem. Maar we hebben uw hulp nodig.'

Verward opende Marta de brief en begon die vluchtig te lezen. Toen glimlachte ze.

'Kom binnen,' zei ze. Ze veegde haar handen schoon aan haar kleding en strekte toen haar arm uit naar Tessa. Alsof ze een zus begroette, trok Marta Tessa het huis binnen. Opnieuw verbaasde Tessa zich om de warme gevoelens die bij haar bovenkwamen. Ze voelde opeens een onverklaarbaar verlangen naar familie.

Het duurde even voordat Tessa's ogen aan het donker waren gewend, maar haar eerste indruk was dat ze een kooi vol luidruchtige pups was binnengelopen.

'Kinderen!' zei Marta. 'We hebben gasten. Rustig een beetje!'

Tessa kon diverse figuren rond zien hollen door de kamer. Even later kon zij ze tellen. Vijf stuks. En nog een op komst, zo te zien.

Het huis was in Griekse stijl gebouwd, maar op een kleinere schaal. Marta ging hen voor naar de keuken, waar haar halfvoltooide brood op een tafel lag te wachten. Ze keek neer op haar kleding, die onder het meel zat. 'Ik ben het eten voor vanavond aan het voorbereiden,' zei ze. 'Sorry dat het zo'n troep is.'

Tessa stak haar hand op. 'Nee, het spijt ons dat wij zomaar de rust komen verstoren.'

Marta lachte. 'Ach, van rust is hier zelden sprake.'

Drie kleine kinderen sprongen druk om hun moeder heen, gevolgd door een ouder meisje dat hen probeerde te kalmeren. Tessa keek naar het meisje, dat ongeveer zo oud was als Persephone. Het meisje glimlachte naar haar.

'Ga zitten,' zei Marta, wijzend op een stoel die tegen de muur stond. 'Ik moet even zorgen dat dit brood op het vuur kan, dan kunnen we praten.' Ze wenkte naar haar oudste dochter. 'Geef ze wat fruit, Sara. Ze moeten wat eten.'

Tessa schudde haar hoofd. 'Dat is niet…'

Marta klakte met haar tong. 'Natuurlijk moeten jullie wat eten. Sara, fruit!'

De oudste dochter stuurde de andere kinderen de keuken uit en bracht hen bordjes perzik met honing. Tessa ging op de stoel zitten en zette het bordje op haar schoot. Nikos leunde met een schouder tegen de muur en hield het bord met een hand vast.

Marta sloeg het brooddeeg plat, alsof ze niet wilde dat het zou rijzen. Zoiets had Tessa nog nooit gezien. Marta lachte naar haar. 'Mijn vader geeft heel veel om je. Weet je dat wel?'

Tessa lachte terug. 'Hij is een goede man.'

Marta knikte, alsof ze tevreden was met Tessa's antwoord. 'Hij geniet hier veel aanzien. Hij heeft hier een andere reputatie dan in het huis van Glaucus.'

'Iedereen die daar onder hem dient, heeft veel respect voor hem.'

Marta trok het deeg van de tafel en legde het op een platte steen. 'Dat geloof ik. Maar het is toch anders. Hier wordt hij beschouwd als een leider van zijn volk.' Ze pakte de steen op. 'Gaan jullie mee naar de haardruimte? Daar kunnen we praten.'

Ze liepen samen naar de volgende ruimte, waar Marta de steen op gloeiende kolen legde. Er stonden al diverse andere potten te pruttelen. De geur van knoflook in een borrelende soep deed Tessa watertanden.

Marta wees naar een lange lepel naast het vuur. 'Wil jij even in de soep roeren?'

Tessa had nog nooit in haar leven in een pan soep geroerd. Voorzichtig pakte ze de lepel op en stak die in de pot. Aan Marta's geamuseerde glimlach kon ze merken dat haar onervarenheid wel merkbaar was.

'Marta, we wilden met je praten over het water…'

'Moeder!' Twee kinderen kwamen duwend en trekkend aan elkaar de kamer binnen hollen. 'Daniël heeft mijn zwaard afgepakt en verstopt!'

Marta zuchtte. 'Daniël, geef Levi zijn zwaard terug.'

'Maar hij heeft mijn boog afgepakt!'

'Jongens!' Marta ging staan en zette haar handen op haar heupen. 'Geef allebei de spullen van de ander terug.' Ze wees naar de deur. 'En nu wegwezen.'

De jongens gingen weg en Marta glimlachte verontschuldigend.

'Jongens en hun wapens. Ze leren al veel te jong te vechten, hè?'
Marta nam de lepel van Tessa over en klopte vriendelijk op haar
hand. 'Wordt het aquaduct gerepareerd?'
'Dat zullen ze vast snel gaan doen. Maar daar wilde ik jou iets over
vragen.'
'Ik weet er niets vanaf.'
Tessa ging op een lage bank zitten vlak bij het vuur. 'Simeon vertelde
me dat jij van tevoren al van iemand hoorde dat de waterleiding
ermee zou ophouden.'
Marta knikte. 'Niet lang van tevoren, hoor. Die middag hoorde
ik Nathanaël erover praten op de markt. En de volgende morgen
vroeg kwam Amos ons vertellen dat het bassin in het watergebouw
droog was.'
'Heb je enig idee hoe Nathanaël aan die informatie was gekomen?'
'Hij heeft het mij niet direct verteld. Ik hoorde hem met iemand
anders praten op de markt. Ik dacht toen nog gewoon dat het een
dwaas gerucht was.'
Nikos leunde naar voren. 'Denk je dat andere mensen het er ook
over hadden? Behalve Nathanaël en die andere persoon?'
Marta glimlachte en legde de lepel neer. 'Dat is moeilijk te zeggen.
Nieuws verspreidt zich hier snel. Ik weet alleen dat ik de volgende
morgen iedereen hoorde zeggen dat de leiders van de stad al wisten
dat het water zou ophouden en er niets aan hadden gedaan.'
Tessa richtte zich tot Nikos. 'Ik denk dat we met die Nathanaël
moeten praten. We moeten achterhalen van wie hij dit heeft gehoord.'
Marta kwam naast Tessa op de bank zitten. 'Ik denk niet…' Ze
legde een arm om Tessa's schouder. 'Ik denk niet dat Nathanaël
jou zal willen spreken.'
'Dan kan Nikos…'
Marta schudde haar hoofd. 'Niet alleen omdat je een vrouw bent,'
zei ze. 'Maar omdat je Grieks bent. En je bent…' Haar ogen ver-

rieden haar schaamte.

Tessa boog haar hoofd. 'Omdat ik een hetaere ben.'

Marta kneep in haar schouder. 'Ik weet dat je een goed mens bent, omdat mijn vader dat zegt. Maar niet alle Joodse mensen zullen die mening delen.'

'Maar Nikos…'

'Hij is ook Grieks. En hij komt uit jouw huishouden.' Ze glimlachte verdrietig. 'Ik weet dat jij niet ver hier vandaan bekendstaat als een vrouw met veel invloed en aanzien. Maar op veel gebieden is het hier meer Israël dan Rhodos. Je invloed is hier niets waard.'

Er werd een deur dichtgeslagen en even later verscheen er een gestalte in de deuropening. 'Marta?'

'Jacob.' Marta ging staan en stak haar hand uit. Haar echtgenoot stapte de kamer binnen en pakte haar hand. 'We hebben gasten.'

Terwijl hij de bezoekers opnam, zag Tessa zijn gezichtsuitdrukking veranderen van nieuwsgierigheid in ongenoegen. Zijn blik bleef even hangen bij Tessa's loshangende haar, dat niet alleen onbedekt was, maar nog tot onder haar schouders kwam ook.

'Dit is Tessa,' zei Marta.

Vol schaamte richtte Jacob zijn ogen op de houten vloer. 'Wat doen zij hier?'

'Ze willen meer weten over het waterprobleem. Mijn vader…'

'Weg hier.' Hij zei het zachtjes, maar vol onderdrukte woede.

Marta legde een hand op zijn arm. 'Jacob…'

'Ze moeten hier weg, Marta! We kunnen… haar… niet in dit huis ontvangen. Vooral vandaag niet!'

Tessa ging staan. 'Het spijt me dat ik je heb lastiggevallen, Marta. U hebt een prachtig gezin, Jacob.'

Zonder haar aan te kijken, beet hij haar toe: 'Waag het niet over mijn gezin te praten.'

Ik kan het hem niet kwalijk nemen.

Marta liep met hen mee naar de deur. 'Jacob is…'

Tessa stak haar hand op. 'Je hoeft het niet uit te leggen, Marta.'

Op zachtere toon zei ze: 'Wil je ons vertellen waar we Nathanaël kunnen vinden?'

Marta keek even achterom. 'Op de markt,' fluisterde ze. 'Hij verkoopt vlees. Maar blijf buiten nog even wachten. Ik zal Sara iets laten brengen dat jullie goed van pas zal komen.'

De warmte die Tessa eerder had gevoeld, ebde nu weg. Ze knikte, maar wilde zo snel mogelijk de schaamte ontvluchten van Jacobs afgewende blik.

'Als jullie nog iets nodig hebben,' zei Marta, 'kom dan weer naar mij toe. Ik zal met Jacob praten. Dat komt wel goed.'

Tessa wilde naar buiten lopen, maar Marta trok haar naar zich toe en omhelsde haar. 'God zij met je,' fluisterde ze.

'Dank je,' wist Tessa alleen maar uit te brengen.

Toen ze een paar minuten buiten hadden staan wachten, kwam Sara de deur uit met een bundeltje in haar handen. 'Volgens moeder kunnen jullie beter deze aantrekken,' zei ze en gaf het stapeltje aan Tessa. Ze glimlachte verlegen en verdween toen het huis weer in.

Tessa bekeek het geschenk. Het waren kleren. Traditionele Joodse kleren voor haar en Nikos.

Nikos knikte. 'Dat is een goed idee,' zei hij.

Tessa zuchtte en keek weer naar de deur. 'Dat is een goede vrouw.' Ze klemde haar vuist om de kleding heen.

Nu moet ik net gaan doen alsof ik dat ook ben.

ACHTTIEN

In een smalle steeg tussen twee huizen deed Nikos het witte kleed uit dat hem herkenbaar maakte als een Griekse bediende. Hij trok het aardebruine bovenkleed aan dat Marta hem had gegeven en ging toen voor in de steeg op de uitkijk staan terwijl Tessa haar linnen chiton verruilde voor een kriebelig wollen kleed met bijpassende hoofddoek.

Een paar minuten later voelde hij dat ze achter hem stond. Toen hij zich omdraaide, wist hij niet wat hij zag. Hij kon de blik in haar ogen niet thuisbrengen. Misschien daagde ze hem uit, benieuwd naar zijn reactie. Maar hij wist intussen wel dat vrouwen op dit gebied ingewikkeld in elkaar zaten en dat het soms onmogelijk was om een juiste opmerking te verzinnen. Dus knikte hij ten slotte alleen even. Ze moest zelf maar weten hoe ze dat opvatte. Hij nam haar chiton van haar aan, rende terug naar de wagen en legde hun kleren daarin.

Ze waren de Joodse wijk binnengereden onder veel aandacht van de kinderen uit de buurt, dus Nikos had weinig hoop dat ze anoniem zouden blijven. Maar misschien zou deze kleding het zoeken naar antwoorden in ieder geval iets makkelijker maken.

Nikos liep voorop in de richting die Marta hun had gewezen. Even later liepen ze een klein plein op, een soort miniatuurversie van de agora midden in Rhodos. Overal stonden kraampjes en tafels waarop etenswaren en andere producten waren uitgestald.

Tessa bleef even staan. 'Denk je dat ze wel met ons zullen willen praten?'

'We moeten het maar gewoon proberen.'

De zon stond al hoog aan de hemel, waardoor het erg heet was en het vrij rustig was op de markt. Ze kuierden langs tafels met olie en wijn, nette stapels rood en geel fruit en verleppende groenten. De koopmannen riepen hen toe terwijl ze passeerden.

'Vijf obolen! Vijf obolen voor het beste graan van Rhodos.'

Nikos schudde zijn hoofd en stak zijn hand op.

'Vier obolen! Voor u maar vier! Het zal u niet tegenvallen.'

Een andere koopman beweerde de beste vijgen van Rhodos te verkopen. Nikos kocht er een paar, in de hoop dat ze daarmee wat minder zouden opvallen. Hij gaf een van de donkere vruchten aan Tessa en at er zelf ook een op.

Een stukje verderop was één kraampje druk bezocht. Door alle klanten die ervoor stonden, konden ze niet zien wat er werd verkocht. Nikos probeerde te zien wat er op tafel lag.

'Volgens mij moeten we hier zijn,' zei hij terwijl hij de vijg doorslikte. 'Hier wordt vlees verkocht.'

Nathanaël was jonger dan Nikos had verwacht. Hij had een atletische bouw en lachte hartelijk naar al zijn klanten.

Ze gingen achter de andere klanten staan en luisterden hoe Nathanaël met hen afrekende. Het lamsvlees leek vandaag bijzonder in trek. De vleesverkoper hakte met een mes stukken van een romp dat aan een touw hing.

Twee vrouwen kwamen een prijs overeen met Nathanaël en liepen tevreden weg. Nikos en Tessa deden een stap naar voren. Ze hadden nu een beter zicht op de kraam. Er hingen diverse kadavers boven de tafel. Om het vlees en boven de druppels bloed die op de grond lagen, vlogen dikke vliegen rond. De indringende geur van rauw vlees dat door de zon wordt verwarmd, hing als een wolk om de kraam.

Toen ze aan de beurt waren, keek Nathanaël hen opgewekt aan. 'Lamsvlees?' De glimlach verdween echter al snel van zijn gezicht. Nikos schudde zijn hoofd en Tessa kwam naast hem staan. 'We hebben vragen.'

Nathanaël trok een nors gezicht. 'Ik verkoop vlees, geen inlichtingen.'

'Het gaat over het water,' zei Tessa.

Nathanaël keek hen beurtelings aan. 'Wie zijn jullie? Ik ken iedereen in deze wijk en jullie heb ik nog nooit gezien.'

Nikos had het gevoel dat alle ogen op hen gericht waren. Hij keek even naar Nathanaëls mes, dat rechtop in een snijblok stond.

'We hebben gehoord dat u al van het waterprobleem afwist voordat het begon,' zei Tessa zonder acht te slaan op Nathanaëls argwaan.

De vleesverkoper richtte zich tot de hele groep. 'We hebben nieuwsgierige vreemdelingen in ons midden,' zei hij. 'Wil iemand met hen praten?'

Nikos zag hoe alle andere klanten abrupt het hoofd wegdraaiden, alsof ze opeens een bijzondere interesse voor de lucht of de grond hadden opgevat. Hij pakte Tessa bij de arm en voelde hoe haar spieren zich spanden onder zijn hand.

'Mijn vrouw spreekt soms zonder na te denken,' zei hij tegen Nathanaël. 'Ik hoop dat u mijn excuses wilt aanvaarden.'

De uitdrukking op Nathanaëls gezicht veranderde niet. 'Dan moet je je vrouw leren om haar mond te houden.'

Nikos lachte. 'Vriend, als jij mij kunt vertellen hoe dat moet, zal ik je bijzonder dankbaar zijn.'

Nathanaël fronste. Maar toen verscheen er een grijns op zijn gezicht en begon hij hartelijk te lachen. 'Dat is nu een vraag waar ik nooit het antwoord op zal kunnen geven!'

Nikos lachte mee en sloeg hem op de schouder. 'Wij zijn nieuw in Rhodos,' zei hij. 'We zijn bevriend met Marta en Jacob, ken je die?'

Nathanaël knikte. 'Natuurlijk, natuurlijk.'

Nikos zuchtte en keek naar de mensen om hem heen. 'Wij zijn nogal geschrokken. We kwamen naar Rhodos in de hoop hier een beter bestaan op te kunnen bouwen voor ons gezin.' Hij sloeg een arm om Tessa's schouder. 'Maar toen kregen we te horen dat hier zo slecht voor de bewoners wordt gezorgd dat er niet eens stromend water is. Nu vragen we ons af of we geen vergissing hebben gemaakt.'

Om hen heen klonk instemmend gemompel.

Nathanaël liet zijn vinger over het mes in het snijblok glijden. 'Ja, ze wisten van tevoren al van het probleem af, dat is zeker.'

Tessa leunde voorover. 'Hoe...'

Nikos kneep in haar schouder. 'Hoe weet je dat?'

Nathanaël zag hoe Nikos Tessa tot stilte maande en knipoogde naar hem. 'Ik heb het gehoord van een Griekse slaaf. Die was naar de markt gekomen om pauw te kopen. We verkopen hier de beste pauw van Rhodos; daar kunnen de vogels op de agora niet aan tippen!' Nikos wierp een keurende blik op een opgehangen vogel. 'Misschien nemen we er dan wel een mee,' zei hij. 'Maar van wie was die slaaf eigenlijk, die je over het water vertelde?'

'Dat weet ik niet. Maar hij is vast veel waard. Het was een boom van een kerel.'

'O ja?'

Nathanaël stak zijn hand een eind in de lucht. 'Met een kale kop en armen als die van een stier.' Hij lachte. 'Een goed stuk vlees.'

De klanten achter Nikos en Tessa lachten ook.

Nikos wees naar de pauw. 'Hoeveel?'

Nathanaël kreeg een zakelijke blik in de ogen. 'Een drachme.'

Nikos wist wel dat hij niet meteen akkoord moest gaan, maar had geen zin om nog een poos te blijven staan. 'Je berooft me, Nathanaël. Maar omdat we nieuw zijn en je zo vriendelijk bent geweest, zal ik vandaag akkoord gaan met je prijs.' Hij haalde een drachme uit zijn buidel en hield die voor Nathanaël. De man wilde hem uit zijn hand pakken, maar Nikos hield de munt nog even vast. 'Alleen vandaag, vriend,' zei hij met een glimlach. 'De volgende keer zijn we niet zo meegaand.'

Nathanaël lachte flauwtjes terug. 'Natuurlijk.'

Ze draaiden allemaal hun hoofd om toen er werd geschreeuwd vanaf het begin van het marktplein.

Er lagen twee Joden op de grond. Achter hen stonden drie mannen, die dreigend om zich heen keken. Griekse soldaten.

Nathanaël gromde. 'Honden. Op zoek naar ruzie.'

Nikos zag angstige blikken om zich heen. 'Wat komen ze hier doen?'

Achter hem zei een vrouw: 'Sinds het water ermee is opgehouden, komen ze hier voortdurend. Alsof ze verwachten dat we in opstand zullen komen en de macht willen overnemen.' De bitterheid droop van haar stem.

Nathanaël pakte zijn mes uit het blok. 'Ga allemaal maar naar huis,' zei hij. 'Ze zien niet graag meer dan een paar Joden tegelijk bij elkaar.'

De soldaten kwamen nu hun richting op lopen.

'Wat zijn jullie daar aan het doen?' riep een van hen.

'We bemoeien ons met onze eigen zaken,' riep Nathanaël terug. 'Dat zouden jullie ook moeten doen!'

De soldaat greep naar zijn zwaard, waarop de groep omstanders als één man terugdeinsde.

Nikos ging voor Tessa staan. 'Ik zal tegen hen zeggen wie jij bent,' fluisterde hij.

Hij voelde haar adem in zijn nek. 'Nee! We zijn nog niet voldoende te weten gekomen.'

Hij draaide zijn hoofd een klein stukje om en zag haar vastberaden ogen. Onder die hoofddoek was ze nog steeds dezelfde Tessa.

De menigte ging uit elkaar en de leider van de soldaten leek zich uitgedaagd te voelen door Nikos' beschermende houding. Hij stond maar een paar voet van Nikos af, maar sprak op verhoogde toon: 'Ben jij de leider van deze opstand?'

Nikos stak zijn hand op. 'Er is hier geen opstand. Er zijn alleen mensen die wat vlees willen kopen.' Hij wees naar de kraam van Nathanaël. 'Het beste pauwenvlees van de stad.'

De soldaat kwam vlak voor Nikos staan en keek hem uitdagend aan. 'Wil je suggereren dat Joods vlees beter is dan Grieks vlees?'

Nikos leunde voorover, zodat zijn neus bijna die van de soldaat raakte. Hij hoopte dat de rest van het gezelschap inmiddels was vertrokken. Hij snoof naar de soldaat. 'Joodse beesten lijken wat minder te stinken.'

De Griek keek hem verbijsterd aan. Nikos zag zijn zwaard glimmen in het zonlicht. Geërgerd vroeg hij zich af waarom hij zijn rechtvaardigheidsgevoel nu nooit eens in bedwang kon houden.

Ω

Nathanaël kwam naast Nikos tegenover de soldaten staan. Hij duwde Tessa voorzichtig een stukje naar achteren. Met zijn mes stevig in de hand zei hij: 'We willen hier geen problemen.'

Tessa trok aan de achterkant van Nikos' kleding. 'We gaan, Nikos,' siste ze.

Hij deed een paar stappen achteruit terwijl hij zijn blik op Nathanaël en de soldaten gericht hield, om zeker te weten dat de zaak niet uit de hand zou lopen. Ten slotte trok Tessa aan zijn arm, waardoor hij zich omdraaide.

Tegen het handjevol mensen dat nog aan de rand van het marktplein stond, schreeuwden de soldaten: 'Terug naar huis, jullie. Nu!'

Nathanaël liep terug naar zijn kraam. Zijn blik week geen moment van de soldaten. Hij drukte Nikos een pakje vlees in de hand en knikte goedkeurend.

Tessa ging Nikos voor van het plein af, terug naar de straat waar ze de ossenwagen hadden laten staan. De soldaten volgden hen op een afstandje.

Er kwam een oudere, in het grijs geklede vrouw naast Tessa lopen. Ze had haar verweerde voorhoofd gefronst. 'Ik vind dit maar niks,' fluisterde ze. 'Sinds die Griek hier over het water kwam praten, is er onophoudelijk onrust.'

Tessa wisselde een blik met Nikos. Die knikte zachtjes, alsof hij wilde zeggen: *Praat met haar, Tessa.*

'Heeft u met hem gesproken?'

'Ben je gek! Ik zou nog geen Griek aanspreken als ik halfdood op straat lag.' Ze wees met een knokige vinger naar een huis een eindje verderop. 'Mijn man. Die zei dat die enorme Griek slecht nieuws kwam brengen. Al wilde niemand hem eerst geloven.'

Ze hadden inmiddels de straat bereikt waar Marta woonde. De vrouw verdween haar huis in.

'We kunnen nog niet weg,' zei Nikos.

Tessa knikte instemmend. Het zou de soldaten meteen opvallen als ze nu in hun wagen zouden stappen en wegrijden. Dus liepen ze maar verder over het smalle straatje naar het huis van Marta en Jacob. Nikos leek het niet te kunnen laten de soldaten nog een kwade blik toe te werpen voor hij Tessa zachtjes door de deuropening duwde.

'Tessa!' Marta kwam binnen naar hen toe lopen en pakte Tessa's handen vast. 'Zijn er problemen?'

'Nee,' zei Tessa. 'Geen ernstige problemen. We zijn gevolgd door een paar soldaten. Het leek ons het verstandigst hier nog even naar binnen te gaan voor we vertrekken.' Ze keek even om zich heen in de hal. 'Is Jacob...'

Marta kneep in haar hand en trok haar mee het huis in. 'Maak je maar geen zorgen om Jacob. Hij heeft de brief van mijn vader gelezen en begrijpt wat er aan de hand is.' Ze ging hen voor naar de haardruimte. In hun afwezigheid was de tafel gedekt. De maaltijd stond al gereed.

Nikos schraapte zijn keel en gaf het vlees van Nathanaël aan Marta. 'We willen jullie maaltijd niet verstoren.'

Marta glimlachte. 'De zon is al bijna onder. Weten jullie niet wat voor dag dit is?'

Tessa keek naar Nikos, maar die haalde alleen zijn schouders op.

Marta had Tessa's hand nog steeds vast. 'Het Pascha is bijna begonnen. En jullie moeten blijven.'

'Pascha?' Tessa had dat woord nooit eerder gehoord.

Jacob kwam de kamer binnen en hoewel hij Tessa nog steeds niet in de ogen keek, leek hij hun aanwezigheid te accepteren.

'Is hij er al?' vroeg Marta.

Jacob schudde zijn hoofd. 'Hij zal er vast wel zijn voor de zon ondergaat.'

Marta knikte. 'Wil je nog een paar kussens halen, Jacob?'

Haar echtgenoot liep stilletjes weg terwijl Marta de borden en bekers op tafel opzij schoof om meer plaats te maken. 'Pascha is een heilige dag die jaarlijks wordt gevierd. Vanavond zal niemand in deze wijk zich nog op straat begeven. Als jullie buiten lopen, zal iedere Griekse soldaat meteen weten dat jullie geen Joden zijn. Of vinden jullie het niet erg om gezien te worden?'

Tessa beet op haar lip. Wat Nathanaël had verteld over die grote Griek die geruchten had verspreid over het water, had haar ervan overtuigd dat Spiro achter de onrust zat. Ze wilde niet dat Spiro zou ontdekken dat zij vragen had gesteld in de Joodse wijk. Bovendien hadden ze nog geen enkel bewijs.

'We weten nog niet genoeg, Marta,' zei Tessa. 'Maar ik wil niet zo brutaal zijn...'

Marta klapte verrukt in haar handen en gaf Tessa een korte omhelzing. 'Dan blijven jullie voor het Paschamaal, en vannacht blijven jullie slapen. Dan kunnen jullie morgenochtend je werk afmaken.'

'Dank je wel.'

Ik zal je gastvrijheid accepteren, Marta, maar verwacht geen vriendschap van me. Daartoe ben ik gewoon niet in staat.

Jacob keerde terug met de kussens. Achter hem liepen de kinderen en daarachter verscheen een bekend gezicht.

'Simeon!' Tessa's verbazing sloeg meteen om in paniek. 'Je hebt het huis...'

Simeon glimlachte en hield een hand omhoog. 'Maak je geen zorgen, Tessa.' Hij liep naar haar toe en sprak op zachte toon tegen haar en Nikos. 'Persephone houdt de wacht en de bedienden hebben opdracht gekregen Glaucus in geen enkel geval te storen.'

Tessa fronste. 'En Daphne?'

Simeon richtte zijn blik op de grond. 'Die vraagt vaak om een bepaald kruid om haar te helpen slapen,' zei hij zachtjes.

'En daar vroeg ze vanavond ook om?'

Simeon glimlachte terwijl hij naar zijn voeten bleef staren. 'Nee, vanavond niet. Maar ik dacht dat ze het misschien toch wel op prijs zou stellen.'

Nikos gniffelde en Tessa probeerde maar te vertrouwen op Simeons oordeel. 'Wat doe je hier?'

De oudere man keek stralend naar zijn dochter. 'Ik kom deze bijzondere avond vieren met mijn familie.' Hij richtte zich tot Tessa. 'En met jou.'

Tessa slikte. *Niet doen, Simeon.*

Marta stak de kaarsen op tafel aan en daarna gingen ze allemaal zitten. Jacob nam plaats aan het hoofd van de tafel en Simeon aan de voet. Tessa en Nikos zaten naast elkaar en de jongste zoon, Daniël, plofte naast Tessa neer.

Het was een imponerend gezicht, al die vrolijke gezichten in het kaarslicht om de sierlijk gedekte tafel heen. Tessa keek gretig naar het geroosterde lamsvlees en zag diverse gerechten staan die ze niet herkende. Jacob ging staan en alle ogen richtten zich op hem.

'We zijn… verheugd… om het Pascha te mogen vieren met gasten,' zei hij. Voor het eerst keek hij Nikos aan. 'Mogen jullie gezegend worden door de maaltijd en de betekenis ervan.'

Nikos knikte erkentelijk en Tessa glimlachte.

Jacob strekte zijn hand uit en begon iets op te zeggen in het Hebreeuws – een gebed, vermoedde Tessa. Toen hij weer ging zitten, ging de maaltijd van start.

Het lamsvlees was zo sappig als het eruitzag. Tessa vermoedde dat zoiets hier niet vaak werd geserveerd, zo gretig aten de kinderen ervan. Evengoed schotelde Marta haar beide gasten een royale portie voor.

Er stond een aantal ongebruikelijke gerechten op tafel, waaronder een mengsel van appel en gehakte noten. Er ging een bordje bittere kruiden rond, waarvan Tessa de kinderen allemaal een beetje zag nemen, dus deed ze dat zelf ook. Toen het brood werd rondgedeeld, voelde Tessa een beetje medelijden met Marta omdat het niet goed was gerezen. Maar dat leek verder niemand op te merken.

Verschillende keren werd er een glas wijn ingeschonken, waarop Jacob ging staan om iets over de betekenis ervan te vertellen. '*Kos Rishon*,' zei hij. 'Om ons te herinneren aan Gods belofte om de Joden uit Egypte te bevrijden.' En de tweede beker, '*Kos Sheni*', herinnerde aan Gods belofte om Zijn volk van de slavernij te bevrijden. Ze herdachten de geschiedenis van hun volk.

Naast haar zat Daniël naar haar te grijnzen.

Toen ze de familieleden de bittere kruiden in een schaaltje zout water zag dopen, deed Tessa dat ook maar. Haar ogen traanden toen ze de kruiden opat. Ze keek naar Daniël, die een vies gezicht trok, en moest bijna lachen.

Ze wierp een snelle blik op Jacob, hopend dat die haar niet had gezien. Maar Jacob had alleen oog voor Marta. Het stel keek elkaar zo vol genegenheid aan dat Tessa er bijna niet tegen kon. Ze had geen zin om nu te worden geconfronteerd met haar eigen gevoelens van gemis.

Zonder waarschuwing sprong Daniël van zijn stoel. Hij ging naast haar staan, rechtte zijn rug en stak zijn kin naar voren, en begon in het Hebreeuws een vraag te stellen. Iedereen keek hem glimlachend aan. Blijkbaar was dit een deel van het ritueel.

Simeon zei tegen Jacob: 'Omdat we dit jaar gezegend zijn met gasten, vind je het misschien goed als ik onze gebruiken toelicht.' Jacob boog instemmend zijn hoofd en Simeon richtte zich tot Tessa en Nikos. 'Daniël vraagt: "Wat maakt deze avond anders dan alle andere avonden?" Dat is bedoeld om nieuwsgierigheid te wekken bij de kinderen.' Hij glimlachte. 'Maar misschien zijn er nog meer mensen nieuwsgierig.' Hij klopte Daniël op de arm, waarop de jongen ging zitten.

'We denken vanavond terug aan de tijd die we in Egypte doorbrachten als slaven, en aan de vrijheid die ons werd geschonken door de levende God. We staan deze avond stil bij de verlossing.' Zijn blik bleef op Tessa rusten. 'De boodschap van verlossing is bedoeld voor alle mensen, niet alleen voor de Joden.'

Hij knikte naar Daniël. De jongen stelde nog een vraag, ditmaal in het Grieks, met een verlegen lachje naar Tessa. 'Waarom eten we vanavond alleen maar matzes, terwijl we op andere avonden ook gerezen brood eten?'

Jacob knikte en gaf antwoord. 'We eten alleen matzes omdat onze voorouders in de nacht van de bevrijding van de farao geen tijd hadden om te wachten tot hun broden waren gerezen. Ze haalden hun broden uit de oven toen die nog plat waren.'

Toen vroeg Daniël: 'Waarom eten we op alle andere avonden allerlei soorten kruiden, maar op deze avond alleen bittere kruiden?'

Tessa luisterde gefascineerd toe. Jacob antwoordde: 'We eten alleen *maror*, een bitter kruid, om terug te denken aan de bitterheid van het slavenbestaan van onze voorouders in Egypte.'

'Waarom dopen we de kruiden op andere avonden nergens in, maar vanavond wel, tot tweemaal toe?'

'De bitterheid van onze slavernij heeft plaatsgemaakt voor tranen van dankbaarheid. De charoset van noten en appels symboliseert de specie die door de Israëlieten werd gebruikt tijdens hun slaven-werk.'

Na een vraag over het geroosterde lamsvlees werden er nog een derde, en ten slotte een vierde beker wijn ingeschonken. Deze stonden symbool voor het vertoon van Gods macht en voor Zijn oproep om trouw aan Zijn volk. Tessa's ogen schoten meer dan eens vol bij de schoonheid van alle symboliek, ondanks haar verlangen om dit gezin en hun gebruiken op een afstand te houden.

Toen er een vijfde beker wijn werd ingeschonken, ging Simeon staan. Hij keek vragend naar Jacob, die knikte.

Tessa pakte haar beker en wachtte op Simeons uitleg.

'De vijfde beker drinken we niet,' zei hij.

Gegeneerd zette Tessa de beker terug op tafel, maar alle ogen waren op Simeon gericht.

'Deze avond gedenken wij de belangrijkste nacht in onze geschiedenis. Toen de zon onderging waren wij nog slaven, maar toen hij opkwam, waren wij een vrij volk. Dit was een fysieke bevrijding, die echter vooruitwijst naar een diepere waarheid.'

Simeon keek naar Tessa, die het vreemde gevoel kreeg dat deze hele maaltijd op de een of andere manier voor haar was bedoeld.

'De God van Israël is de enige ware God,' zei hij. 'En hoewel Hij de God van Israël is, is Hij door de eeuwen heen ook de God van Melchizedek geweest, van Ruth de Moabitische en Naäman de Syriër, van Nebukadnezar en van de publieke vrouw Rachab, en van zoveel andere mensen die niet bij het volk van Israël horen, maar die God heeft uitverkoren om te bevrijden.'

Tessa kon haar blik niet van Simeon afwenden.

'Hij is de God van de verlossing,' ging hij verder. 'Hij geeft ons de offers die we voor onze zonden betalen, maar er komt een dag wanneer de Messias zal komen om voor altijd onze Verlosser te zijn.'

Simeon glimlachte en reikte zijn hand uit naar Tessa. 'Dat zal voor eeuwig zijn en Hij komt voor alle volken. Met Pascha kijken we niet alleen terug, we kijken ook vooruit.' Hij wees naar de vijfde beker. 'Dit is de beker van de verlossing die nog moet komen, die herinnert ons eraan dat de God van Israël degenen kan bevrijden die ooit in slavernij leefden – niet alleen in lichamelijke zin, maar ook in geestelijke zin. Verlossing en vergeving zijn alleen bij Hem te vinden.'

Simeon ging zitten en het werd stil aan tafel. Tessa keek naar haar bord, waarop de restanten lagen van het vlees, de kruiden en het fruit. De symboliek van de maaltijd had haar diep getroffen. Ze verlangde zo naar de verlossing waar Simeon over had gesproken, dat ze het wel wilde uitschreeuwen.

Er werd nog een gebed gezongen en daarna was de maaltijd afgelopen. Tessa merkte wel dat sommige mensen van tafel gingen, maar zelf kon ze haar ogen niet van haar bord houden. Om haar heen werd de tafel afgeruimd en een paar keer voelde ze een zachte aanraking van Nikos; één keer kneep hij zelfs even in haar schouder. Het was haar allemaal te veel.

Marta fluisterde in haar oor: 'Het wordt al laat. Ik zal je laten zien waar je kunt slapen.'

Met enige moeite ging Tessa staan. Marta leidde haar naar een kleine slaapkamer, waar alleen een bed en een houten kist stonden.

'Jacob zal een kamer delen met Nikos en mijn vader. Jij kunt hier bij mij slapen.'

'Nee, dat…'

Marta lachte en aaide over Tessa's haar. 'Ja, natuurlijk kan dat wel.'

Marta verdween en Tessa keek naar het bed. Ze droeg nog steeds de kleding die Marta haar had gegeven; het leek haar het makkelijkst die maar gewoon aan te houden. Ze klom het bed in en trok de deken over zich heen, zich afvragend of Marta die zelf had geweven. Het zachte bed voelde als een verademing voor haar vermoeide spieren en ze zuchtte diep.

Waarom voel ik me zo vreemd?

Het duurde even voor ze in slaap viel. In het donker luisterde Tessa naar de lachende kinderen in andere delen van het huis. Wat wilde ze graag terug naar die haardruimte, om net te doen of al die kinderen van haarzelf waren, alsof ze het verleden had goedgemaakt door een betere moeder te zijn dan ze zelf had gehad.

'Ooit,' fluisterde ze hardop in de nacht.

Een tijd later liep Marta op haar tenen de kamer binnen en kroop onder de deken. 'Slaap je?' fluisterde ze zachtjes.

'Nee.'

'Ik vond het erg fijn dat je het Pascha met ons hebt meegevierd, Tessa. Bedankt.'

Er welden opnieuw onwelkome tranen op in Tessa's ogen. 'Nee, ik ben jou dankbaar, Marta.'

'Wij hebben jou welkom geheten in ons huis, net als Jahweh jou uitnodigt tot Zijn kudde.'

'Ik weet niet veel van jouw God af, Marta.'

'Maar Hij weet alles van jou.'

Tessa zuchtte en draaide haar rug naar Marta toe. 'Als Hij mij inderdaad kent, heeft Hij mij niet bewaard voor verdriet.'

'Mijn vader heeft mij jouw levensverhaal verteld, Tessa. Ik weet dat God ons niet altijd bewaart voor verdriet. Maar Hij weet wat goed voor ons is.'

In het donker voelde Tessa zich moedig genoeg om oprecht te zijn tegen deze vrouw. 'Ik wil al die pijn niet meer voelen, Marta.'

'Maar juist daarom moet je wel voelen, Tessa. Juist daarom zal Hij niet rusten in Zijn werk in jou. Hij zal nog meer pijn toestaan. Hij zal mensen op jouw pad brengen die niet zullen toestaan dat je versteent.'

'Maar ik kan niemand vertrouwen, begrijp je dat niet? Ik kan niet meer geloven dat iemand mij geen pijn zal doen.'

Marta pakte haar hand vast en kneep erin. 'Niemand kan ooit volledig zeker weten of een ander te vertrouwen is, Tessa. Maar we riskeren teleurstelling omdat we erop vertrouwen dat Jahweh ons altijd zal blijven vasthouden.'

Haar zachte hand aaide over Tessa's wang. 'Het was goed van mijn vader om jou vandaag naar ons toe te sturen.'

Tessa glimlachte. Het verbaasde haar niets dat het van meet af aan Simeons opzet was geweest dat Tessa het feest met zijn familie zou meevieren. Dit was een boodschap die hij haar al heel lang probeerde door te geven.

Verlossing en vergeving zijn alleen bij Hem te vinden.

Verlossing, vergeving en *leven*.

Ergens diep vanbinnen, op de plek die Tessa al lang geleden had laten verstenen, voelde ze dat er een gevaarlijke verandering was begonnen. Op de gezichten van Marta en Simeon, van Nikos en Daniël, zelfs van Jacob, kon Tessa zien dat liefde en vergeving misschien wel de kracht bezaten om dwars door steen heen te breken.

Ja, er was een verandering begonnen. Maar Tessa vermoedde dat ze nog geen idee had van de angsten die zo'n ontwikkeling kon losmaken.

NEGENTIEN

Drie dagen voor de grote aardbeving

Tessa werd gedesoriënteerd wakker. Het duurde even voordat ze besefte dat ze in het huis van Marta en Jacob was, in de Joodse wijk – en voordat ze zich haar gevaarlijke gevoelens van de avond ervoor herinnerde.

Vandaag zal ik daar niet aan denken. Vandaag zullen we ontdekken hoe Spiro ervoor heeft gezorgd dat het water ophield met stromen.

Marta was al uit bed. Tessa wierp de deken van zich af en haalde haar vingers door haar haren. Het was nog koel, maar Tessa voelde aan dat het niet erg vroeg meer was.

Ze had verwacht dat Marta met het ontbijt bezig zou zijn, maar tot haar verrassing was er niemand in de keuken. Ze trof de meeste leden van het gezin aan in de haardruimte, met Nikos, waar ze om de grote tafel zaten en brood, honing en wijn met elkaar deelden. Nikos ging meteen staan toen ze de kamer binnenliep. 'Heb je goed geslapen?' Hij had zijn eigen kleren weer aan en maakte nu een misplaatste indruk in het Joodse huishouden.

Ze bleef in de deuropening staan. 'Nogmaals bedankt, Marta. En Jacob.' De man keek haar zowaar heel even aan.

Marta's heldere ogen en warme glimlach brachten de gevoelens van de voorgaande avond bijna weer boven. 'Ga alsjeblieft zitten, Tessa. Neem wat te eten. Ik heb helaas niets warms bereid, omdat het sabbat is.'

Tessa schudde haar hoofd. 'Nikos en ik moeten er vandoor.'

Nikos ging voor haar staan en keek haar streng aan. 'Eet eerst iets, Tessa.'

Ze probeerde haar ongeduld te verbloemen. 'Goed dan.' Ze ging tussen Daniël en Sara, de oudste dochter, aan tafel zitten. 'Is Simeon er nog?'

Marta gaf haar het brood aan. 'Die is vanmorgen vroeg weer naar het huis van Glaucus teruggekeerd. Hij zei dat hij belangrijke zaken moest regelen.'

Jacob nam een hap brood en wendde zich tot Nikos. 'Ga jij vandaag ook terug naar Glaucus?'

Tessa gaf antwoord: 'Nee. We willen nog meer te weten komen over de waterleiding. Al voordat het water stopte met stromen, heeft iemand hier voorspeld dat dit zou gebeuren. Dat had diegene alleen kunnen weten als hij de toevoer zelf had gesaboteerd. Nikos en ik zullen het aquaduct onderzoeken om de bron van de storing te achterhalen. We zullen beginnen bij het bassin waarin het water wordt gesplitst, en als het nodig is, volgen we de kanalen naar het distributiebassin.'

Alle ogen waren op Tessa gericht. Ze haalde haar schouders op. 'Door mijn positie weet ik het nodige van de waterleiding.'

Toen het brood op was, ging Nikos staan. 'Ik ga de os voeren en de wagen gereedmaken,' zei hij tegen Tessa.

'Wil je mijn kleding halen?' vroeg ze. 'Ik zal Marta haar kleren teruggeven en die van mezelf weer aantrekken.'

Marta begon de tafel af te ruimen. 'Dat hoeft niet, hoor, Tessa.'

'Jawel, het wordt tijd dat ik mezelf weer ga spelen.'

Marta keek haar doordringend aan, waar ze ongemakkelijk van werd. Ze ging maar staan om mee te helpen met afruimen. Nikos verdween naar buiten en Tessa volgde Marta naar de keuken. Ze legde een kleverige lepel die ze van tafel had gepakt naast een wasbak neer. Even later verscheen Nikos in de keuken met haar chiton. Ze pakte het kledingstuk van hem aan en wachtte tot hij weer was vertrokken.

'Mag ik me even omkleden in jouw kamer, Marta?'

Marta glimlachte. 'Natuurlijk. Je zult wel niet veel tijd hebben voordat die man weer terug is.'

Tessa fronste haar wenkbrauwen. 'Nikos zal nog wel even bezig zijn met de os.'

'Hij lijkt je anders nooit erg lang alleen te kunnen laten.'

Tessa staarde Marta aan, de chiton stijf in haar handen geklemd. Voorzichtig trok Marta de stof uit Tessa's vingers en begon die glad te strijken. 'Het moet je toch wel zijn opgevallen, Tessa.'

Tessa ging rechtop staan. 'Het is me opgevallen dat hij de brutaalste knecht is die ik ooit heb gehad.'

Marta lachte en hing de chiton om Tessa's arm. 'Ga je maar omkleden. Ik zal eten klaarmaken voor tijdens jullie reis.'

Binnen een uur stonden ze weer op de wagen. Tessa keek toe hoe Nikos de teugels beetpakte en deed haar best de woorden van Marta te vergeten. Marta en Jacob kwamen samen het huis uit om afscheid te nemen.

Toen de wagen begon te rijden, hield Marta haar vingers nog even vast. 'Kom nog eens terug, hè Tessa,' zei ze zachtjes.

Het zware gevoel in Tessa's borst keerde terug terwijl ze haar hand lostrok uit Marta's warme greep.

Op straat was goed te merken dat het sabbat was. In alle rust reden ze de stad uit. Toen ze de stadsgrenzen waren gepasseerd, doemde voor hen een steile heuvel en een smal zandpad op. Binnen een paar minuten begon de os opstandig te grommen.

Nikos gromde ook. 'Hadden we maar een paard meegenomen.'

De heuvel was zo steil dat ze zich goed moesten vasthouden om rechtop te kunnen blijven staan. Nikos wierp een blik op Tessa. 'Kom hier voorop staan bij mij, dan kun je je beter vasthouden.'

Ze schudde haar hoofd. 'Ik blijf wel hier.' Ze zette haar voeten stevig neer op de vloer van de wagen, maar moest haar armen spreiden om zich vast te houden aan de zijkanten. De wagen denderde zo over het hobbelige pad dat Tessa's maag er bijna van omdraaide.

De zon stond al hoog aan de hemel en het zweet stond Nikos in de nek. 'Weet je zeker dat we goed rijden?' vroeg hij voor de zoveelste keer.

'Ja!' Tessa onderdrukte de neiging hem een stomp te geven. 'Ik heb de plattegronden van de aquaducten al vele malen bestudeerd.'

'Hoe weten we wanneer we er zijn? Het aquaduct ligt toch onder de grond?'

'Ik weet het wel.'

'Nou, gelukkig maar.'

'Wat ben je knorrig vandaag.'

Tessa zag dat Nikos zijn kaken op elkaar klemde. 'En waarom zou jou dat iets kunnen schelen?'

'Wat bedoel je daarmee?'

'Heb je echt meer interesse voor het humeur van een knecht dan voor het humeur van deze os?'

Tessa perste haar lippen samen. Ze hoorde boven zich een vogel kraaien en tuurde omhoog. Ze herkende een zwarte aalscholver, die ze volgde tot het beestje de horizon over verdween. 'Dat was een gemene opmerking.'

Nikos keek haar aan alsof hij iets wilde zeggen, maar draaide zich toen weer om. 'Ik dacht niet dat het je iets zou kunnen schelen.'

Ze beet op haar lip. 'Waarom doe je zo tegen me, Nikos?'

'Ik ben gewoon moe, meer niet. Te moe om geen acht te slaan op alles wat over jou wordt beweerd.'

De wagen reed over een grote steen en schommelde hevig. Tessa schrok, maar had haar evenwicht snel hervonden. 'En wat wordt er dan over mij beweerd?'

Nikos aarzelde even. 'Dat je een marmeren Athena bent, bedekt met een dun laagje huid.' Hij pakte de teugels over met zijn andere hand. 'Een liefdesgodin die niet in staat is om lief te hebben.'

Dit zou me geen pijn moeten doen. Laat het geen pijn doen. Ze bestudeerde de weg voor zich. De stenen. Het wilde gras. Ze deed haar best ergens anders aan te denken. Maar Nikos' woorden bleven haar hinderen als een steentje in haar sandaal.

Plotseling klonk er een luid gekraak, waarna de wagen leek om te vallen. Tessa gilde en greep Nikos vast. Scheldend sprong hij van de wagen af.

'Er is een spaak gebroken,' zei hij terwijl hij de schade opnam. Nikos maakte het touw los dat hij als gordel droeg. 'Ik zal kijken wat ik kan doen.'

Terwijl hij werkte, kuierde Tessa een stukje de heuvel op. Ze was nog niet ver gelopen toen ze een stenen poort in de heuvelwand zag. Ze riep naar beneden, waar Nikos naast de wagen gehurkt zat. 'Hier is de ingang!'

Hij ging staan. 'Mooi. Misschien kunnen we straks nog wel naar beneden rijden, maar omhoog gaat niet meer.' Hij pakte de teugels van de wagen en bond die om een grote steen. Met een klap tegen het achterwerk van de os zei hij: 'Ik denk toch niet dat we hem zouden kunnen motiveren om nog verder te lopen.'

Hij haalde het lampje dat ze mee hadden genomen van de wagen en liep toen achter Tessa aan naar de ingang van de tunnel. Tessa bleef even staan voor het gapende zwarte gat.

'Blijf jij maar bij de os,' zei Nikos. 'Ik zal het bassin onderzoeken.'

'Dat kan ik wel, hoor.'

'Ja, natuurlijk kun jij dat. Tessa kan alles.'

Het sarcasme in zijn stem stak haar maar heel even. Trots duwde ze hem opzij en liep de tunnel in. In het zwakke lamplicht zag ze dat de muren van de tunnel waren bedekt met een groenige schimmel. Ze werd misselijk van de brakke geur van grond en vocht, maar liep onverstoord verder. Het leek wel of ze de onderwereld waren binnengegaan. De druk van de muren en het lage plafond werd steeds beklemmender. Maar in de verte hoorde ze het geluid van stromend water.

Ze liepen een ruimte binnen. De lamp die Nikos achter haar vasthield, kon de zaal amper verlichten, maar ze wist dat ze het bassin hadden bereikt. Een eindje verderop zag ze drie grote stenen buizen vanuit het bassin lopen. Ze haastte zich ernaartoe, maar haar voeten bleven aan iets zachts haken. Ze struikelde en kwam met een kreun in de modder terecht. Nikos bukte zich meteen en scheen met de lamp bij.

Ze draaide zich een stukje om, om te zien waar ze over was gestruikeld.

Onder haar benen lag het lichaam van een man, die Tessa met grote ogen aanstaarde.

TWINTIG

Terwijl ze omhoogkrabbelde, deed Tessa haar best om contact met het lichaam te vermijden. Nikos zette de lamp op de grond en knielde naast de man neer. Hij legde een hand in zijn nek.
'Wat doe je?'
'Ik probeer te voelen of zijn hart nog klopt.'
'Hij is dood, Nikos.'
Een moment later pakte Nikos de lamp weer op. 'Wie is hij?'
'Ik heb hem nog nooit gezien. Hij is in ieder geval een Griek.'
Nikos boog zich over het lichaam heen. Er liep een dun straaltje bloed van zijn mond naar zijn oor. Nikos draaide hem een stukje op zijn zij en scheen met de lamp achter zijn lichaam. 'Hier,' zei hij, wijzend naar zijn achterhoofd. 'Hij is ergens mee geslagen.'
Tessa ademde diep in en moest meteen hoesten van de muffe lucht.
'Is hij vermoord?'
Nikos rolde het lichaam weer terug. 'Hij liep blijkbaar iemand in de weg.'
Tessa wees naar het kanaal aan de rechterkant van het bassin. 'Iemand die daarmee bezig was.'
De opening van het kanaal was volledig geblokkeerd met stenen. Zelfs de spleten tussen de keien waren dichtgemaakt met puin, zodat het water uit het bassin alleen de twee overige kanalen instroomde.
Tessa keek over het lichaam heen naar Nikos. Ze moest toegeven dat het enige voldoening gaf dat het mysterie hiermee voor een deel was opgelost.
'Spiro stuurde iemand naar de Joden toe om te zeggen dat de watertoevoer zou ophouden. Vervolgens blokkeerde hij zelf het aquaduct.' Ze keek naar het lichaam in de modder en voegde toe:

'En daarbij is deze man vermoord.'

'En toen de Joden naar de zuidoostelijke wijk gingen om water te halen, waren de mensen daar zo opgestookt door de moord op de bewaker dat ze ervan overtuigd waren dat de Joden kwaad in de zin hadden.'

Tessa gebaarde naar het kanaal en toen naar het lichaam. 'Al die moeite om de reputatie van Glaucus te schaden?'

Nikos ging staan. 'Dat lijkt inderdaad wat vergezocht. Misschien behelst zijn plan meer dan wij vermoeden.'

Tessa zuchtte. 'We kunnen hoe dan ook nog steeds niet bewijzen dat Spiro dit allemaal op zijn geweten heeft.'

'Er is één persoon die Spiro misschien heeft gesproken.'

Tessa luisterde aandachtig.

'De man die beweert dat hij zag hoe de bewaker werd vermoord door een Jood.'

'Dan moeten we naar de zuidoostelijke wijk gaan om hem te zoeken.'

Nikos pakte de lamp van de drassige grond en zette die neer in een gleuf in de rotswand. Hij liep naar de rand van het bassin, zette een hand op de stenen muur en slingerde zichzelf over de rand. Met een plons kwam hij in het water terecht.

Tessa deinsde geschrokken terug. 'Wat doe je?' schreeuwde ze.

'De versperring weghalen.' Hij keek haar verbaasd aan. 'Wat dacht jij dan?'

Bij de goden. Moet je werkelijk elk probleem dat je tegenkomt oplossen?

'Daar hebben we geen tijd voor! We moeten die getuige opsporen en dan snel terug naar het huis van Glaucus, voordat iemand ontdekt dat hij er niet is – en dat ik er niet ben.'

Nikos waadde naar de opening van het kanaal. Het water kwam tot borsthoogte en hij hield zijn armen boven het oppervlak. 'Hoe lang denk je dat het duurt voordat ze hier iemand naartoe sturen om het waterprobleem op te lossen?'

'Weet ik het? Maar dat is toch niet onze zorg?'
Nikos wierp haar een verwijtende blik toe. Tessa gromde.
'Goed dan, jij je zin. Maar schiet wel op!'
'We kunnen er zo mee klaar zijn.'
'We?' Tessa deed een stap achteruit, behoedzaam om het lichaam
op de grond te ontwijken. 'Ik ga daar niet in, hoor!'
'Nee, jij moet aan de kant blijven staan. Dan geef ik jou de stenen
aan.' Hij trok de eerste steen, zo groot als een mensenhoofd, los
en waadde ermee terug naar Tessa. 'Leg ze daar maar neer, naast
de muur.'
Met enige moeite pakte ze de druipende kei van hem aan. 'Dit is
gekkenwerk.'
Nikos lachte. 'Doe nu maar niet net alsof het je niets kan schelen
dat Marta en Jacob zonder water zitten, Tessa.'
'Je zei toch dat ik niet in staat was om iets om iemand te geven?'
'Hmmm.' Nikos had zijn rug naar haar toegekeerd, maar ze wist
zeker dat hij nog steeds lachte. 'Ik zei alleen maar dat anderen dat
beweren.'
Ze kreeg een zwaar gevoel in haar borst en keerde zich om tot Nikos
haar weer riep. Een voor een haalde hij de stenen uit de opening
weg, om ze vervolgens aan haar te geven. Sommige waren behoorlijk zwaar. Ze werkten zwijgend verder. Al snel was de opening tot
aan het wateroppervlak vrijgemaakt. Denkend aan Nikos' eerdere
opmerkingen, kon Tessa het niet laten de blokkade voor het kanaal
te vergelijken met de blokkade voor haar hart.
Hij gaf haar twee kleinere stenen aan. 'De versperring zal nu niet
meer lang standhouden.'
Daar ben ik ook bang voor.
Ze keek toe hoe hij met veel moeite de stenen probeerde los te
wrikken. 'Pas maar op, als het water eenmaal begint te stromen,
heb je er geen controle meer over.'
Hij draaide zich in het water om en glimlachte zwak. 'Dat is een
risico, ja. Maar zonder water kan niemand leven.'

'Hoe lang denk je dat het nog zal duren?' vroeg Tessa met een blik op de toenemende stapel stenen. Ze doelde nu alleen maar op het wegnemen van de versperring, maar Nikos leek nog steeds meer achter haar opmerkingen te zoeken.

'Wist ik het maar,' zei hij vriendelijk.

Ze wendde zich van hem af en hoorde hem het water weer in plonzen. Ze werkten weer een poos in stilte verder. Tessa's kleren werden vies van de modder en haar handen waren ruw van de scherpe stenen. Het waterpeil begon langzaam te zakken nu er steeds iets meer water door het derde kanaal kon stromen. De stroming werd steeds sterker en Nikos moest moeite doen om niet uit te glijden op de glibberige vloer van het bassin.

Hij dook weer onder water en kwam even later met lege handen boven. Vermoeid leunde hij over de rand van het bassin. 'Er ligt helemaal onderin de opening een grote steen,' hijgde hij. 'Ik kan hem voelen. Ze hebben hem er waarschijnlijk in laten vallen.'

'Kun je hem verplaatsen?'

Hij schudde zijn hoofd. Het water liep van zijn donkere krullen tussen zijn ogen. 'Hij is te zwaar om te tillen. Ik kan proberen hem een beetje opzij te schuiven.'

'Wees voorzichtig.'

Hij grijnsde en dook weer onder water.

Tessa keek naar het wateroppervlak en wachtte.

Het duurde wel erg lang.

Boven komen, Nikos. Die steen is te zwaar.

Plotseling begon het waterpeil snel te dalen. Onstuimig stroomde het water naar het derde kanaal. Nikos kwam even boven, hapte naar adem en verdween toen weer.

'Nikos!'

Tessa leunde over de rand van het bassin. Zijn hoofd dobberde even boven het water. Ze kon er niet bij. Zijn ogen waren gesloten.

'Nikos!'

Het water stroomde nu krachtig door alle kanalen. De stroming was sterk genoeg om een volwassen man mee te sleuren. Ze zag Nikos weer boven komen, vlak bij de opening van het derde kanaal. Zijn armen dreven slap langs zijn lichaam. Hij stond op het punt te worden opgeslokt.

EENENTWINTIG

Tessa nam niet de moeite haar sandalen uit te trekken. Ze sprong over de rand en voelde het koude water tot aan haar kin. 'Nikos!'

Ze strekte haar arm naar hem uit. Met haar rechterhand greep ze een pluk haar vast en met haar andere hand pakte ze een punt van zijn bovenkleed. Ze trok hem naar zich toe, liet zijn haar los en sloeg een arm om zijn nek.

Hij dreef naast haar met zijn gezicht net boven het water. De stroming trok hen beiden in de richting van het kanaal. Ze schopte wild met haar benen tegen de stroom in. Nikos hoestte en begon opeens druk te bewegen in haar armen, waardoor ze beiden kopje-onder gingen. Tessa kreeg een flinke slok water binnen. Ze zette zich af tegen de bodem van het bassin en spuugde toen ze weer boven was het water uit haar mond. Ze kon de modder proeven. Nikos bleef maar woelen in haar armen. Moest ze hem loslaten?

Hij nam de beslissing voor haar. Met een draaibeweging wurmde hij zich uit haar greep. Hij sloeg zijn arm om haar middel en trok haar mee naar de kant. Proestend en happend naar lucht trokken ze zich op aan de rand. Even later lagen ze hijgend in de modder. 'Ik zei toch dat het gevaarlijk was,' pufte ze.

Hij lachte. 'Maar het was voor een goed doel.' Hij pakte haar hand. 'Dank je.'

Ze had de kracht niet om haar hand terug te trekken. Ze bleven een paar minuten liggen, tot Tessa zich herinnerde dat ze naast een lijk lag en zich ongemakkelijk begon te voelen.

'We moeten ervandoor,' zei ze terwijl ze ging zitten.

Nikos wees op het lichaam van de vermoorde man. 'En wat doen we met hem?'

'We zullen de stadsleiders op de hoogte brengen wanneer we weer in de stad zijn. Dan komt iemand hem wel halen.'

De tocht terug naar buiten was veel minder onaangenaam dan de heenreis was geweest. In de verte zag Tessa het daglicht en ze verlangde ernaar de warme zon op haar natte huid te voelen.

De os stond rustig gras te eten waar ze hem hadden achtergelaten. Tessa hoopte dat het wiel dat Nikos provisorisch had gerepareerd het zou uithouden tot ze hun bestemming bereikten, maar ze was bereid desnoods te gaan lopen. Nikos klom de wagen op en liet de os omkeren.

Tessa kwam weer achter hem staan. 'We moeten zo snel mogelijk de getuige vinden van de moord in het watergebouw, en meteen daarna terug naar huis. Ik ben bang dat de strategoi misschien langs zullen komen om te eisen dat ze Glaucus mogen spreken.'

Nikos klakte met zijn tong, waarop de os met een schok in beweging kwam. 'We kunnen geen vragen gaan stellen in de stad als we er zo uitzien.' Hij gebaarde naar zijn doorweekte, vieze kleding en haar modderige chiton.

Tessa sloeg haar armen om haar middel.

'We komen langs het huis van Marta en Jacob,' zei hij. 'Daar kunnen we ons wel even opfrissen.'

Tessa gromde kwaad om de vertraging die ze opliepen. 'Als jij niet zo nodig zelf dat aquaduct moest repareren...'

Hij schudde zijn hoofd. 'Jij houdt ook nooit op, hè?'

Marta deed de deur open en reageerde geschokt op hun smerige verschijning. Ze trok Tessa het huis in en Nikos volgde hen.

'Jacob!' Marta haalde haar hand langs Tessa's gezicht en schudde haar hoofd. 'Haal een kom water.'

'O, maar je hebt al zo weinig water, Marta...'

Nikos viel haar in de rede. 'Dat probleem wordt snel opgelost.'

Jacob verscheen in de gang achter zijn vrouw. 'Wat zeg je?'

'Het water. Als het goed is, stroomt het nu alweer een beetje, maar tegen de avond moet het weer helemaal op gang zijn gekomen.'

Marta klapte in haar handen. 'Hoor je dat, Jacob?'

Jacob bromde iets, maar was duidelijk opgelucht.

'Kom, ga je wassen,' zei Marta. 'Ik zal schone kleding halen.'

Marta leidde Tessa opnieuw naar haar slaapkamer en wees Nikos een andere ruimte aan. Even later keerde ze terug met een kom water en een kledingstuk over haar arm.

'Ik ben sprakeloos, Tessa.' Ze zette de kom op een lage tafel. 'Je hebt je veiligheid voor ons op het spel gezet.'

Tessa keek naar de vloer. 'Nikos heeft het gedaan, Marta, ik niet.'

Marta wierp een blik op Tessa's besmeurde chiton. 'Jij hebt heus niet alleen maar staan toekijken.'

'Ik... Nikos werd bijna door de stroming meegesleurd...'

'O,' zei Marta terwijl ze het schone bovenkleed op bed legde. 'Zit het zo?'

Tessa negeerde haar geamuseerde toon.

'Ik zal je alleen laten zodat je je kunt wassen en aankleden.'

Een paar minuten later kwam Tessa de slaapkamer uit en ging ze op zoek naar Nikos. In de haardruimte trof ze Marta aan, die in gesprek was met een andere vrouw die een baby in haar armen hield. Ze keken beiden op toen Tessa binnenkwam.

'Waar is Nikos?' vroeg Tessa, die stond te popelen om te vertrekken.

Marta wenkte Tessa om mee te komen en ging haar voor naar een kamertje dat grensde aan de hal voor in het huis. Op een klein bedje midden in de kamer lag Nikos, met schone kleren aan, op zijn buik te slapen.

'Hij is uitgeput,' fluisterde Marta.

Tessa ergerde zich dat ze opnieuw vertraging opliepen, maar kon het niet over haar hart verkrijgen hem wakker te maken. Marta pakte haar hand vast. 'Kom, dan stel ik je voor aan Rachel en haar kindje.'

Tessa volgde Marta terug naar de haardruimte en werd voorgesteld aan haar vriendin, een knappe vrouw met een klein meisje dat in een roze deken was gewikkeld. Tessa ging naast Rachel zitten en tuurde naar de baby, met haar gesloten oogjes en kleine pruilmondje.

Rachel en Marta wisselden even een blik en toen richtte Rachel zich tot Tessa. 'Wil jij haar even vasthouden?'

Nee. Nee.

Ja, zo graag.

Toen Tessa haar handen naar het kindje uitstrekte, merkte ze dat die trilden. Rachel legde het bundeltje in haar armen.

Waar ben ik mee bezig?

Ze voelde de zachte adem van het slapende kindje tegen haar huid en aaide met een vinger over haar wang. Zo'n zijdezacht huidje had ze nog nooit gevoeld. Ze snoof de geur van de baby op en voelde die gevaarlijke verandering weer die diep vanbinnen plaatsvond.

'Marta vertelde me dat jij de waterleiding hebt gerepareerd.'

Tessa bleef naar het kindje turen. 'Ik niet, hoor. Nikos heeft het gedaan.'

'Een bediende in het huis van Glaucus,' lichtte Marta toe.

'Ah, een vriend van je vader?'

Marta knikte en raakte Tessa's arm aan. 'Ja. Ook een vriend.'

De twee vrouwen keuvelden zachtjes over hun kinderen en echtgenoten, over het water en de onrust in de zuidoostelijke wijk. Tessa bleef naar het slapende kindje staren. Ze besefte wel dat de tijd voorbijging, maar was opeens vergeten wat daar zo erg aan was.

Dit is waar ik voor strijd. Mijn moeder gaf mij zonder blikken of blozen aan Servia. Maar ik ben niet zoals zij. Zou ik geen goede moeder kunnen zijn? Ze wiegde het kindje in haar armen.

De zon verdween achter de daken van de omringende huizen. Toen Tessa opkeek, zag ze Nikos in de deuropening staan, neerkijkend op haar en het kindje.

Kijk niet zo naar me, Nikos. Niet op die manier.

Ze keken allemaal op toen er op de deur werd gebonsd. Marta stond op om open te doen.

'Is hij hier nog?' hoorde Tessa een man vragen.

Ze zag Nikos naar de voordeur kijken vanwaar hij stond in de deuropening. Hij had zijn wenkbrauwen gefronst. Tessa draaide zich om naar Rachel en gaf haar de baby terug. 'Dank je wel,' fluisterde ze. Ze kon de neiging om die zachte wangetjes te zoenen nog net weerstaan voor ze opstond.

Er klonk geroezemoes op straat, alsof er een kleine menigte voor de deur stond. Tessa ging naast Nikos staan en zag dat zich inderdaad een behoorlijke groep mensen op straat had verzameld.

'De sabbat is voorbij,' riep een man, 'en het water stroomt!'

Een vrouw pakte Marta bij de arm. 'Ze zeggen dat die Griek de waterleiding heeft gerepareerd.'

Marta glimlachte. 'Dat klopt.' De mensen juichten.

Tessa keek Nikos bezorgd aan. Tot nu toe waren ze nog door niemand herkend. Het was een vergissing geweest om hier weer te komen.

'We moeten weg,' zei ze. Nikos knikte.

'Marta, nogmaals bedankt,' zei Tessa. 'We komen je kleren nog wel terugbrengen, maar nu moeten we gaan.'

Marta omhelsde haar. 'God zij met je, Tessa. En met jou, Nikos.'

Meteen gingen hun namen als een lopend vuurtje door de menigte. 'Tessa! Nikos!'

Tessa vluchtte de straat op, met haar ogen op de grond gericht. Terwijl ze langsliepen, werden hun namen geroepen en raakten diverse handen hen aan. Al die drukte en aandacht maakte Tessa benauwd. Ze wurmde zich door de menigte, op zoek naar de wagen.

Ze was herkend. Nikos werd geëerd als een held. Spiro zou dit te horen krijgen. En ze hadden nog altijd geen bewijs van zijn schuld.

Ze bereikten de wagen, klommen erop en reden weg, gevolgd door de menigte.

Tessa sloot haar ogen en hoopte van harte dat niemand zou hebben ontdekt dat de kamer van Glaucus leeg was en dat zijn hetaere iedereen voor de gek hield.

TWEEËNTWINTIG

Toen ze eenmaal het zuidoostelijke deel van de stad hadden bereikt, was het al helemaal donker. Tessa wond zich op om alle uren die ze hadden verspild. Ze was nu al twee volle dagen van huis en kon alleen maar hopen dat Simeon en Persephone haar geheim aan niemand hadden verklapt.

Het was een warme nacht en op de straathoeken stonden nog steeds mannen te praten en te lachen. Tessa en Nikos reden onopgemerkt door de straten. Tessa hield haar hoofd gebogen, al was de verleiding groot elke man die ze passeerden een onderzoekende blik toe te werpen. De duisternis deed haar denken aan de tunnel van het aquaduct en er liep een rilling over haar rug bij de gedachte aan wat Spiro allemaal op zijn geweten had. Er waren slachtoffers gevallen, en waarvoor precies? Alleen voor Spiro's politieke ambities?

Ik zal een manier vinden om jou ten val te brengen, Spiro.

Nikos bracht de wagen tot stilstand op het plein dat midden in de wijk lag. Bij het watergebouw aan de rand van het plein was het nog steeds drukker dan gewoonlijk. Blijkbaar hadden nog niet alle Joden vernomen dat het water in hun eigen wijk weer stroomde. Er liepen soldaten te patrouilleren met de hand op het zwaard, alsof ze verwachtten dat er ieder moment opnieuw een rel zou kunnen losbarsten. Nikos zei tegen Tessa dat ze in de wagen moest blijven wachten. Ze overwoog hem te negeren, maar dacht toen terug aan de situatie die ze net in de Joodse wijk hadden meegemaakt. Ze kon maar beter ongezien blijven.

Nikos liep het plein op en mengde zich tussen de mensen. Ze zag hem diverse mannen aanspreken, die hun hoofden schudden, naar hem gebaarden of hem in een enkel geval compleet negeerden. Hij leek weinig succes te hebben. Sommige mannen wierpen een blik in de richting van de wagen. Ondanks haar voornemen niet op te vallen, staarde ze onverschrokken naar hen terug.

Hun aanwezigheid op het plein begon steeds meer op te vallen en al snel werd er veelvuldig naar Tessa gewezen en gekeken. Ze wierp haar hoofd in haar nek en keek uitdagend voor zich uit. Wat maakte het eigenlijk uit als Spiro zou ontdekken dat zij hier was geweest? Hij was degene die zich zorgen moest maken, zij niet.

Toen er een conflict uitbrak tussen een Griek en een Jood bij de ingang van het watergebouw, richtten de aanwezigen daar massaal de aandacht op. Tessa maakte gebruik van de afleiding door van de wagen te stappen en naar Nikos te lopen, die juist alleen stond.

'Ben je iets te weten gekomen?' vroeg ze.

Hij ging voor haar staan om haar voor de menigte af te schermen. 'Niemand weet wie de getuige van de moord op de bewaker was. Althans, dat beweert iedereen. Grote kans dat er gewoon niemand bij de zaak betrokken wil raken.'

Tessa zuchtte gefrustreerd. 'Er moet toch íémand zijn die het weet.'

'Ik zal blijven rondvragen. Blijf jij maar uit het zicht.'

'Nee, ik ga met je mee.'

Nikos keek haar even aan en liep toen door, alsof hij wel wist dat hij haar niet zou kunnen tegenhouden. Ze kwamen een groep vrouwen met waterkruiken tegen. Nikos keek even naar Tessa en knikte naar de vrouwen. Terwijl Tessa op de vrouwen af liep, bleef hij op een afstandje staan wachten.

Een van de vrouwen keek Tessa met grote ogen aan en fluisterde toen iets tegen de anderen, waarop de hele groep verrast haar kant op keek.

Hoe komt het dat zo veel mensen mijn gezicht kennen?

Op zachte toon vertelde ze de vrouwen naar wie ze op zoek was. 'Ik probeer de stadsleiders te helpen de moordenaar te berechten,' besloot ze haar verhaal. 'Maar daarvoor hebben we eerst een omschrijving van hem nodig.'

Een van de vrouwen, eigenlijk nog een meisje dat vermoedelijk niet lang geleden haar speelgoed aan Artemis had geofferd, leunde wat naar voren. 'Ik was er die morgen bij,' zei ze op vertrouwelijke toon. 'Het was Cadmus die zei dat hij de Jood had gezien die Feodorus had vermoord.'

'Cadmus? Waar kan ik die vinden?'

De jonge vrouw legde haar uit waar hij woonde, waarop Tessa terugkeerde naar Nikos.

'En?'

Ze wees naar links. 'Hij woont in deze straat. Cadmus heet hij.'

Nikos begon meteen in de aangewezen richting te lopen.

'Rustig aan!' zei Tessa en holde om hem bij te houden.

'Ik ben het zat om rustig aan te doen!'

Mooi, eindelijk zit er schot in de zaak.

Ω

Nikos klopte op de eerste deur en vroeg naar Cadmus. De man die opendeed, schudde zijn hoofd en sloot de deur zonder iets te zeggen.

Ze liepen naar het volgende huis en klopten opnieuw aan.

Ditmaal deed een vrouw open. Ze was grof gebouwd en had donkere ogen. Haar haar hing in vette lokken over haar schouders en haar chiton was vuil en gerafeld.

'We zijn op zoek naar Cadmus,' zei Nikos.

'Wat moet je van hem?'

Tessa ging voor Nikos staan. 'Is hij aanwezig?'

De vrouw fronste geërgerd haar gezicht. 'Wie ben jij?'

'Wij zijn door de magistraten gestuurd,' zei Tessa. 'We zijn op zoek naar de Jood die de bewaker heeft vermoord.'

'Ha!' De vrouw lachte als een kraaiende vogel. 'En daar sturen ze een vrouw voor?'

Nikos deed een stap naar voren en hield zijn gezicht vlak voor dat van de vrouw. 'Het gaat u niets aan wie ze hebben gestuurd. Wij moeten Cadmus spreken.'

'Die is er niet. Hij werkt 's nachts.'

'Waar?'

Ze haalde haar schouders op. 'Als jij dat kunt ontdekken, mag je het mij vertellen.'

Ze wilde de deur dichtdoen, maar Nikos duwde er tegenaan en liep het huis binnen. Tessa volgde hem. Het stonk binnen naar kool die te lang had gekookt – Nikos was blij dat ze hier geen maaltijd aangeboden zouden krijgen.

'Cadmus!' riep hij.

'Hij is er niet, dat zeg ik toch!' De vrouw probeerde hem druk gebarend naar buiten te werken.

Er verscheen een donkere gestalte in de gang. 'Wie is daar, vrouw?' De woorden werden lispelend uitgesproken. Toen de spreker uit de schaduw tevoorschijn kwam, bleek hij een vermoeid ogende man van middelbare leeftijd met roodomrande ogen. Zijn haar was grijs gevlekt en zijn pokdalige gezicht verried een ongezonde levensstijl.

Nikos duwde de vrouw opzij. 'Bent u Cadmus?'

Cadmus zette grote ogen op. Hij keek even naar zijn vrouw, draaide zich toen haastig om en verdween de donkere gang in.

Nikos en Tessa volgden hem, maar de man was het huis al uit gevlucht. Ze renden de achterdeur uit en zagen Cadmus het steegje in hollen, de duisternis in.

Nikos liet Tessa al snel achter zich in de steeg. Het leek hem niet verstandig op haar te wachten. *Was ze nu maar gewoon op het plein gebleven*, dacht hij. Haar vastberadenheid om alles zelf te doen, bracht haar alleen maar in gevaar.

De voetstappen van de man die hij achtervolgde, weerklonken van de huizen langs de straten. Nikos ging op het geluid af, dat op zeker moment abrupt stopte. Cadmus had de rand van de wijk bereikt en rende nu in de richting van de Acropolisberg. Nikos holde hem zo hard als hij kon achterna. Buiten het verlichte stadsgebied zou het een stuk moeilijker zijn Cadmus op te sporen.

Op de heuvel ontwaarde hij een vage silhouet. Nikos rende eropaf.

Zijn kuiten prikten van alle inspanningen van deze dag.

Waarom zette je het nu op een rennen, dwaas?

Hij vermoedde dat Cadmus een sleutelrol zou kunnen spelen in het mysterie dat ze onderzochten. Hij moest hem zien te bereiken.

'Cadmus!' schreeuwde Nikos. 'Stop! Ik heb geen kwaad in de zin!'

De silhouet op de heuvel liet zijn snelheid geen moment zakken.

Nikos' oren suisden. Het ritmische gekraak van zijn voeten op het grindpad kreeg iets bezwerends. Hij keek naar de hemel boven de Acropolis, die bezaaid was met sterren.

'Cadmus!'

Volgde Tessa hem nog steeds?

Cadmus bereikte de top van de berg en rende langs de rand. Nikos was dankbaar voor het felle maanlicht waardoor hij zijn prooi in het zicht kon houden.

Toen was Cadmus opeens verdwenen.

Heeft hij zich van die afgrond geworpen? Alleen om een paar vragen te vermijden?

Nikos snelde naar de plek waar Cadmus was verdwenen. De rand van de afgrond lag bezaaid met losse stenen, waar een aantal verloren grashalmen tussen groeiden. Ver beneden sloegen de golven kapot tegen grote rotsblokken, waar een kiezelstrandje achter lag. Nikos kwam slippend tot stilstand en tuurde over de rand.

Zo'n acht voet onder hem zag hij een richel langs de steile rotswand.

Cadmus kent deze heuvel beter dan ik.

Nikos sprong over de rand. Cadmus kon nog geen al te grote voorsprong hebben.

Toen hij de grond raakte, verstuikte hij zijn enkel. Hij stond op en liep hinkelend verder over het paadje op de richel.

Zo te zien kon hij een paar honderd passen over de richel lopen voor die verdween. In de duisternis kon Nikos slecht opmaken hoe breed het pad was, dus liep hij zo voorzichtig mogelijk verder. Het enige geluid kwam van de klotsende golven beneden.

Voor hij er erg in had, gleed zijn voet over de rand. Zijn hele been volgde en Nikos greep angstig om zich heen. Hij klampte zich vast aan de rand, aan plantjes en stengels. Het gewicht van zijn been trok zijn hele lijf mee over de rand. De stengels waar hij zich aan vasthield, hielden stand. Hijgend hing hij in het niets tussen de golven en de sterren.

De stengels sneden in zijn handen. Eén plantje kwam los uit de grond. Nikos zakte een paar voet de afgrond in.

Met samengeknepen handen en bonzend hart trok Nikos zich aan de stengels omhoog.

Nog iets verder, een klein stukje.

Met een kreun hees hij zijn bovenlichaam omhoog. Toen kon hij zijn benen makkelijk over de rand slingeren. Een paar tellen later stond hij weer op zijn voeten. Zijn benen trilden en zijn enkel klopte van de pijn, maar de adrenaline en zijn toenemende woede dreven hem nu voort.

Cadmus was nergens meer te zien. Er moest aan het eind van het pad een manier zijn om boven of beneden te komen.

Nikos verminderde vaart toen hij het eind van de richel had bereikt en keek toen opzij. Een grot.

Cadmus had er vast op gerekend dat Nikos hem niet over de afgrond had zien springen. Hij had zichzelf ingesloten in de grot.

Nikos zette zich schrap. Met zijn vuisten voor zich uit liep hij de grond in.

Links van hem zag hij iets bewegen. Hij draaide zich om. Met het maanlicht achter zich was hij in het nadeel. Cadmus zou hem eerst zien.

Plotseling hoorde hij de man naar hem toe springen. Maar Nikos was erop voorbereid.

Ze stoeiden even, maar al snel had Nikos Cadmus gevloerd. Hij sleepte hem mee naar de opening van de grot en ging op zijn borst zitten. De botten van de oudere man kraakten.

'Waarom rende je weg?'

Cadmus keek Nikos met grote ogen aan en woelde onder zijn gewicht.

'Hou op!' Nikos pinde zijn armen vast op de grond. 'Ik wil je geen pijn doen.'

'Laat me met rust!' Cadmus trapte met zijn knieën tegen Nikos' lijf.

'Ik wil je alleen vragen wat je hebt gezien.'

'Ik heb niks gezien!' Cadmus stribbelde weer tegen. Het maanlicht projecteerde hun schaduwen tegen de wand van de grot.

'Je hebt gezegd dat je hebt gezien dat een Jood de bewaker vermoordde. Wil je zeggen dat dat niet waar is?'

'Ik wil hier niks mee te maken hebben!'

'Waarmee niet?'

De man hield zijn lippen stijf op elkaar. Nikos voelde zijn woede weer toenemen. 'Ik zei dat ik je geen pijn wilde doen,' gromde hij, 'maar ik ben er wel toe in staat. Wie heeft de bewaker vermoord?' Zijn geschreeuw weerklonk in de grot. Hij klemde zijn knieën om Cadmus' dikke middel en verstevigde zijn greep.

'Niemand! Ik heb niks gezien!'

'Waarom zei je dan dat je...'

'Voor het geld. Voor de twintig obolen!'

Nikos ontspande zijn knieën een beetje. 'Iemand heeft je betaald.'

'Verder weet ik niks!'

'Wie?'

Cadmus zei niets. Nikos rammelde hem door elkaar. 'Wie?' Er kwam een griezelige drang bij hem boven om Cadmus ter plekke de zee in te werpen.

'Die enorme Griek! Ik ken hem niet. Hij heeft een kale kop en is zo lang als Apollo. Meer weet ik niet.'

Nikos sprong van de man af, tilde hem op en sleurde hem mee naar de richel buiten de grot. Dreigend duwde hij Cadmus' bovenlijf over de rand.

'Alsjeblieft,' smeekte Cadmus. 'Ik heb je alles verteld wat ik weet. Die grote Griek heeft me twintig obolen betaald om te zeggen dat Feodorus door een Jood werd vermoord. Denk aan mijn vrouw en kinderen!'

Nikos ademde uit en keek de man in de ogen. Tevreden trok hij hem terug naar de vaste grond en liet hem los. 'Wegwezen.'

Cadmus haastte zich de richel over, langs de plek waar hij van de afgrond was gesprongen. Even later zag Nikos zijn silhouet weer boven op de heuvel.

Toen pas dacht hij eraan dat Tessa hen misschien nog steeds achtervolgde. Hij rende achter Cadmus aan en klauterde de heuvel op. Een eind verderop zag hij Cadmus de berg af rennen in de richting van de stad.

En daar zul je haar hebben. Natuurlijk.

Cadmus rende zonder vaart te verminderen langs Tessa. Nikos moest bijna lachen om de uitdrukking op haar gezicht.

'Laat hem maar,' riep Nikos.

Een steek in zijn enkel herinnerde hem eraan dat hij geblesseerd was. Hij liet zichzelf zakken op een grote steen aan de rand van de afgrond. Tessa was snel bij hem.

'Wat heb je met hem gedaan?'

'Dat maakt niet uit.'

'Heb je ontdekt…'

Nikos maakte de enkelbandjes van zijn sandaal los. 'Dezelfde Griek die de geruchten over het water in de Joodse wijk op gang bracht, heeft Cadmus betaald om te liegen over de moord op de bewaker. Waarschijnlijk heeft hij die Feodorus zelf vermoord.'

Tessa sloeg met een vuist op haar bovenbeen. 'Maar we weten nog steeds niet wie die kale Griek is. En we hebben geen bewijs dat Spiro er iets mee te maken heeft.'

Nikos wreef over zijn enkel.

'Laten we gaan,' zei Tessa. 'We zijn al veel te lang weg. We moeten terug naar huis.'

Nikos bleef zitten.

'Kom op, Nikos!'

Hij lachte. 'Je zult even moeten wachten, Tessa de Grote.'

'Wat is er dan?'

'Ik ben zojuist in volle vaart een stad door, een berg op, een afgrond af en een grot in gerend. Ik moet even uitrusten.'

Tessa snoof en plofte naast hem neer op de steen.

'Heel even dan.'

Hij lachte sarcastisch. 'Erg vriendelijk van je.'

Ze keken in stilte uit over het water. De schuimende branding vormde een dunne lijn langs het witte strand, die vooruit en dan weer achteruit bewoog, als de voorste linie van een onzeker leger.

'Het is al laat, Tessa. De stadsleiders liggen al op bed, of gaan misschien nog naar een symposium. Ik denk niet dat we zo'n haast hoeven te hebben.'

Ze sloeg met haar hand op de steen.

Hij zuchtte. 'We zullen dit wel oplossen, Tessa. Maar laten we nu gewoon even hier blijven zitten om van de nacht te genieten.' Hij glimlachte en wees naar de schitterende hemel.

Dit was misschien wel het gevaarlijkste wat ze tot nu toe hadden gedaan, wist Nikos.

$$\Omega$$

De nachtelijke wind speelde met Tessa's haar. Ze had naast Nikos plaatsgenomen, maar overwoog op een andere steen te gaan zitten, of desnoods op de grond. De maan leek haar een vluchtroute te bieden over het water, een verlicht pad dat haar voorbij de donkere horizon zou voeren. Weg van alles.

Nikos masseerde de spieren in zijn kuit. De stilte duurde lang voort, al had ze het idee dat Nikos iets wilde zeggen. Ze vroeg zich af wat hem ervan weerhield.

Uiteindelijk ademde hij diep in en verbrak de stilte. 'Ik wil me verontschuldigen voor wat ik heb gezegd.'

Ze wuifde de opmerking weg. 'Ik begrijp toch dat je moet uitrusten.'

'Nee. Wat ik eerder heb gezegd. Over wat andere mensen over jou beweren. Dat je van marmer bent...'

Tessa haalde haar schouders op. 'Ze hebben gelijk. Ik zit er niet mee.'

Nikos tuurde naar de zee.

'Het is niet waar.'

'Ik zou wel willen dat het waar was.'

'Dat weet ik.'

Ze hoorden de golven beneden tegen de rotsen kletteren. Tessa probeerde een ander onderwerp te bedenken om over te praten.

'Wanneer heb je de hoop opgegeven, Tessa?'

Ze trok een lange grashalm uit de grond naast zich en wikkelde die om haar vinger. 'Zo lang geleden dat ik het me niet meer kan herinneren.'

'Toen je dat deed, hield je op met leven.'

'Ik moest wel.'

Nikos ging op de steen verzitten zodat hij haar kon aankijken. Hij zei niets, maar ze voelde dat hij haar afwachtend aankeek. Toen vertelde ze hem over de lange jaren die waren voorbijgegaan. Over haar moeder. Over de opleiding die ze had gekregen. Over haar leven met Glaucus. Hij luisterde zonder iets te zeggen.

'Weet je hoe het is om te blijven hopen en steeds weer te worden teleurgesteld?'

'Nee,' gaf hij toe. 'Maar ik zou liever leven en teleurgesteld worden dan verstenen.'

'Nou, ik niet! Ik ben liever van steen!'

'Echt waar? Ik krijg anders niet het idee dat het werkt. Hoe hard je het ook probeert, je kunt je gevoel niet uitschakelen.'

Ik doe mijn best. De goden weten dat ik mijn best doe.

'Misschien zou ik dan maar beter dood kunnen zijn.'

'Omdat er geen andere manier bestaat om de pijn te laten ophouden?'

Ze haalde haar schouders op en sloeg haar armen om haar middel. 'Binnenkort verlaat ik Rhodos en dan doet het er allemaal niet meer toe.'

'Denk je dat je weer zult gaan leven zodra je Servia en je meester en dit hele eiland achter je hebt gelaten, Tessa? Denk je dat je dan zomaar de draad weer kunt oppakken?'

'Dat moet je me niet vragen.'

'Het is een belangrijke vraag. Ik wil je helpen, maar ik ben er niet van overtuigd dat een andere omgeving je hart zal veranderen.'

'Wat weet jij van mijn hart?' De woorden kwamen er boos uit, maar wat verlangde ze naar een antwoord op die vraag.

Hij reageerde zachtjes, alsof hij bang was haar te overweldigen. 'Ik weet dat je diep bent gekwetst door iemand, of misschien door veel mensen, en dat je die pijn diep hebt weggestopt. En ik weet dat je doodsbang bent om opnieuw te worden gekwetst. Je gelooft dat iedereen die je ontmoet je zal afwijzen of teleurstellen. En dus vertrouw je niemand en schakel je al je gevoelens uit.'

O, Nikos. Laat me met rust. Laat me met rust.

Hij ging weer verzitten en Tessa had het idee dat hij dichterbij kwam, maar misschien kwam dat alleen doordat het leek alsof hij haar omringde als een zware deken, die haar zou verwarmen of verstikken – ze wist nog niet welke kant het op zou gaan.

Beneden kwam de vloed opzetten. Het gebeuk van de golven werd steeds woester.

'Tessa,' fluisterde hij. 'Als je leeft en durft lief te hebben en vreugde te voelen, loop je altijd het risico gekwetst en teleurgesteld te worden.'

'Dan wil ik niet leven en liefhebben.'

Hij pakte haar hand en vervlocht zijn vingers met die van haar.
'Maar zie je zelf niet in dat jouw filosofie niet werkt?'
Tessa slikte, strijdend tegen het zware gevoel in haar borst.
'De poging om te verstenen werkt niet. In je poging de pijn buiten te sluiten, sluit je ook alle vreugde buiten. Maar de pijn blijft. Je wijst het mooiste wat het leven te bieden heeft af om het ergste te ontwijken, maar toch blijf je ongelukkig.'
Ze sloot haar ogen. *Ik wil niets voelen. Alsjeblieft, hou op.*
'Je bent geen marmeren Athena, bedekt met een dun laagje huid. Eigenlijk ben je precies het tegenovergestelde, Tessa. Een vurige, emotionele vrouw die zich probeert op te sluiten in een laag steen.' Hij kneep in haar hand. 'Dat zal je nooit lukken. En de dood is een uitweg voor lafaards. Je moet leven. En om te leven, moet je risico's nemen. Moet je vertrouwen.'
'Dat kan ik niet,' fluisterde ze. 'Ik weet niet hoe dat moet.'
Zijn vingers waren nog steeds verstrengeld in die van haar. Nikos raakte met zijn vrije hand haar wang aan en draaide haar gezicht naar zich toe. Hij glimlachte. 'Je huid is zo veel warmer dan marmer.'
Tessa nam zijn glimlach, zijn ogen en zijn warmte in zich op en vocht tegen haar angst. Amper verstaanbaar reageerde ze: 'Ik denk dat het marmer op de een of andere manier smelt als jij me aan-raakt, Nikos.'

DRIEËNTWINTIG

Toen de boodschap werd bezorgd, zat Spiro alleen in zijn andron te kijken naar het danseresje dat Ajax hem had gebracht. Ze voerde de ingewikkelde *emmeleia* uit, begeleid door een jongen die in de hoek van de kamer een droevige melodie speelde op een fluit. Met zijn houten schoenen gaf hij een langzaam ritme aan op de grond.

Het was een lange dag geweest. Spiro was de stad af gereisd om verschillende leden van de Raad en de Vergadering voor zich te winnen. Het tij leek in zijn voordeel te keren. Nu het bijna nacht was, stond hij zichzelf toe een uurtje te genieten van dit visuele vermaak en een kom wijn.

De muziek van de jongen versnelde en het meisje paste haar danspassen aan. Ze liet haar hoofd heen en weer schommelen, waarbij haar lange haar voor haar gezicht viel.

Spiro keek gehypnotiseerd toe, naar haar haren, haar lichaam, haar delicate vingers.

Ik moet zelf ook een hetaere hebben.

Nee, hij moest geduldig zijn. Er was nog veel te doen. Hoewel hij al veel steun had geregeld, waren er nog vier strategoi die hem in de weg stonden. Hij had twijfels bij hen aangewakkerd, maar hun standpunt was voorlopig nog niet gewijzigd.

Kun je jezelf bewijzen aan je vader?

Ze moesten worden weggewerkt – Hermes, Glaucus, Philo, Bemus. Zodra hij van deze vier af was, zou Rhodos zich bij de Achaeïsche Bond voegen en zou zijn macht danig toenemen.

En dan: Tessa.

Er verscheen een beeld van haar in zijn gedachten – een godin die voor het grijpen lag.

Ajax kwam op blote voeten de kamer binnenlopen. Spiro had een vermoeden dat hij geen goed nieuws kwam brengen. De slaaf kwam voor de bank staan waar Spiro op lag en boog zijn hoofd.

'Wat is er gebeurd?'

'Er is nieuws uit de Joodse wijk.'

'Nog meer geweld?'

Ajax schudde zijn hoofd. 'Er is een held opgestaan.'

Spiro ging zitten. 'Een held?' Hij knipte in zijn vingers naar de danseres en de jongen. De muziek hield onmiddellijk op en de twee slopen de kamer uit.

Ajax rechtte zijn rug. 'Er was iemand die vragen stelde in de wijk. Vanmorgen is deze persoon het aquaduct wezen inspecteren. Toen hij later op de dag terugkeerde, liet hij weten dat hij de versperring had verwijderd. Inmiddels stroomt het water weer.'

Spiro sloeg met een vuist op de tafel naast hem, waardoor de kom wijn omviel. 'Wie is die Jood?'

Ajax keek vol afkeer uit zijn ogen. 'Het is geen Jood.'

'Wat? Welke buitenstaander zou zich nu met het Joodse probleem bemoeien?'

'Ik heb vernomen dat het om een Griek gaat die Nikos heet. Een knecht uit het huis van Glaucus.'

'Glaucus!' Spiro kwam met een ruk overeind. De kussens op de bank rolden op de grond. 'Wat... waarom zou hij...?'

'Er was ook een vrouw bij deze knecht.'

Spiro keek Ajax met samengeknepen ogen aan. 'Toch niet...'

De kale reus knikte. 'Tessa.'

Spiro gromde en gooide een kussen door de kamer.

Die vrouw kom ik overal tegen.

Ondanks zijn woede kon hij een gevoel van bewondering niet onderdrukken.

Dit is een vrouw die de goden waardig is.

'Is dat alles?'

'De Joden eren deze Nikos als een held. Hij heeft hun verteld dat het waterprobleem niet aan de magistraten te wijten was, maar aan iemand die de leiding bewust heeft gesaboteerd om geweld uit te lokken. De sfeer in de wijk is omgeslagen.'

Spiro wierp zichzelf op de bank. 'Zijn de Joden gek geworden? Roepen ze een Griekse slaaf uit tot held?' Hij keek Ajax bars aan. 'Heeft deze knecht een verantwoordelijke aangewezen?'

'Hij lijkt niet te weten wie er verantwoordelijk is.'

'Dan moeten wij ervoor zorgen dat hij geen vragen meer stelt voor het te laat is.'

'Zeg maar wat ik moet doen, dan komt het voor elkaar.'

Spiro ging weer rechtop zitten. 'Je bent een trouwe dienaar, Ajax. Maar nee. Je hebt al genoeg aandacht getrokken. Ik moet iemand vinden die niemand aan mij zou kunnen koppelen.' Hij ging staan. 'Kom. We gaan naar het gymnasium.'

Ω

Spiro legde de nachtelijke wandeling naar de Acropolis zwijgend af. Hij kon alleen maar denken aan de mogelijke verwoesting van al het werk dat hij had verricht.

Ik zal niet falen, vader. U zult het zien. Ooit zal ik over dit eiland regeren.

Hij liep het gymnasium vanaf de noordelijke kant binnen. Zelfs op dit late tijdstip waren er nog veel mannen en jongens bezig met lichamelijke oefeningen. Het open veld en de overdekte renbaan ernaast werden van alle kanten verlicht door fakkels.

Naast de baan lagen de badkamers en ruimten waarin men kon worden schoongemaakt en gemasseerd met olie, en ook een aantal collegeruimten om de Griekse liefde voor de combinatie van fysieke en intellectuele oefening te bevredigen. Overdag spraken daar de grootste Griekse denkers over filosofie en literatuur, over muziek, wiskunde en wetenschap.

Maar Spiro kwam hier niet om naar intellectuelen te luisteren.

Hij liep het open veld op, gevolgd door Ajax, en ging zo staan dat hij een goed zicht had op de worstelaars. Die oefenden in groepjes van twee. Naakt gingen ze elkaar te lijf, tot de een de ander had gevloerd. Spiro speurde het veld af. De geoliede lichamen weerspiegelden het licht van de fakkels. Er waren zeven partijen aan de gang en hij liet zijn blik even rusten op ieder stel. Een voor een werden er deelnemers gevloerd. Uiteindelijk vond Spiro waar hij naar zocht.

Hij liep op een van de winnaars af, een man die ouder leek dan achttien en zijn militaire opleiding dus zou hebben afgerond. Hij had bijzonder venijnige tactieken in de strijd gebruikt. Zijn tegenstander droop af naar een badkamer.

Spiro klapte driemaal in zijn handen om zijn waardering voor de overwinning te uiten. De worstelaar knikte in erkenning. Zijn gevlochten baard hing tot op zijn borst, en van zijn schouder tot zijn buik liep een groot litteken.

'Je strijdt vaardig,' zei Spiro, 'maar je gaat erg bruut tekeer.'

De man lachte met een korte blaf. 'Soms is dat nodig.'

Spiro trok een wenkbrauw op. 'Daar ben ik het helemaal mee eens.' Hij wierp een blik op de andere worstelaars, die inmiddels andere tegenstanders hadden uitgekozen. 'Hoe heet je?'

'Calisto.'

'Weet je wie ik ben, Calisto?'

De worstelaar haalde zijn schouders op. 'De wereld buiten het gymnasium boeit me niet zo.'

Spiro knikte. 'Boeit geld je wel?'

Hij blafte weer. 'Ik ga voor de hoofdprijs.'

'Ik kan je ook een prijs bieden, waar je slechts één keer voor hoeft te presteren.'

Spiro keerde zich om en liep naar de renbaan, waar hij minder zou opvallen. Hij wist dat Calisto hem zou volgen; hij had hebzucht in zijn ogen herkend. Ajax volgde van een afstandje.

Spiro stapte de schaduw in. Toen hij zich omkeerde, trof hij de worstelaar naast zich aan. Calisto had intussen een kleed uit een mand gepakt en dat om zichzelf heen gewikkeld.

'Over wat voor prestatie heeft u het?' vroeg hij.

'Je hoeft alleen je talent in te zetten. Ik zal je een tegenstander aanwijzen, die je meer dan alleen vermoeide spieren moet bezorgen.'

Calisto wierp een blik op Ajax. 'Waarom ik?'

'Er is een zekere… anonimiteit voor nodig,' zei Spiro. Hij keek de man in de ogen en vroeg zich af hoe ver hij zou moeten gaan om hem over te halen. 'Ben je militair geschoold?'

Calisto knikte en stak zijn borst een stukje naar voren.

'Dan kun je meer dan alleen worstelen.'

'Ik kan een man in minder dan een minuut doden.'

Spiro lachte. 'Dan heb ik goed gekozen.' Hij boog zich naar hem toe en fluisterde: 'Tachtig drachmen.'

Calisto's mond viel een stukje open.

'Akkoord?' vroeg Spiro.

'Akkoord.'

Spiro trok zich verder terug de schaduw in en fluisterde zijn nieuwe bruut alle details toe die hij nodig zou hebben om de knecht Nikos te vinden en uit te schakelen.

Ω

Nikos had een vergissing gemaakt, dat wist hij. Hij was te ver gegaan in zijn poging Tessa de waarheid onder ogen te laten zien. Terwijl de ossenwagen over de stenen hobbelde, bleef Tessa zwijgend voor zich uit staren. Ze had haar lippen op elkaar geperst en reageerde nergens op. Hij begon haar gezichtsuitdrukking te herkennen, ook al kon hij niet precies begrijpen waar die vandaan kwam.

Zelf had Nikos ook geen gemakkelijk leven geleid voordat zijn vader hem had erkend en in de familie had opgenomen, maar hij had nooit iets meegemaakt dat zijn hart zo had geraakt als bij Tessa het geval was.

De gedachte aan zijn vaders vrijgevigheid maakte hem nerveus. Nikos had de opdracht die zijn vader hem had gegeven nog niet volbracht. De hulp die hij aan Tessa bood, zorgde alleen maar voor afleiding.

De maan stond hoog aan de hemel en wierp lange schaduwen vóór hen. Nikos klakte nog eens met zijn tong om de os sneller te laten lopen. Hij wilde Tessa vlug thuisbrengen. Haar ongemak was voelbaar. Toen het huis eindelijk in zicht kwam, hoorde hij haar opgelucht zuchten.

'Zo te zien, is het stil in huis,' zei hij met een blik op haar strakke gezicht.

Voor de trap aan de voorkant van het huis trok Nikos aan de teugels. Hij sprong van de wagen, bood haar zoals gebruikelijk zijn hand aan en was verbaasd toen ze die aannam. Ze keek echter niet naar hem, maar naar het huis.

'Er brandt nog licht,' zei Tessa.

Toen ze eenmaal op straat stond, bleef Nikos haar hand nog even vasthouden. 'Misschien heeft Simeon een fakkel voor je laten branden.'

Tessa haalde diep adem. 'Ik wou wel dat we terug konden naar de Joodse wijk.'

Nikos kneep in haar hand en liet die toen los. 'Daar heerste iets, hè?'

Tessa keek hem vragend aan, maar hij zei verder niets.

Achter Tessa zag Nikos iets wits flitsen in de duisternis. Hij trok haar opzij en ging voor haar staan. Er kwam een slaaf naar hem toe lopen, een jongetje nog maar.

'Wat doe jij op dit uur nog op straat?'

De jongen trok een ernstig gezicht. 'Ik heb een boodschap.'

Tessa kwam naast Nikos staan. 'Wat voor boodschap?'

'Die mag ik alleen aan de bediende Nikos geven.'

Nikos keek de jongen nieuwsgierig aan.

'Tessa, ga maar naar bed. Ik zal dit wel afhandelen.'

Ze bleef hem even aankijken met een mengeling van nieuwsgierigheid en argwaan in haar blik. Toen keerde ze zich om, trok de zoom van haar chiton een stukje op en liep de trap op.

Nikos richtte zich tot de jongen. 'Nou, wat voor boodschap heb je?'

'Hij is afkomstig van uw vader.'

Nikos tuurde even naar de voordeur van het huis van Glaucus, maar Tessa was al binnen.

'Uw vader is hier. In Rhodos.'

Nikos keerde zich om en pakte de teugels van de os beet. *Nu al?*

'Hij verzoekt u hem onmiddellijk te ontmoeten in het bouleuterion.'

'Op dit uur?'

'Ik wacht al sinds zonsondergang op u. Hij zei dat ik niet mocht terugkeren voor ik u gevonden had, en dat ik u ongeacht het tijdstip moest vragen mee te komen. Hij wacht al lang op u.'

En hij is ongetwijfeld niet blij.

'Hij wil graag dat zijn aanwezigheid nog even geheim blijft. Hij wil dat u alleen meegaat en niemand vertelt waar u naartoe gaat.'

Nikos moest bijna glimlachen. Dat was typisch zijn vader. Die was altijd op zijn hoede voor het mes dat een van de duizenden aspirerende leiders hem in de rug zou kunnen steken.

'Ik moet even voor de os zorgen,' zei hij. 'Dan kom ik eraan.'

De jongen haalde zijn schouders op. 'Hij lijkt me geen geduldige man. Maar ik zal hem zeggen dat u eraan komt.'

Nikos knikte en de jongen verdween de nacht weer in.

Nikos klom weer op de wagen en leidde de os via de steeg naar de stal die aan de woning grensde. Diep in gedachten verzonken bracht Nikos het dier naar zijn stal en de wagen naar de schuur.

Het is te vroeg. Hij had nog niet moeten komen.

Waarom heeft hij me niet de tijd gegund om te achterhalen wat hij wilde weten?

Toen Nikos de schuur verliet, dacht hij dat hij iets zag bewegen in de steeg. Hij bleef even staan wachten, maar er verscheen niemand. Om niet op te vallen, sloop hij via stegen en achterstraten naar het centrum van de stad. Op de agora hield het leven nooit helemaal op, maar het bouleuterion zou op dit tijdstip verlaten zijn. Toch verbaasde het Nikos niets dat zijn vader zelfs voor een geheime ontmoeting met zijn zoon het machtscentrum van de stad als locatie had gekozen.

Het maanlicht drong niet door tot de smalle steegjes waardoor hij liep. *Had ik maar een fakkel meegenomen*, dacht Nikos. Meer dan eens had hij het onaangename gevoel dat hij werd achtervolgd.

De stilte op straat werd verbroken door een dreigend gegrom. Nikos vertraagde zijn pas en keek behoedzaam voor zich uit. Een stukje verderop liepen twee honden, magere beesten met een schurftige vacht, om elkaar heen te cirkelen.

Dat is mijn strijd niet.

Nikos stak de straat over en passeerde de beesten van een veilige afstand. Tussen de honden in lag een restje van iemands maaltijd, een bot waar nog stukken vlees aan kleefden. Er klonk een laag gerommel uit de maag van een van de honden, die vervolgens op het bot afsprong. De andere hond was niet van plan het maal zo gemakkelijk te laten gaan en sprong boven op het andere beest. Nikos ving nog net een blik van zijn gele tanden op voor die zich in de hals van zijn tegenstander vastbeten. Hij liep snel verder.

Toen hij de agora bijna had bereikt, hoorde hij opnieuw voetstappen achter zich. Ditmaal wist hij zeker dat hij zich niets inbeeldde. Hij werd gevolgd.

Hij dook een zijstraatje in, vond een portiekje en bleef daarin wachten. Zijn achtervolger liep met een lichte pas, om onopgemerkt te blijven misschien. De voetstappen stopten een poosje en werden toen weifelend hervat.

Kom op, nog iets verder.

Nikos luisterde naar de voetstappen en bereidde zich voor om toe te slaan.

Nu!

Hij sprong met uitgestrekte armen de portiek uit, greep zijn achtervolger en drukte die tegen zich aan.

Het was een opvallend tengere gestalte, die hem overweldigde met een doordringend zoet parfum.

'Persephone!'

Het meisje verloor meteen alle angst en ze leunde achterover tegen zijn borst.

Nikos draaide haar met een ruk om en hield haar een armlengte van zich af.

'Wat doe jij hier, in Zeus' naam?'

Ze keek met een pruilmondje naar hem op, ontsteld door zijn boze toon. Ze deed haar mond open om iets te zeggen, maar bevroor toen. Zelfs in het donker kon Nikos haar ogen groot zien worden van angst.

'Nikos!' riep ze met een blik over zijn schouder.

Hij had niet eens meer tijd om zich om te draaien.

Een gespierde, geoliede arm gleed om zijn nek en trok hem hardhandig naar achteren.

VIERENTWINTIG

Na de lange, zwijgzame rit met Nikos vanaf de Acropolisberg, was Tessa opgelucht om alleen te zijn. Wat werkte die man haar op de zenuwen.

Er brandde nog een enkele fakkel op het binnenplein. In gedachten bedankte Tessa Simeon voor zijn attentheid. Vanuit de hal stapte ze het plein op om naar de kamer van Glaucus te gaan, waar hopelijk niemand was geweest sinds haar vertrek.

Toen ze het plein voor de helft was overgestoken, zag ze iets bewegen in de schaduw.

'Tessa.'

Ze schrok. 'Wie is daar?'

Er verscheen een gezicht in het schijnsel van de fakkel, waar het vuur dansende schaduwen op wierp.

'Hermes.' Tessa slikte. 'Wat doe jij hier in de duisternis?'

Hij bleef op een afstandje staan, maar hief een bokaal naar haar op en glimlachte geamuseerd. 'Goedenavond, Tessa.'

'Het is al laat, Hermes. Als je me wilt excuseren...'

'Het is inderdaad laat. Erg laat om nog op pad te zijn terwijl Glaucus zo ziek op bed ligt dat hij zelfs niet in staat is om te spreken.'

Tessa streek een haarlok naar achteren en staarde hem aan. 'Is er een aanleiding voor je bezoek, Hermes, of had je gewoon behoefte aan een beker drinkbare wijn?'

Hermes glimlachte weer. Hij liet de drank even draaien in zijn beker, sloeg die achterover en hief de beker opnieuw naar Tessa. Hij sprak op een lage, verleidelijke toon: 'Glaucus heeft altijd de lekkerste wijn gehad.'

Ik ben te moe voor dit soort spelletjes.

'Wat wil je, Hermes?'

De fakkel siste en danste naast hem. Binnen de radius van het licht leken zij de enige mensen die deze nacht nog op waren. Zelfs Myna leek te slapen in haar kooi. Hermes trok een schouder op. 'Gewoon even wat tijd doorbrengen met de geweldige Tessa. Net als bepaalde andere mannen.'

'Ik moet gaan kijken of Glaucus me nodig heeft.'

'Ik heb zomaar het idee dat hij je niet heeft gemist.'

Tessa moest haar best doen om haar gezicht in de plooi te houden.

'Kom, Tessa,' zei Hermes. 'Kom even bij me zitten.' Hij verdween uit het licht van de fakkel. Vaag kon Tessa hem een amfora zien pakken om zijn beker bij te vullen. Toen draaide hij zich weer naar haar toe.

Haar voeten leken aan de tegels van het plein genageld.

Hermes slenterde naar het stenen bankje en ging rustig aan een kant zitten. Hij hield de beker omhoog en klopte op de zitplaats naast hem.

'Hermes, ik heb geen tijd om…'

'Je lijkt anders alle tijd te hebben om door de stad rond te trekken.'

'Ik moest een aantal zaken regelen voor Glaucus.' Tessa bleef op een afstand staan.

De ironische glimlach verliet Hermes' gezicht geen moment. 'Natuurlijk.' Hij klopte opnieuw op de bank. 'Dat moest je de afgelopen dagen opvallend vaak, geloof ik. En op tijden dat je eigenlijk op bed zou moeten liggen.'

Tessa ademde in en rechtte haar rug. 'Hermes, als je iets te zeggen hebt, doe dat dan alsjeblieft.'

Hermes spreidde zijn arm uit over de rugleuning van de bank. 'We voeren toch gewoon een aangenaam gesprek, Tessa? Vind je het niet fijn om de avond met me door te brengen?'

Ik heb hier genoeg van. Ze liep langs hem in de richting van de hal achter in het huis.

'Of breng je de avond liever door met je nieuwe knecht?'

Ze bleef staan. 'Hij is mijn knecht niet. Glaucus heeft hem aangenomen.'

'Natuurlijk.'

Ze waagde het Hermes even aan te kijken. De uitdrukking op zijn gezicht was grimmiger geworden.

'Kom zitten, Tessa.'

Ze keerde terug naar de bank en ging voorzichtig op de rand zitten, met een kaarsrechte rug. Met haar vingers wreef ze over het ruwe steen onder de zitting.

Wat hij ook vermoedt, ik ben in staat hem zo te manipuleren dat hij er niet meer over zal beginnen. Ik kan ze altijd laten doen wat ik wil.

Ze leunde achterover en glimlachte. 'Hermes, je lijkt wel jaloers. Wat zou Glaucus daar wel niet van zeggen?'

Hij lachte en wierp haar een priemende blik toe. 'Inderdaad. Wat zou Glaucus daarvan zeggen?'

Hij weet het. Alle goden, hij weet het.

'Wat wil je, Hermes?'

Hij leunde tegen haar aan. 'Ik kwam natuurlijk langs om Glaucus te spreken.'

Ze schoof een stukje opzij.

'Die oude Jood hield vol dat dat niet mogelijk was. Dus wachtte ik op de vrouw die werkelijk de macht bezit.'

'Je vleit me, Hermes. Maar ik kan Glaucus ook niet overhalen jou te ontmoeten. Hij is een trotse man, zoals je weet.'

'Hmmm.' Hermes nam een slok van zijn wijn en bood Tessa de beker aan. Ze schudde haar hoofd.

Hij kwam weer dichterbij zitten, legde zijn arm om haar schouder en hield de beker voor haar lippen. 'Drink toch wat met me, Tessa. Je hebt nog nooit een beker met Hermes gedeeld.' Hij zette de bokaal dwingend aan haar lippen.

Ze duwde hem opzij en ging staan.

'Je gedraagt je wat al te vrij, Hermes. Glaucus zou hier niet van gediend zijn. Goede nacht.'

Ze draaide abrupt om en haastte zich naar de hal.

Maar Hermes was haar te snel af. Hij greep haar bij haar pols en draaide haar naar zich toe. Hij kwam dicht bij haar staan en fluisterde in haar oor. Ze rook de drank in zijn adem en dacht even dat ze een vleugje opving van de rottende kuil waarin zij en Nikos Glaucus' lichaam hadden geworpen.

'Laten we eens gaan kijken wat Glaucus ervan vindt, goed, Tessa? Wat zou hij vinden van al je nachtelijke reisjes buiten de stadsgrenzen met zijn nieuwe knecht? En van het feit dat je permanent zijn huis bent ingetrokken? En hoe zou hij het vinden dat zijn knecht en zijn hetaere door de Joden worden vereerd als helden?'

'Hermes, ik...'

Hij greep haar pols nog steviger vast en gromde in haar oor. 'Geen spelletjes meer, Tessa. Ik wil Glaucus zien. En wel nu.'

Ω

De geoliede arm om Nikos' nek verstikte hem. Hij boorde zijn vingers in het gladde vlees. Met krakende stem wist hij nog een enkele zin uit te spreken.

'Persephone, ga weg!'

Het meisje deed een stap achteruit, maar kwam verder niet in beweging.

Nikos sloeg woest met zijn armen naar achteren, richtend op het hoofd van zijn belager.

Hij is hierin geoefend.

Nikos wist dat hij weinig kans had om te ontsnappen. Maar hij moest Persephone in veiligheid zien te brengen. Hij zette zich schrap en drukte al zijn gewicht naar achteren. De worstelaar behield zijn evenwicht, maar deed wel een paar wankele stappen naar achteren, wat in ieder geval de afstand tot Persephone vergrootte. Nikos kneep opnieuw met alle kracht die hij kon opbrengen in de arm. De geur van de olie maakte hem duizelig.

Hij probeerde het meisje met zijn ogen te bereiken. Maar opeens vertroebelde zijn blik. Er flitste een rood licht achter zijn ogen. Een moment later zat hij op zijn knieën op straat. Zijn nek was losgelaten. Hij hapte wanhopig naar adem en deed zijn ogen open.

Er keek een man op hem neer. Hij droeg eenvoudige kleren, maar had een kunstig gevlochten baard. Het volgende wat Nikos zag, was de punt van een sandaal die in zijn ribben werd geschopt.

Hij klapte voorover en greep naar zijn buik. Door de pijn heen hoorde hij een hoge gil.

Weer een schop. En toen nog een gil. Vanuit zijn ooghoek ving hij vage bewegingen op.

Nikos probeerde te blijven ademen en zijn ogen open te houden. Hij zag nu dat Persephone op de rug van zijn belager was gesprongen en gillend met haar vuisten in zijn nek sloeg.

Nikos strompelde overeind en kroop naar de man toe.

De worstelaar greep naar het hoofd van Persephone. 'Ga van me af, jankende kat!' Hij groef met zijn handen in haar haren en rukte haar ten slotte van zich af. Met een bons kwam ze op straat neer, naast Nikos.

Nikos greep haar bij de hand. 'Ren weg, kind,' fluisterde hij.

'Hij zal je vermoorden!'

De worstelaar sloeg zijn dikke armen om Persephones middel heen. Hij tilde haar op alsof ze een zak graan was en smeet haar opzij. Ze kwam met haar schouder tegen de muur terecht en rolde gillend het voetpad op. De man lachte, blaffend als een hond, en wees naar Persephone. 'Met jou reken ik zo meteen wel af.'

Nikos krabbelde met moeite overeind.

De worstelaar kwam voor hem staan.

'Wat wil je?' hijgde Nikos. 'Je mag al het geld hebben dat ik bij me heb.'

Zijn geblaf weerklonk door de verlaten straat.

'Ik ben al rijkelijk betaald.'

Zijn voeten bewogen zo snel dat Nikos geen tijd had zich voor te bereiden. De man stompte Nikos pal in het gezicht. Hij viel achterover van de schok. Met een plons viel hij in de goot en hij proefde bloed in zijn mond.

Nog een schop. En nog een. Toen trok de man hem aan zijn kleed omhoog en stompte hem opnieuw in zijn gezicht. Nikos belandde weer op straat, nu met zijn gezicht naar beneden gekeerd. Het bloed in zijn mond mengde zich met het water uit de goot.

De worstelaar knielde en boog zich over hem heen. 'Dit is een boodschap,' fluisterde hij in Nikos' oor. 'De volgende keer zul je het niet overleven.'

Nikos wist dat hij op moest letten en deed zijn best bij bewustzijn te blijven.

'Blijf uit de buurt van de Joden. Speel geen held meer.'

Nog een klap achter op zijn hoofd. 'Begrepen?'

Nikos spuugde bloed uit zijn mond. 'Kruip terug naar je gymnasium.' Hij voegde er een scheldwoord aan toe dat Persephone hopelijk niet opving.

De worstelaar reageerde met een laatste stomp, nu op zijn rug. Nikos bleef roerloos liggen. De man blafte weer en draaide zich om naar de muur waar Persephone onderuitgezakt tegenaan lag.

'En dan nu die jankende poes.'

Nikos concentreerde zich op zijn ademhaling.

Het meisje heeft je nodig.

De aanvaller stond met zijn rug naar Nikos toe gekeerd. 'Persephone,' zei hij. 'Zoals de dochter van Zeus. Laten we eens kijken of je net zo zoet bent als Hades je naamgenoot vond.'

Nikos ging op zijn knieën zitten.

Ik heb maar één kans.

Hij speurde de straat af naar een mogelijk wapen. Maar op de harde modder en het smalle voetpad lag niets bruikbaars.

Hij maakte de riem om zijn middel los.

De worstelaar had Persephone van de straat opgetild en tegen de muur aan geduwd. Ze sloeg wild om zich heen, maar haar handen stuiterden van zijn armen als regendruppels van een marmeren vloer.

Nikos wikkelde de uiteinden van zijn riem om zijn beide handen. Het leer sneed in zijn huid terwijl het de riem strak trok.

Zijn ribben, zijn rug, alles deed pijn.

De worstelaar duwde zichzelf tegen Persephone aan.

Ze gilde.

Nikos strompelde vooruit met het leren koord gestrekt tussen zijn handen.

Hij stormde op de man af, zwiepte de riem over zijn hoofd en om zijn nek, en trok met alle kracht die hij nog kon opbrengen.

De worstelaar wankelde achterover tegen hem aan en liet Persephone los.

Ditmaal zette het meisje het wel op een rennen.

De vechter probeerde zijn vingers om het leer heen te krijgen, maar Nikos trok zo hard als hij kon. Hij had nog nooit iemand vermoord. Dat wilde hij graag zo houden. De twee dansten samen een tijd over straat. Nikos voelde zijn kracht afnemen.

Toen zakte de worstelaar in elkaar. Hij trok Nikos mee naar de grond. Die krabbelde snel omhoog en haalde zijn riem van zijn rood aangelopen nek.

'Nikos, gaat het?'

Het meisje was terug.

Met zijn riem in de hand pakte Nikos Persephone bij haar pols.

'Kom mee, kind!'

Ze renden samen door de straten. Zijn belager wist wie hij was en zou hem waarschijnlijk zo weer kunnen vinden. Nikos kon alleen maar hopen dat de boodschap nu was afgeleverd en dat een volgende aanval niet nodig zou zijn.

Hij bracht Persephone naar de achterkant van het huis, om niemand te wekken en geen onnodige aandacht te trekken.

De slaaf die eerder was verschenen, stond weer op hem te wachten.

'Uw vader wordt ongeduldig!' zei hij.

Nikos had zich afgevraagd of de boodschap een list was geweest. Blijkbaar niet. Hij stuurde de jongen weg en richtte zich tot Persephone. 'Ga naar je bed!' zei hij, woedend om de opgelopen vertraging.

'Nikos, wacht!' Persephone pakte zijn arm vast.

Pas op dat moment vroeg hij zich voor het eerst af waarom ze hem eigenlijk was gevolgd.

'Nikos, ik wilde je spreken!' Er liepen tranen over haar wangen.

'Waarom volgde je mij?'

Ze liet haar ogen zakken. 'Nikos, ik wilde... ik wil je vertellen...'

'Nou, zeg op.'

Persephone keek hem smekend aan. 'Nikos, nu mijn vader dood is en mijn moeder... mijn moeder niet...' Ze kneep nog steviger in zijn arm. 'Ik ben beloofd aan een man met wie ik niet wil trouwen.'

Nikos zuchtte. 'Persephone, ik kan daar niet...'

'Maar nu is er niemand meer die mij kan dwingen met hem te trouwen!' Ze lachte door haar tranen heen. 'Ik wil hier weg. Ik wil met Tessa mee. En ik wil dat jij met mij meegaat.'

'Dat ik met jou meega?'

'Ik wil met *jou* trouwen, Nikos. Niet met die vreselijke...'

Nikos trok de vingers van het meisje van zijn arm. 'Persephone.' Hij probeerde vriendelijk te glimlachen. 'Ik ben een knecht...'

'Dat kan me niks schelen!'

'Persephone, het kan niet.'

'Waarom niet?' Er welden nieuwe tranen op in haar ogen. 'Wat is er mis met mij?'

Hij raakte zachtjes haar gezicht aan. 'Ga naar bed, Persephone. Ik word ergens verwacht. We zullen het er later nog wel eens over hebben.'

'Nikos...'

'Ga nu, kind.'

Ze reageerde met een trotse blik op dat woord. Ze deed een stap achteruit, veegde de tranen van haar wangen en stak haar kin naar voren. 'Was ik nog maar een kind, Nikos. Dat zou alles veel makkelijker maken. Maar we weten allebei dat ik binnen een jaar zou zijn getrouwd als mijn vader nog leefde.'

'Het is gewoon onmogelijk, Persephone.'

Ze draaide zich snel om en beende naar het huis. Nikos keek haar na. Zijn status als knecht was natuurlijk niet de belangrijkste reden waarom ze niet samen konden zijn. Er was een ander probleem – een probleem waarbij klassenverschillen wél een rol zouden spelen. Maar hij had nu geen tijd om daaraan te denken.

Zijn vader wachtte hem op in het bouleuterion.

Hij verwachtte informatie die Nikos hem niet kon geven.

VIJFENTWINTIG

Tessa duwde tegen Hermes aan met de wanhoop van een drenkeling die zich aan een twijgje vasthoudt. 'Alsjeblieft, Hermes.' De angst die ze had onderdrukt sinds Glaucus op het plein dood neer was gevallen, overspoelde haar nu. Ze kon amper nog iets uit haar mond krijgen. 'Alsjeblieft.'

Hermes duwde haar opzij. Hij liep weer naar het plein en keerde even later terug met de fakkel in zijn hand. Het flikkerende vuur wierp grimmige schaduwen voor zijn ogen. 'Ga opzij, Tessa,' bromde hij.

Ze schrokken beiden op van een geluid achter hen. De achterdeur ging open en er kwam iemand snikkend het huis binnen strompelen.

Persephone leek even verbaasd om hen te zien als andersom. Met grote ogen ging ze rechtop staan. Ze wikkelde haar vuile chiton strak om zich heen.

Tessa vergat haar eigen hachelijke situatie even. 'Persephone! Wat is er gebeurd?'

Het meisje snoof en veegde met de achterkant van haar hand langs haar wangen. 'Niks. Ik had alleen wat frisse lucht nodig.' Ze probeerde zich langs Tessa te wurmen en keek toen schichtig naar Hermes. 'Wat doet hij hier?'

Hermes grijnsde. 'Ik kom je vader bezoeken, liefje.'

Persephone deed een stap achteruit en keek naar Tessa.

'Aha,' zei Hermes tegen Tessa, 'ik zie dat je bondgenoten hebt in dit huis.'

'Persephone, wil je ons alleen laten?' zei Tessa. Ze wenkte met haar hoofd naar het plein en keek haar fronsend aan. *Waarom komt ze zo laat binnen, huilend en met besmeurde kleren aan?* 'Toe, schiet op.'

Het meisje balde haar vuisten. 'Ik ben geen kind. Behandel me niet als een kind!'

Hermes lachte zachtjes. 'Inderdaad. Het lijkt erop dat het meisje een vrouw is geworden.'

Persephone trok opeens wit weg. Met hangende schouders keek ze naar de vloer. 'Je hebt gelijk, Tessa. Ik ga naar bed. Het spijt me dat ik je heb lastiggevallen.'

Tessa staarde haar verbaasd na terwijl ze wegsloop en keek toen naar Hermes.

Wat is hier aan de hand?

Hermes keek Persephone ook na en richtte zich toen glimlachend tot Tessa. 'Ik heb lang op deze dag gewacht.'

Tessa fronste.

'Jij weet van niets, hè, Tessa?' lachte Hermes. 'Glaucus heeft jou blijkbaar niet van al zijn geheimen op de hoogte gebracht. Persephone is al jaren geleden aan mij beloofd. Ik heb alleen gewacht tot ze een vrouw zou worden.' Hij glimlachte weer. 'Blijkbaar is het wachten nu voorbij.'

Tot haar eigen verrassing welden er tranen op in Tessa's ogen. In Persephone had ze zichzelf herkend. En nu zou de cyclus worden voortgezet. Persephone zou de vrijheid van haar kindertijd verliezen en aan deze walgelijke man worden gegeven.

Hermes kwam dicht bij haar staan en wierp haar een sombere blik toe. 'Huil je om het meisje, Tessa? Ben ik zo'n monster?'

Ze knipperde met haar ogen tegen de tranen.

'Nou, jouw mening doet er niet toe.' Hij wees met de fakkel naar de deur van Glaucus' kamer en trok zijn wenkbrauwen op. 'Alleen de mening van Glaucus doet ertoe, nietwaar? Laten we met hem gaan praten.'

Hermes duwde haar opzij en liep met stevige passen door. Hij rukte het gordijn opzij en liet de fakkel de kamer in schijnen. Met lood in de schoenen volgde Tessa hem.

Hermes zwaaide met de fakkel door de kamer. Het licht danste over de meubels, de vloer, de stapel dekens op het bed, die een liggende man moest voorstellen. Hermes keek Tessa even aan, alsof hij onder de indruk was van haar sluwheid, maar liep toen in drie grote stappen naar het bed en trok de bovenste deken van de stapel.

Zo eindigt het dus.

Hermes begon te lachen, eerst zachtjes, maar al snel nam het geluid toe tot een gekakel dat Tessa de stuipen op het lijf joeg.

'Hoe heb je het gedaan, Tessa? Hoe heb je hem vermoord?'

Ze keek wanhopig de andere kant op. Nu de hele schertsvertoning voorbij was, verbaasde ze zich erover hoe snel ze alweer dacht aan het mes dat ze aan de voeten van Helios had laten liggen. Blijkbaar was die gedachte al die tijd ergens in haar hoofd blijven sluimeren.

'Heeft hij geleden?' Hermes legde de deken voorzichtig terug en kwam naar haar toe lopen, nog altijd met een grijns op zijn gezicht. 'Vertel eens hoe hij heeft geleden.'

Ze draaide haar hoofd naar hem toe. 'Je bent walgelijk.'

Hij lachte. 'Ik ben tenminste geen moordenaar.'

'Ik heb hem niet vermoord.'

'Nee, natuurlijk niet. Laat me raden. Die nieuwe knecht heeft Glaucus vermoord en jij helpt hem uit pure barmhartigheid de misdaad te verbloemen.'

Tessa sloot haar ogen. *Maak er nu maar gewoon een einde aan, Hermes.*

'Of misschien is het meer dan barmhartigheid,' zei hij.

Hij hield de fakkel dichter bij haar gezicht. Zelfs met gesloten ogen kon ze zijn wrede grijns voelen.

'Je hebt mijn geheim ontdekt, Hermes. Waarom ga je nu niet weg? Ik kan niets meer doen om mezelf uit deze situatie te redden. We weten allebei dat ik nooit meer van dit eiland zal kunnen vluchten.'

'Geef je zo gemakkelijk op? Ga je me niet smeken of proberen om te kopen?'

Ze deed haar ogen open. 'Wat zou ik jou nu aan kunnen bieden?'

Hij glimlachte geslepen. 'Dat is een interessante vraag.'

Ze deinsde terug. 'Ik word nog liever geëxecuteerd.'

'Haal je niks in je hoofd, vrouw,' snoof hij. 'Niet iedereen op dit eiland zit achter je aan. Nee, ik wil iets wat kostbaarder is dan je lichaam. Ik wil informatie.'

Tessa duwde de fakkel opzij. 'Wat voor informatie?'

'Ik denk dat we beiden hetzelfde doel nastreven. Misschien kunnen we elkaar helpen.'

Een mogelijkheid. *Is er dan toch nog een mogelijkheid?*

'Spiro,' zei hij. 'Wij willen geen van beiden dat zijn politieke invloed op dit eiland toeneemt.'

Tessa ademde diep in. 'Ik vermoed dat Spiro de problemen in de Joodse wijk en het geweld in de zuidoostelijke wijk heeft veroorzaakt,' zei ze. 'Hij probeert de goede naam van Glaucus te schenden. En die van jou.'

Hermes pakte de fakkel over met zijn andere hand en hield hem hoger, zodat hij haar gezicht beter kon bestuderen. 'Wat heb je ontdekt?'

'Nog niet voldoende. Ik weet wel dat iemand in de Joodse wijk geruchten heeft verspreid dat de waterleiding het zou begeven. Dezelfde persoon heeft een man in de zuidoostelijke wijk betaald om te beweren dat de bewaker van het waterhuis was vermoord door een Jood. En wij ontdekten dat het kanaal dat water naar de Joodse wijk voert, was versperd. En bij het aquaduct bleek nog iemand te zijn vermoord.'

'Hoe weet je dat Spiro hierachter zit?' vroeg Hermes. Hij kon de opwinding in zijn blik niet verbergen.

Tessa schudde haar hoofd. 'Dat kan ik nog niet bewijzen. Maar ik weet zeker dat…'

'En wat zou hij er voor motief voor hebben?'

'Ik denk dat hij domweg Glaucus te kijk wil zetten om zijn politieke ideeën te ontkrachten.'

Hermes schudde zijn hoofd. 'Nee, er moet meer achter zitten.' Hij beet op zijn lip en staarde even voor zich uit. Toen keek hij haar weer aan. 'En dat moet jij gaan onderzoeken.'

'Hoe?'

'Door in het geheim naar Spiro toe te gaan. Het hele eiland weet dat hij geobsedeerd is door jou. Jij moet hem vertellen dat je vermoedt dat Glaucus op sterven ligt en dat je bezorgd bent over je toekomst. Zeg tegen hem dat je *zijn* hetaere wilt worden...'

'Nooit!' spoog Tessa. Haar maag draaide zich om bij de gedachte.

Hermes haalde zijn schouders op. 'Dan vrees ik dat de raad binnenkort te horen zal krijgen dat Glaucus is vermoord door zijn hetaere, die zijn lichaam ergens heeft gedumpt zonder de rituelen uit te voeren waarmee hij het hiernamaals in kan gaan.'

Keuzes. Altijd weer een keuze tussen dood en een anders soort dood. Wanneer zal het ooit ophouden?

'Waarom zou ik naar Spiro gaan?'

'Omdat jij de enige bent die zo dicht bij hem kan komen dat je hem zijn plannen kan ontfutselen. Zijn gevoelens voor jou zullen het winnen van zijn behoedzaamheid.'

Tessa voelde haar knieën slap worden. Ze liep naar het bed en liet zich erop zakken.

'Goed, ik zal naar hem toegaan.'

'Goed zo.' Hermes kwam voor haar staan en raakte haar gezicht aan. Ze trok zich terug.

'En je moet ook die knecht wegsturen.'

'Welke knecht?'

Hermes gniffelde. 'Houd je nu niet van de domme, Tessa. Iedereen die jullie bij elkaar ziet, begrijpt meteen hoe de vork in de steel zit. En Spiro zal nooit geloven dat jij hem trouw belooft als hij je samen met die jonge held aantreft.'

Tessa ging staan en staarde Hermes in de ogen. 'Je bent gek, Hermes. Hij is gewoon een knecht die mij heeft geholpen. Verder is er niets aan de hand.'

'Misschien moet iemand hem dat dan eens vertellen.'

Tessa deed haar armen over elkaar. 'Ik zal dit toneelstukje met Spiro opvoeren, maar je moet mij goed begrijpen. Geen man zal mij ooit nog bezitten. Jij niet. Spiro niet. En ook niet een of andere knecht.' Ze liet haar armen zakken en kwam dicht op hem staan. Ze was bijna net zo lang als hij en kon hem recht in de ogen kijken. 'Niemand.'

Hermes glimlachte. 'Zoals je zegt, Tessa, het is een toneelstuk, waar we beiden een rol in spelen.'

Hij begon terug te lopen naar de deuropening, maar draaide zich toen weer om. 'Er is nog iets. Ik wil Persephone. Je moet haar moeder overhalen de bruiloft te regelen voordat Glaucus wordt geacht naar Kreta te vertrekken.'

'Dan zou de bruiloft over twee dagen moeten beginnen!'

'Precies. Ik heb lang genoeg gewacht.'

Tessa dacht aan Hermes' liefde voor kleine jongens. En aan de hetaere Berenice. Ze verachtte deze man. 'Dit kun je niet doen, Hermes.'

Hij glimlachte. 'Ga nu maar snel je zaken regelen, Tessa. Geef mij Persephone. Stuur die knecht weg. En achterhaal wat Spiro van plan is. Ik kom snel terug.'

Daarmee vertrok hij.

Ω

De agora was zo goed als verlaten. De eerste koopmannen zouden pas over een paar uur arriveren om hun kraampjes op te zetten. Rechts van hem leek het bouleuterion er nog rustiger bij te liggen, maar terwijl Nikos langs de fontein midden op de agora liep, kon hij een klein lichtje door de ingang zien schijnen.

Hij klom de brede trap op naar het portaal.

Vlak voor hij naar binnen zou lopen, stapte er een man naar buiten die Nikos de weg versperde.

Verbaasd bleef Nikos op de bovenste trede staan. Hij had de man in de deuropening nooit eerder gezien. Met samengeknepen ogen nam hij Nikos van top tot teen op.

'Wie bent u?' vroeg de vreemdeling.

'Ik heb een afspraak in het bouleuterion.'

'Met wie?'

Nikos liep het portaal over. 'Laat me erlangs.'

De man legde een hand op Nikos' borst. Hij zette geen druk, maar het dreigement was duidelijk.

'Ik kom voor mijn vader.'

Van binnen in het bouleuterion klonk een stem: 'Nikos, ben jij dat?'

Nikos trok een wenkbrauw op naar de slaaf, waarop die schoorvoetend opzij stapte.

Nikos liep de grote raadszaal in en wandelde naar de olielamp die op de marmeren richel van de linker galerij stond. Achter de lamp zat zijn vader Andreas in een van de raadszetels, vier rijen boven de vloer van de galerij.

Nikos boog zijn hoofd. 'Hoe maakt u het, vader?'

'Ik had de hoop je te zien al bijna opgegeven.' Er klonk een lichte teleurstelling door in zijn stem.

Andreas ging staan. Met een statige pas kwam hij de treden van de galerij af lopen. Nikos bestudeerde de eeuwige diepe groef tussen zijn ogen, zijn volle lippen en kortgeknipte haar. De man zag er even kwiek uit als altijd. Hij leidde een erg gedisciplineerd leven en ontweek ongezond voedsel. Zijn ranke lichaam gaf hem een jeugdige uitstraling. Maar zijn gezicht straalde op dit moment alleen afkeuring uit.

'Toen ik je voorstelde de rol van een knecht aan te nemen,' zei zijn vader, 'bedoelde ik niet dat je in de goot moest gaan rollen.'

Nikos besefte dat zijn kleding vuil en gescheurd was na zijn gevecht op straat. En zijn gezicht zag bont en blauw.

'Zoals ik al zei, ik heb wat problemen ondervonden.'

'Ben je gevolgd? Ik wil niet dat mijn aanwezigheid hier...'

'Nee, ik ben alleen.'

Nikos' vader ging zitten op een zetel aan de rand van de galerij. Nikos kon naast hem gaan zitten, maar dan zouden ze elkaar vanuit een ongemakkelijke houding moeten spreken. Dus bleef hij maar voor hem staan, met zijn handen op zijn rug. Op de grond naast hem lagen een stapel tegels, een kan water en wat gereedschap van een werkman. Een deel van de vloer was opengebroken, maar nog niet gerepareerd.

'Nou?' vroeg Andreas. 'Hoe staan de strategoi tegenover de Bond?'

Met mij gaat het goed, vader. Fijn dat u het vraagt. Ik heb u ook gemist. Nikos probeerde zijn gedachten te negeren. Zijn vader had meer voor hem gedaan dan wie dan ook. Misschien was het te veel gevraagd om ook genegenheid van hem te verwachten. Maar zijn goedkeuring vond hij hoe dan ook belangrijk.

'Ik weet nog niet zeker hoe iedereen zou stemmen. Ik heb een aanstelling in het huis van Glaucus geregeld...'

'En hoe zal Glaucus stemmen?'

Nikos slikte. *Tessa, hoe kan ik jouw geheim nu voor mijn vader verborgen houden?*

'Glaucus is altijd een groot voorstander geweest van democratie,' antwoordde hij.

'Bah,' spoog Andreas. 'Begrijpen die dwazen niet dat zo'n gebrekkig systeem nooit zal kunnen werken?'

'En ik vermoed dat Spiro...'

Zijn vader keek hem meteen weer aan. 'Ja? Hoe zit het met Spiro?'

'Hij lijkt betrokken bij een plan om de reputatie van Glaucus en anderen die de Joden steunen te schaden.'

'De Joden? Wat hebben die er nu mee te maken?'

Nikos schudde zijn hoofd. 'Ik weet nog niet precies...'

'Wat weet je wél, Nikos?'

Nikos ging op zijn hurken zitten en begon zonder erbij na te denken de tegels op kleur te sorteren. 'Glaucus is ziek,' begon hij.

'Zijn hetaere geniet veel aanzien op het eiland en treedt op als zijn woordvoerster. Ze vroeg mij haar te vergezellen naar de Joodse wijk, waar we...'

'Ben je in het openbaar met de hetaere van een andere man aangetroffen?' Zijn vaders licht spottende stem weerklonk door het bouleuterion.

'We hebben ontdekt dat iemand met opzet onrust en geweld heeft veroorzaakt in de Joodse wijk. We zijn ervan overtuigd dat Spiro erachter zit, maar dat hebben we nog niet kunnen bewijzen.'

'Zo te horen heb je die hetaere niet alleen maar vergezeld.'

Nikos legde een gele tegel op een stapel. 'Tessa had bescherming nodig.'

Andreas lachte. 'Je bent nog niet lang lid van mijn huishouden, Nikos, maar je neiging altijd redder in nood te willen spelen, is inmiddels wel bij me bekend.'

Nikos haalde een handvol specie uit de kom van de werkman en goot er wat water op.

'En de acht overige strategoi?' vroeg zijn vader.

'Xenophon is vermoord.'

'Hè?'

'Ja. Door wie is nog onbekend, maar ik geloof dat hij geen voorstander was van de Bond.' Met een troffel mengde Nikos de specie tot een pasta. De sterke geur van de specie vermengde zich met de stank van zijn kleren. Hij smeerde er wat van over een deel van de kale vloer.

'En de anderen?'

Nikos legde een tegel in de specie en drukte erop om de luchtbellen te verwijderen. 'Dat weet ik nog niet.' Hij drukte harder.

Andreas zuchtte. 'Ik heb je hier naartoe gestuurd om te onderzoeken of het eiland gereed is zich bij de Bond te voegen, en in plaats daarvan ben je bezig geweest hulp te bieden aan een hoer...'

De tegel brak onder Nikos' hand. Hij hief zijn hoofd op en staarde zijn vader aan. 'Zo mag u niet over haar spreken.'

Zijn vaders gezicht verstrakte. Andreas ging staan en boog zich over Nikos heen. 'Je behoort niet meer tot het gewone volk, Nikos. Je bent mijn zoon. Deze vrouw...'

Nikos ging staan. 'Laten we het helemaal niet over haar hebben, vader.'

Zijn vader keek hem streng aan. 'Ik zal het wél over haar hebben en jij zult naar mij luisteren. Mijn zoon zal zich niet verlagen door omgang te hebben met de hetaere van een andere man.' De boosheid verdween uit zijn blik. 'Als die Tessa zo belangrijk voor je is, kun je haar diensten misschien wel zelf...'

'Hou op!'

Opnieuw streng zei hij: 'Genoeg, Nikos. Je moet de opdracht afmaken die ik je heb gegeven. Ga na hoe de strategoi over de Bond denken. Maar achterhaal bovenal wat Spiro van plan is. Ik vertrouw zijn schijnbare steun aan de Bond niet. Hij is er veel te ambitieus voor.'

'Denkt u dat hij het eiland zelf wil regeren?'

Andreas ging weer zitten en sloeg zijn armen over elkaar. 'Natuurlijk wil hij dat. Hij hunkert naar macht zoals sommige mannen naar wijn hunkeren.'

Met zijn voet duwde Nikos nog even tegen de tegels die hij had geplaatst. Toen liet hij het werk achter zich en richtte zich weer tot zijn vader.

'Ik zal achterhalen wat hij van plan is, vader. Ik zal u niet teleurstellen.'

Zijn vader knikte. 'Je moet nog leren om minder naar je hart te luisteren als je politiek bedrijft. Maar je hebt het in je om een leider te zijn.' Hij ging staan en legde een hand op de schouder van zijn zoon. 'Dat kan van je broer niet worden gezegd. Daarom zul *jij* op een dag over Kalymnos heersen...'

Andreas kneep in zijn schouder.

'...en zal je broer Spiro zijn grootste wens nooit in vervulling zien gaan.'

ZESENTWINTIG

Twee dagen voor de grote aardbeving

Het was nog koel toen Spiro de heuvel op klom. Hij was vroeg van huis gegaan om de drukte te vermijden. Er waren meer dan vijfhonderd juryleden uitgekozen om te beslissen in de zaak tegen Ademia, die werd beschuldigd van de moord op haar man Xenophon. De overige strategoi zouden ook aanwezig zijn, uit eerbied voor hun voormalige collega.

Het pad liep in grote bochten de heuvel op, maar Spiro zag deze morgen niet op tegen de wandeling. Het gras was groener dan anders in de ochtendzon, en de naaldbomen boven aan de heuvel verspreidden een aangenaam scherpe geur.

Alles loopt gesmeerd. Ondanks Tessa en die heroïsche knecht van haar, loopt alles gesmeerd.

Zijn plannen zouden niet mislukken. De Joden werden nog altijd verdacht en morgen zou het laatste puzzelstukje op zijn plaats vallen. Die knecht van Glaucus was inmiddels gewaarschuwd dat hij geen held meer moest spelen. Spiro had hem nog nooit gezien en hoopte vandaag een glimp van hem op te vangen. Hij wilde wel eens zien wat voor schade Calisto 's nachts bij hem had aangericht.

Achter hem begonnen de drommen mensen nu ook aan de klim. Naast de juryleden zouden er veel toeschouwers aanwezig zijn, die puur van het schouwspel wilden genieten. Spiro bleef even stilstaan om een waterzak van onder zijn himation te halen. De wandeling had hem nu al uitgedroogd. Het koele water smaakte als een goede wijn.

Nog één dag.

Als morgen de zon onderging, zouden nog maar vier strategoi, waaronder hijzelf, in leven zijn. De drie anderen zouden hem blijven steunen, ook al waren ze dan misschien amper in staat om te leiden. De chaos die zou voortkomen uit de dood van de overige strategoi, zou de aansluiting van Rhodos bij de Achaeïsche Bond garanderen. Dat was maar een tijdelijke oplossing, maar een noodzakelijke stap in Spiro's plan om de macht over te nemen.

U zult het zien, vader. Ik zal u versteld doen staan.

Hij probeerde niet aan Andreas te denken. De aanhoudende afkeuring van zijn vader raakte hem dieper dan hij wilde toegeven. Hij had de man nooit kunnen behagen. En nu was er iemand in zijn plaats gekomen die zijn vader wel kon behagen, een bastaardzoon die uit de goot was komen stappen.

Die man stelt niets voor. Dat zal mijn vader snel gaan inzien.

Boven op de heuveltop had men tien grote keien in een halve cirkel gerold. De strategoi hoefden niet op het gras te zitten bij de rest van de jury en het publiek – een van de vele voordelen van het leiderschap op dit eiland. De steen van Xenophon zou natuurlijk leeg blijven. En die van Glaucus? Zou die al voldoende hersteld zijn om te verschijnen? Of zou hij Tessa sturen, om op een steen te komen poseren in de zon? Spiro glimlachte bij de gedachte.

Hij koos een steen uit om op te zitten en keek toe hoe de andere mensen arriveerden. Degenen die waren uitgekozen om in deze zaak te jureren, droegen ieder een bronzen *pinakion* waarin hun naam stond gegraveerd, om hun officiële status aan te geven. De juryleden kwamen een voor een naar de top van de heuvel om twee bronzen munten te ontvangen – een die 'schuldig' en een die 'onschuldig' aanduidde. Nadat de aanklager en de gedaagde hun zaak hadden bepleit, zouden de munten worden verzameld. Het beloofde een vermakelijke ochtend te worden.

Het werd steeds drukker. Al snel overstemde het geroezemoes van de menigte de geluiden van de vogels en de zee. Een voor een arriveerden de andere strategoi. Spiro knikte hen hoffelijk toe.

Degenen die de dag niet zouden overleven, keek hij iets langer aan dan gebruikelijk.

Toen verscheen Tessa. Ze kwam alleen aanlopen, met een zelfbewuste tred en het hoofd fier opgeheven. Haar donkere haar viel in lange krullen over haar schouders – een getuigenis van haar rebelse hart.

Ze ontnam Spiro de adem.

Bijna. Bijna is het zover.

Tessa keek op van de grond. Haar ogen zochten die van hem.

Hmm. Ze kijkt anders naar me dan anders.

Spiro had zich nooit enige illusie gemaakt over Tessa's gevoelens jegens hem. Maar de gebruikelijke minachting in haar ogen was vandaag afwezig. Ze wendde haar blik af met een glimlachje dat haast verlegen leek.

Zijn keel voelde plotseling zo droog aan dat hij snel de waterzak weer tevoorschijn haalde. Ditmaal smaakte het vocht nergens naar. Tessa kwam op de steen naast die van hem zitten. 'Je wordt met de dag mooier, Tessa,' zei hij. 'Jammer dat Glaucus te ziek is om ervan te genieten.'

Het proces begon met een korte toelichting van Lysander, de aanklager. De waterklok werd gevuld. Elke partij zou vier amfora de tijd krijgen voor een pleidooi. De klok bestond uit twee schalen die boven op elkaar stonden. Het water werd in de bovenste schaal gegoten en druppelde via een klein gaatje in de onderste. Als de bovenste schaal leeg was, was de tijd om.

Ademia mocht eerst haar verhaal doen. Beheerst kwam ze voor de jury staan om op ernstige toon uit te leggen hoe ze door Xenophon was mishandeld. Ze sprak alsof ze haar knechten hun dagelijkse instructies gaf. Spiro wist dat het allemaal weinig zin had. Ademia's publiek bestond voor een groot deel uit mannen die hun eigen echtgenotes net zo behandelden als Xenophon had gedaan. Ze zou alleen de sympathie van de vrouwen ontvangen. Veel vrouwen in het publiek mompelden en schudden hun hoofd. Misschien zouden ze nog enige invloed op hun mannen kunnen uitoefenen, maar de uitkomst van het proces stond eigenlijk al bij voorbaat vast. Ademia leek de stemming onder de juryleden wel aan te voelen en werd steeds emotioneler. Toen haar toespraak ten slotte veranderde in een wanhopige smeekbede, moest Spiro de onfatsoenlijke neiging om te lachen onderdrukken.

Het water in de klok raakte op. Ademia keek de juryleden smekend aan en schreeuwde: 'Heb medelijden! Heb medelijden! Hij was...'

Er kwam een raadslid achter haar staan dat haar bij de armen greep. Ze schreeuwde opnieuw. Hij trok haar hardhandig mee. Ze viel en ging met opgetrokken knieën op het gras liggen. Er klonk gejuich op uit het publiek.

Lysander, de aanklager, stak zijn handen op om het publiek tot stilte te manen. Hij was oud en schriel, maar zijn stem drong evengoed door tot de achterste rijen van de menigte. 'Xenophon heeft deze stad bekwaam geleid. En nu is hij dood.' Hij wees naar Ademia. 'Zij wil ons laten geloven dat zijn leven niets waard was, puur omdat *zij* niet tevreden was! Ze heeft zelf toegegeven dat ze hem heeft vergiftigd. Ze wilde hem vermoorden en is daarin geslaagd. Hij is op pijnlijke wijze gestorven, als een ziek dier dat wordt afgemaakt.'

Het publiek reageerde zoals Lysander allicht had gehoopt, met afkeurende blikken en bitter gemompel.

Lysander verhief zijn stem. 'Zo'n lot heeft hij nooit verdiend! En het is haar schuld!' Hij strekte zijn lange arm uit en wees Ademia beschuldigend aan. Toen gebaarde hij theatraal naar de waterklok, die nog minstens halfvol was – een favoriete zet van zelfverzekerde aanklagers. 'Gooi het water maar weg!' schreeuwde hij, waarna hij het hoofd liet zakken om het slot van zijn pleidooi aan te geven.

De menigte juichte instemmend. De epistates van dienst bracht Ademia naar voren, waar ze moest blijven staan terwijl de stemmunten werden opgehaald en geteld.

Spiro wierp een schuine blik op Tessa. Ze had het proces in stilte bekeken en nu rustte haar kin op haar borst. Hij keek nog eens goed. Huilde ze om Ademia?

De collectanten brachten hun potten naar de heuveltop en leegden die om de beurt aan de voeten van de epistates. Een telling was niet nodig, ook al zou die puur voor de vorm nog wel worden uitgevoerd.

Schuldig.

Het woord gonsde door het publiek en er werd opnieuw gejuicht. Ademia zakte snikkend op het gras in elkaar. Twee raadsleden sleurden haar weg. Voor het vallen van de nacht zou ze dood zijn. Haar lichaam zou in het openbaar worden tentoongesteld, zodat iedereen die Xenophon wilde gedenken erop kon spugen.

De menigte ging uiteen. Sommige mensen bleven staan praten op de heuvel, anderen wandelden terug naar huis om het werk op te pakken.

Spiro probeerde Tessa te spreken, maar die schudde haar hoofd en holde de drukte in. Hij keek haar nog even na.

Er kwam een vreemdeling naast hem staan, die duidelijk contact zocht. Spiro wierp hem een snelle blik toe. Hij was goed gebouwd en zo te zien een paar jaar jonger dan Spiro. Hij droeg de kleding van een knecht. Aan een paarse vlek onder zijn linkeroog te zien, had hij onlangs gevochten.

'Van het proces genoten?' vroeg de bediende hem.

Spiro trok zijn wenkbrauwen op om zijn vrijmoedigheid. 'Je moet wel een erg soepele meester hebben als je hier wat rond mag slenteren in plaats van te werken.'

De jongere man haalde zijn schouders op en keek om zich heen. 'Ik vind zulk machtsvertoon altijd fascinerend om naar te kijken. Of het nu gaat om de macht van een grote groep of van een enkeling.' Hij richtte zich tot Spiro. 'Ik neem aan dat u de voorkeur geeft aan de macht van een enkeling.'

Ik weet wie jij bent. Dit was die onbeschofte knecht van Glaucus, die Tessa had geholpen. Hij glimlachte. 'Jij bent Nikos.'

De knecht keek de andere kant op. 'Dat een man als u mij kent, geeft ook wel een zekere macht, vindt u niet?'

'Inferieure lieden met macht zijn net honden die als koning zijn verkleed,' schoot Spiro terug. Daarop keerde hij Nikos de rug toe en haastte zich van de heuvel af. Waar had dat uitschot het lef vandaan gehaald hem aan te spreken? Blijkbaar was de boodschap niet zo duidelijk overgekomen als Spiro had gehoopt. Maar al snel werden zijn gedachten in beslag genomen door een andere boodschap, die hem werd toegefluisterd door een knecht die hem was komen zoeken.

Er was de voorgaande avond een schip in de haven gearriveerd met een bijzondere passagier aan boord, die niet wenste dat zijn aanwezigheid op Rhodos bekend zou worden. Maar op de dokken werkten veel mannen die wisten dat geheime boodschappen veel geld waard waren. Vanochtend was er een naar Spiro's huis geslopen. De boodschap: *Uw vader is naar Rhodos gekomen.*

Ω

Nikos holde om de mensen heen van de heuvel af. Hij passeerde Spiro, die was gestopt om met een bediende te spreken, en snelde naar Tessa toe, die hem tijdens het hele proces niet één keer had aangekeken.

Op de grindweg naar de stad bereikte hij haar. Hij had haar al van een afstandje herkend aan de felgekleurde linten die ze in haar loshangende haar had geweven. Ze was alleen en liep in een rustig tempo. Nikos liep stil op haar af en fluisterde haar naam.

Ze haalde geschrokken adem en keek om zich heen, blijkbaar bang dat iemand hen samen zou zien.

'Wat ben je van plan?' vroeg hij.

'Ik heb geen plan,' zei ze zachtjes, zonder hem aan te kijken.

'We moeten zien te bewijzen dat Spiro iets groots van plan is.

Het moet om meer gaan dan een aantal schijnbaar willekeurige geweldsincidenten.'

'Het gaat jou niets aan, Nikos. Ik zal dit zelf…'

'Tessa.' Nikos greep haar bij de arm.

Ze schudde hem van zich af en keek opnieuw om zich heen naar de andere voetgangers. De blik die ze hem toewierp, was niet bepaald hartelijk.

Rechts naast de weg stonden hoge naaldbomen. Daarachter groeiden kleinere bomen en struikgewas. Nikos wees naar het dichtbegroeide gebied. 'Laten we even ergens praten waar niemand ons kan zien.'

Tessa twijfelde, maar volgde hem ten slotte. Nikos liep als eerste van de weg af. Hij hield zijn hoofd gebogen en hoopte maar dat ze niet herkend zouden worden.

Op een paar dunne stralen na drong het zonlicht niet door de begroeiing heen. De grond was bedekt met mos en gevallen naalden, waardoor hij nauwelijks hoorbaar was terwijl hij tussen de bomen door liep.

Achter hem fluisterde Tessa zijn naam. Hij bleef staan en sloot zijn ogen. De geluiden van de mensen en zelfs van de zee drongen hier amper door. In gedachten zag hij het gezicht van zijn vader voor zich.

Je kunt dit.

Na de ontmoeting met zijn vader had Nikos tot zonsopgang wakker gelegen. Uiteindelijk had hij besloten dat hij het beste via Tessa aan informatie kon komen, ook al betekende dat dat hij haar zou moeten bedriegen.

Hij draaide zich om en keek haar aan. Ze had gehuild.

'Het was een pijnlijke vertoning,' zei hij. 'Ze werd zo vernederd. Ik moest onwillekeurig denken aan…'

'Zover zal het niet komen, Nikos,' zei Tessa. Ze wikkelde haar armen om haar middel. 'Als het nodig is, werp ik mezelf in de zee.'

Hij raakte haar armen aan. 'We zullen Spiro tegenhouden. We

zullen zijn plannen ontdekken en hem dwarsbomen. Ik zal niet toestaan dat hij jou pijn doet.'

Zo begint het bedrog.

Tessa liet haar hand langs een dennentak glijden en hield de naalden vast. 'Ik heb jouw bescherming niet meer nodig, Nikos. Ik zal Spiro zelf tegenhouden.' Ze liet de naalden op de grond vallen. 'Ik had je hier nooit bij moeten betrekken.'

Hij trok haar dichter naar zich toe en wachtte tot ze hem aankeek. 'Waarom niet?'

Haar ogen werden opnieuw vochtig. 'Ik ga proberen Spiro's vertrouwen te winnen. Dat moet ik alleen doen.'

'Ik zal in de buurt blijven. Ik kan je blijven ontmoeten.'

Tessa sloot haar ogen. 'Waarom?'

'Omdat ik een oogje in het zeil wil houden.'

Nikos verachtte zichzelf. Hij vond het vreselijk om te moeten liegen. Dat hij Tessa wilde gebruiken om geheimen los te krijgen, maakte hem net zo'n laag figuur als de broer die hij steeds beter leerde kennen.

'Is mijn veiligheid zo belangrijk voor je?'

Nikos voelde zo'n zware druk op zijn borst dat hij niets kon uitbrengen. Hij verwenste Spiro en Glaucus en zelfs zijn vader, die hem hiertoe hadden aangezet. Tessa bleef op een antwoord wachten.

Hij zuchtte gefrustreerd en overwoog even de waarheid te vertellen. Maar toen hij zijn mond opendeed, besefte hij dat hij helemaal niet hoefde te liegen.

'Ja, Tessa.' Hij trok haar nog dichter naar zich toe. Hij voelde haar hart kloppen en wist dat ze haar adem inhield. 'Ja, ik wil weten dat je veilig bent.' Hij reikte met zijn handen naar haar gezicht. Met zijn vingertoppen streelde hij haar wang en haar lippen. 'Ik vind niets belangrijker.'

Er floot een enkele vogel in een boom boven hen. Alle gedachten aan politiek en het gehoorzamen van zijn vader dreven weg met het lied van de vogel. De lichtstralen die door de takken van de bomen

244

vielen, zorgden voor fonkelingen in Tessa's haren en ogen.

'Tessa,' fluisterde hij.

Er veranderde niets in haar uitdrukking, maar Nikos wist wel beter. Hij boog zijn hoofd naar haar toe en raakte haar lippen aan met die van hem. Ze smaakte naar honing en bloemen. Niets anders deed er meer toe.

'Tessa,' zei hij opnieuw.

Ik ben verloren.

Ω

De naaldbomen, de vogels, de hele wereld verdween in Tessa's beleving. Ze ervoer alleen nog de aanraking van Nikos' vingers op haar huid, zijn lippen op die van haar.

Zo voelt het om geliefd te zijn.

Het besef zweefde door haar gedachten als een vederlichte wolk in een azuurblauwe lucht.

Nikos legde zijn handen in haar nek en trok haar nog dichter naar zich toe. Ze voelde de veranderingen weer in zichzelf, alsof er stenen deeltjes werden verbrijzeld. Ze raakte zijn borst aan en voelde zijn hart kloppen onder haar handen. Hij kuste haar oogleden, haar voorhoofd en toen weer haar lippen.

Is dit de vreugde die ik mezelf altijd heb ontzegd?

Maar plotseling leek het of de warme zonnestralen werden verduisterd. De angst waar Tessa haar hele leven mee had geleefd, wikkelde zijn ijzige klauwen om haar hart. Een panisch gevoel trok door haar lijf. Ze duwde Nikos van zich af en deed een stap achteruit.

'Nee!' zei ze.

Hij keek haar vragend aan. 'Tessa…'

Hij is een man. Net als al die anderen.

Ze hield een vinger voor haar lippen en liep nog verder achteruit.

Je kunt hem niet vertrouwen. Hij zal je gebruiken, net als de rest.

Ze dacht aan Hermes, aan zijn beschuldigingen, die dichter bij de waarheid lagen dan ze had toegegeven. En ze dacht aan zijn dreigementen.

Stuur die knecht weg.

'Tessa, kom terug.'

Ze schudde haar hoofd. Ze was niet van plan ooit nog een man zo dicht bij haar in de buurt te laten komen – nog afgezien van Hermes' dreigementen. Ze moest zich concentreren; er was nog steeds een kans dat ze Kreta zou kunnen bereiken.

'Je gaat te ver, Nikos!' zei ze. Er klonk een woede in haar stem door die zich jarenlang had opgehoopt. 'Je bent een knecht. Ik ben niet jouw bezit. Je moet je plaats kennen.'

Nikos strekte zijn hand naar haar uit. Ze mepte hem opzij. 'Raak me niet aan!'

'Je kunt me er niet van overtuigen dat je niks voelt.'

Ze probeerde te glimlachen. 'Je denkt dat je mij kent. Maar je weet helemaal niets. Ik heb je vanaf de eerste dag voor de gek gehouden.'

Nikos liet zijn arm zakken. Hij deed zijn mond een stukje open.

Ze streek een haarlok uit haar gezicht. 'Toen je jezelf in het huis van Glaucus had binnengewerkt, ontdekte je vrijwel meteen dat hij dood was. Je had mij kunnen ruïneren.' Ze stak haar kin vooruit. 'Wat kon ik doen? Ik deed maar waar ik goed in ben. Ik liet je geloven dat ik om je gaf. Dat spel speelde ik al jaren met Glaucus. Ik ben ervoor opgeleid. En jij bent net zo'n goedgelovige dwaas als hij was.'

Ze kwetste Nikos diep, dat zag ze in zijn ogen. Haar jarenlange toneelervaring liet haar niet in de steek. Maar ze was nog niet klaar. 'Het is gelukt, nietwaar? Je hebt vanaf de eerste dag je mond gehouden.'

Nikos deed zijn lippen op elkaar en slikte. Hij keek naar de dennennaalden op de grond.

'Maar misschien heb ik mijn rol iets te overtuigend gespeeld. Ondanks de afkeer die ik voor je voel, heb ik je het hoofd blijkbaar

zo op hol gebracht dat je jezelf iets te vrij bent gaan gedragen.'
Tessa haalde een bordeauxrood lint uit haar loshangende haar en
gebruikte dat om haar lokken op te steken.

'Maar het is nu afgelopen, Nikos,' zei ze. 'Ik weet dat jij je mond wel
zult houden, want je bent net zo schuldig als ik aan het wegruimen
van Glaucus' lichaam. Niemand zal geloven dat jij niet bij de hele
zaak betrokken was.' Ze glimlachte. 'Mocht het nodig zijn, zal ik
mijn best doen iedereen van je schuld te overtuigen.'

Ja, het is beter zo. Zo moet het zijn.

Ze liep achteruit zonder haar ogen van Nikos af te wenden.

*Het is beter niemand te vertrouwen. De marmeren Athena – die is
altijd veilig.*

Uiteindelijk keerde ze zich om en haastte zich terug naar de weg.
Ze hoorde nu geen vogels meer zingen. Het hele bos was zo stil
als het graf.

ZEVENENTWINTIG

Tessa besloot te lopen naar het huis van Spiro. De ossenwagen had ze zelf nog nooit bestuurd en ze was niet van plan de hulp van Nikos in te roepen.

Voordat ze het huis van Glaucus had verlaten, was ze in bad geweest, had ze parfum opgedaan en zich zorgvuldig aangekleed. Allemaal ter voorbereiding op de rol die ze zou gaan spelen.

In deze toestand was Tessa vlak voor haar vertrek Daphne tegen het lijf gelopen. Die was zonder iets te zeggen naar haar toe gebeend en had haar een harde klap in haar gezicht gegeven. Tessa wreef nu over haar wang terwijl ze door de stad liep. Ze was amper van de klap geschrokken, omdat ze alle begrip voor de vrouw kon opbrengen.

Tessa was zo in gedachten verzonken dat ze geen moment acht sloeg op de kinderen die op straat speelden, de vrouwen die water haalden en de knechten die zware spullen naar huis sjouwden van de markt.

Ze hoopte dat Spiro thuis zou zijn. En dat hij zich net zo dwaas en verwaand als altijd zou gedragen. Dat zou nodig zijn om haar plan te laten slagen.

Het huis van Spiro was tegen een heuvel op gebouwd. Aan weerskanten stonden er kleinere huizen naast. De smetteloze, gestuukte muren van Spiro's huis glommen in de zon. In een hoek groeide een grote palmboom met een kronkelende stam.

Tessa was buiten adem toen ze de heuvel op was gelopen. Voor ze de straat inliep waar Spiro woonde, bleef ze even staan om haar gedachten op een rijtje te zetten. Ze zou zich niet al te vriendelijk moeten gedragen – dat zou argwaan wekken. Ze moest subtiel te werk gaan.

Toen ze de trap voor het huis had bereikt, liep er een knecht vlak langs haar naar boven. Hij hield een rammelend krat in zijn armen en het zweet liep over zijn voorhoofd. Hij deed alsof Tessa niet bestond.

Ze volgde hem de trap op en bleef voor de deur staan wachten.

De knecht werd meteen toegeschreeuwd door iemand in het huis. 'Zijn daar eindelijk de granaatappels?'

Tessa herkende de stem van Spiro. Ze keek even naar de knecht, die haar eindelijk opmerkte. 'Er is nog zo veel te doen,' zei hij met een opgetrokken schouder. 'Ja, hier zijn de granaatappels,' riep hij de hal in.

Tessa bleef in de deuropening staan en nam de dure standbeelden en luxe wandkleden in de hal op. Ze was hier eenmaal eerder geweest, toen ze Glaucus had vergezeld naar een symposium. Toen had ze alleen deze entree en het andron gezien, waar de mannen dronken waren geworden en ruzie hadden gemaakt over politiek.

Er klonken klepperende sandalen en toen verscheen Spiro in de hal. 'Nou, breng ze naar de keuken!' riep hij tegen de slaaf.

'Tessa!' Spiro streek meteen zijn haar naar achteren.

Tessa hief haar hoofd op en sprak op zelfverzekerde toon: 'Ik kom met je praten, Spiro.'

Hij kneep zijn ogen even samen. 'Natuurlijk. Kom binnen.'

Hij draaide zich om en ging haar voor door de gang. Toen ze langs het andron liepen, gluurde Tessa even naar binnen. Drie vrouwelijke bedienden waren bezig kussens op te kloppen en die op de banken te arrangeren.

'Verwacht je gasten, Spiro?'

Er liep een mannelijke slaaf langs, die Spiro iets in het oor fluisterde. Terwijl ze verder liepen, zei Spiro zonder om te kijken: 'Ik houd vanavond een symposium. Uiteraard zullen alle stadsleiders aanwezig zijn.' Hij leidde haar de binnenplaats op. 'Kan ik Glaucus ook verwachten?'

Tessa snoof. 'Doe maar niet alsof je Glaucus' aanwezigheid zo op prijs zou stellen, Spiro. Je hoeft me niet voor de gek te houden.'

Spiro draaide zich midden op het plein om. De ruimte was vergelijkbaar met die in het huis van Glaucus, maar de extravagante fonteinen en beplanting bewezen dat Spiro graag geld over de balk smeet.

'Je beledigt me, Tessa,' zei Spiro. 'In deze moeilijke tijd zou ik Glaucus toch niets dan goeds kunnen toewensen?'

'Je hebt er alles aan gedaan om zijn naam door het slijk te halen, Spiro. Ik ben overal van op de hoogte. En ik weet ook dat je hebt gefaald.'

De felle zon verwarmde de tegels onder Tessa's voeten. Ze wachtte op Spiro's reactie. Daar hing veel vanaf.

'Je bent in de war, Tessa,' zei hij terwijl hij een hand langs haar arm haalde. 'Glaucus en ik zijn het misschien niet altijd met elkaar eens, maar ik wens hem het allerbeste toe.'

Er kwamen twee knechten het plein op lopen, die ieder een dode fazant vasthielden. Een van de twee hield de vogel omhoog. 'De grote?' vroeg hij. 'Weten we hoeveel gasten er zullen komen?'

Spiro trok de staartveren opzij en bekeek de fazant van alle kanten. Daarna onderzocht hij de andere. 'Ja, de grote. Ik verwacht dat alle genodigden aanwezig zullen zijn.' Hij knikte naar Tessa. 'Inclusief Glaucus.'

De knechten vertrokken naar de haardruimte. Zonder hem aan te kijken zei Tessa op een lage, dreigende toon: 'Ik weet dat je de Joden hebt gemanipuleerd. Maar je plannen zijn gedwarsboomd.'

'O, je doelt op de knecht Nikos, over wie ik zo veel heb gehoord. De held van de Joden.'

Er kwam weer een bediende het plein op, nu met een dienblad vol fruit dat moest worden geïnspecteerd. Toen de man langsliep, pikte Tessa een trosje druiven van het blad. De knecht trok zijn wenkbrauwen op, maar liep verder naar Spiro. Tessa trok een druif van de tros en stak die langzaam in haar mond terwijl ze Spiro bleef aankijken.

'Je moet toegeven dat hij meer succes had dan jij.'

Hij lachte. 'Ik heb geen idee waar je het over hebt, Tessa. Je vermoedt allerlei samenzweringen die er niet zijn. De Joden gingen door het lint toen hun waterleiding ermee ophield. Een van hen vermoordde een Griek. Meer weet ik niet van de kwestie.'

Nu moet je je rol goed spelen, Tessa.

Ze plukte weer een druif van de tros en hield die ditmaal even voor haar lippen voor ze hem opat. Toen keek ze met een licht bezorgde blik naar Spiro.

'Ik weet dat je hunkert naar macht, Spiro. Daarom heb je de Joden opgestookt.' Ze liet het druiventrosje tussen haar vingers draaien en keek ernaar terwijl ze verder sprak. 'Die hunkering is iets wat wij met elkaar gemeen hebben. Ik kan er begrip voor opbrengen.'

Spiro kwam een stap dichterbij.

Juist.

'Tessa, ik zeg al jaren tegen je dat wij meer op elkaar lijken dan jij wilt toegeven.'

Ze haalde haar schouders op. 'Ik durf het best toe te geven. Maar ik heb geen macht. Geen werkelijke macht. Ik leef in de schaduw van Glaucus.'

'Glaucus is erg ziek.'

Tessa hield haar hoofd gebogen, maar zorgde ervoor dat Spiro haar besmuikt kon zien glimlachen. 'Ja. Dat is hij inderdaad.'

Spiro stond nu zo dichtbij dat ze elkaar konden aanraken.

Er marcheerden nog meer bedienden over het plein, met kussens, tafeltjes en olielampen in hun handen. Ze keken even naar Spiro en Tessa, maar gingen onverstoord verder met hun werk. Er steeg een aangename geur op vanuit de haardruimte. Waarschijnlijk was de fazant aan het spit geregen. Het water liep Tessa in de mond. Op die paar druiven na had ze vandaag nog niets gegeten.

Spiro zei zachtjes: 'Misschien zul je snel van Glaucus af zijn.'

Ze staarde voor zich uit. 'Maar ik zal nooit vrij zijn om zelf voor iemand te kiezen die mij begrijpt.'

Voorzichtig, Tessa.

Spiro boog zich met een verlangende blik in zijn ogen naar haar toe. 'Je weet zelf ook wel dat je bij iemand anders zou moeten zijn.'

Ze ademde diep in en keek hem weer aan. 'Als ik de afgelopen jaren iets heb geleerd, is het wel dat het onverstandig is om te spreken over onmogelijke zaken.'

Spiro strekte een hand uit naar haar gezicht, maar ze trok zich terug en duwde zachtjes met haar hand tegen zijn borst. Ze raakte hem iets langer aan dan nodig was en streek toen de stof van zijn kleding glad, voor ze haar hand weer langs haar zij liet zakken. Ze walgde van haar eigen gedrag, maar wist dat goed te verbloemen.

Spiro's ademhaling versnelde.

'Tessa, ik moet je vertellen...'

Vanuit de hal voorin het huis klonk opeens geschreeuw. Ze deinsden terug alsof ze waren betrapt bij iets wat verboden was.

'Laat me erlangs, slaaf!'

Tessa zag Spiro wit wegtrekken.

'Wat is er?' vroeg ze.

Hij vloekte. 'Mijn vader.'

'Hier? Op Rhodos?'

Een man die haast een kop groter was dan Spiro stapte met grote passen het plein op. Tessa keek verrast naar Spiro, ervan overtuigd dat hij zich had vergist. Deze man kon zijn vader niet zijn. Hij leek maar een paar jaar ouder dan Spiro.

'Vader!' zei Spiro met geveinsde hartelijkheid. 'Het symposium vindt pas vanavond plaats. Ik had u nog lang niet verwacht.'

Andreas zwaaide ongeduldig met zijn hand. 'Je hebt niets te maken met mijn programma, Spiro. Ik wilde je spreken voordat de rest van die blaaskaken arriveren.'

Andreas' ogen dwaalden af naar Tessa. Die beantwoordde zijn blik en ging een stap dichter bij Spiro staan.

'Heb je iemand aan je huishouden toegevoegd?'

Tessa speelde met een haarlok. 'Ik heb veel over u gehoord, Andreas

252

van Kalymnos. U maakt in levenden lijve nog meer indruk dan ik had verwacht.'

Andreas lachte flauwtjes en trok een wenkbrauw naar haar op. Met een nieuw ontzag in zijn ogen keek hij weer naar Spiro. 'Ik had al vernomen dat de hetaerae op dit eiland vurige types waren,' zei hij. 'Zo te zien, klopt dat gerucht.'

Hij wist al wat ik was zonder dat iemand het had gezegd.

Hoezeer ze ook opging in haar rol, het was een pijnlijk besef.

'Meester,' riep een knecht vanuit de hal. 'Excuseert u mij. Er staat een wijnhandelaar op straat te wachten tot u een selectie maakt.'

Spiro keek schichtig van Tessa naar zijn vader, alsof hij vreesde dat ze meteen de macht van hem zouden overnemen als hij ze ook maar heel even alleen liet. Toen hij het plein af liep, riep zijn vader hem na: 'Kies verstandig, zoon. Ik heb lang moeten reizen om er vanavond bij te kunnen zijn.'

Spiro liet zijn hoofd nog verder zakken en verdween uit het zicht. Tot Tessa's verbazing was zijn hele houding veranderd. In een oogwenk was hij veranderd van een grootse politicus in een nukkig kind.

Andreas richtte zich weer tot Tessa.

'Mijn zoon weet mij zelden met trots te vervullen, maar nu heeft hij mij verrast.'

Ze glimlachte. 'Het belooft een indrukwekkend symposium te worden.'

Hij lachte. 'Je bescheidenheid siert je. We weten allebei dat ik doelde op zijn verrassende succes in het verwerven van een hetaere die zowel mooi als intelligent is.'

Tessa overwoog haar opties en maakte een snelle keuze.

'Ik ben zijn hetaere niet,' zei ze.

Andreas keek haar vuil aan. 'Hij is toch niet zo dwaas geweest met je te trouwen!'

Het was alsof Tessa een stomp in haar maag kreeg.

Maakt u zich geen zorgen, zo verschrikkelijk is het niet.

'Ik ben de hetaere van een andere man,' zei ze. 'Spiro is een… kennis.'

'Van een andere man?'

Ze haalde haar schouders op. 'Over zulke zaken heb je zelf weinig te zeggen.'

'En welke man heeft dan wel het geluk gehad jou te bemachtigen?'

'Een van de andere strategoi. Glaucus.'

Andreas keek haar met grote ogen aan. 'Glaucus!'

Tessa probeerde zijn reactie te interpreteren. Hij was duidelijk verbaasd. Maar verder? Walgde hij van het nieuws? Was hij nieuwsgierig? Ze wist het niet.

'Jij bent Tessa.'

Ze had niet verwacht te worden herkend. Wat wist hij nog meer? Ze stak haar kin vooruit. 'Dat klopt.'

Langzaam verscheen er een glimlach op zijn gezicht. Ze kon zijn uitdrukking nog steeds niet doorgronden.

'Juist,' zei hij. 'Ik begin het te begrijpen.'

Spiro kwam het plein weer op lopen. Hij wierp hen beiden een voorzichtige blik toe.

'We hebben het misverstand uit de wereld geholpen, Spiro,' zei Andreas. Hij keek Tessa aan. 'Zien we jou en Glaucus vanavond op het symposium?'

Spiro kwam tussen hen in staan. 'Glaucus is helaas ziek.'

'O ja, dat had ik vernomen.' Andreas strekte zijn arm uit naar Tessa en raakte een van haar krullen aan. 'Ik hoop dat ik Tessa kan overhalen evengoed aanwezig te zijn?'

Spiro keek haar gespannen aan.

Ze aarzelde maar heel even. Toen boog ze haar hoofd, draaide zich om en liep naar de hal. Met een berekenende glimlach keek ze nog even achter zich. 'Ik zal me vereerd voelen de avond met twee van die machtige mannen door te brengen.'

Ω

Tessa's vertrek zorgde meteen voor een bedompte sfeer op het plein. Beide mannen keken toe hoe ze de hal in verdween en bleven nog even naar de lege deuropening staren.

Ten slotte keek Spiro zijn vader aan. 'Mijn excuses. Ik had wel vernomen dat u op het eiland was, maar had verwacht dat u tot het feest van vanavond bij vrienden zou verblijven.'

'Ik had ook geen ander welkom van je verwacht.'

Spiro slikte de eerste reactie die in hem opkwam in. 'Heeft u een voorspoedige reis gehad?'

'Moeten we hier in deze hitte blijven staan, Spiro?' Andreas depte het zweet van zijn voorhoofd met een punt van zijn himation.

Spiro zuchtte. 'Ik zal u voorgaan naar uw kamer, vader.'

'En ik zou ook wel iets te eten en drinken lusten, als dat mogelijk is tussen alle voorbereidingen door.'

Spiro leidde zijn vader naar het gastenvertrek, zichzelf kwalijk nemend dat hij dat niet eerder gereed had gemaakt. Andreas merkte bij binnenkomst meteen dat er niet op hem was gerekend. Hij zuchtte en schudde zijn hoofd.

'Ik zal beddengoed laten brengen,' zei Spiro terwijl hij de kamer uit liep.

'En eten!' riep zijn vader hem na.

Spiro keerde na een poosje terug met vier knechten achter zich aan, die beddengoed, een kan water om te wassen, een bord fruit en kaas en een amfora wijn bij zich hadden.

Andreas ijsbeerde met zijn armen over elkaar door de kamer. 'Vertel eens,' zei hij. 'Hoe wordt er in de Raad en de Vergadering gedacht over het bestuur van het eiland?'

Spiro keek geërgerd naar een jonge knecht die het bed probeerde op te maken. *Had ik maar iemand met meer ervaring gehaald. Trek die deken toch recht!*

'De situatie is onzeker,' antwoordde hij. 'U heeft ongetwijfeld gehoord dat Xenophon is vermoord door zijn vrouw?'

'Door zijn vrouw?'

Spiro haalde zijn schouders op. 'Weer een bewijs dat echtgenotes achter slot en grendel horen.'

'En Xenophon was nog steeds een voorstander van democratie?'

Spiro gebaarde naar een stel stoelen in de hoek van de kamer. Ze gingen zitten, terwijl de bedienden om hen heen druk in de weer bleven.

'Nu Xenophon dood is en Glaucus schijnbaar erg ziek, zijn er nog maar drie overtuigde voorstanders van de democratie over. Twee anderen steunen mij in de overtuiging dat Rhodos zich moet aansluiten bij de Achaeïsche Bond. En twee twijfelen.'

'Er moet een goede vervanger worden gezocht voor Xenophon, die de Bond steunt.'

Spiro ging rechtop zitten. 'Of we moeten ervoor zorgen dat de tegenstanders hun invloed verliezen.'

'En hoe denk je dat te kunnen bereiken?'

'Ik heb de situatie aardig onder controle.'

Andreas wenkte naar een bediende, die een tafeltje kwam brengen en daar het bord eten op zette.

'En als Rhodos de democratie opgeeft, zal het dan – zul *jij* dan – bereid zijn de Bond te omarmen?'

Spiro pakte een stukje geitenkaas van het bord. *Macht inruilen voor vrede, vader, zoals u hebt gedaan?* Spiro had graag zijn hele plan met zijn vader gedeeld, om diens ogen te zien oplichten van trots. Maar dat risico kon hij niet nemen. Misschien was zijn vaders trouw aan de Bond groter dan hij vermoedde en zou hij Spiro's plan om de Bond te gebruiken als opstapje naar tirannie afkeuren. Of erger nog, misschien zou Andreas Spiro überhaupt niet zien zitten als leider van het eiland.

'Natuurlijk, vader,' antwoordde hij. 'De Bond zal Rhodos nog meer vrede en rijkdom brengen dan er nu al is.'

'Hmm.' Zijn vader kauwde op een vijg en keek hem onderzoekend aan. Spiro keek de andere kant op. 'Dus je hebt een plan om de tegenstanders van de Bond hun stem te ontnemen?'

Spiro legde het stuk kaas terug op het bord. 'De posities van Glaucus en de anderen zijn niet zo stabiel als ze zelf misschien denken.'

'Een politicus moet je nooit onderschatten,' zei Andreas. 'En zijn hetaere blijkbaar ook niet.'

Spiro glimlachte. 'Ik denk niet dat het mogelijk is Tessa van Delos te *overschatten*.'

'Wees voorzichtig, Spiro. Er zijn mannen vermoord om minder belangrijke zaken.'

Spiro leunde achterover in zijn stoel. De bedienden waren klaar met hun taken en verlieten de kamer. 'Haar loyaliteit aan Glaucus is minder groot dan veel mensen geloven.'

'Ja, dat had ik al wel begrepen.' Zijn vader stond op en wandelde naar de andere kant van de kamer, waar de kan water en een schaal op een tafeltje stonden. Hij goot het water over zijn handen en dompelde een wit doekje in de schaal. 'Maar ze is niet van jou, Spiro. Je moet voorzichtig zijn.'

'Ik ben altijd voorzichtig, vader.'

Andreas wrong het doekje uit en haalde het langs zijn gezicht. 'Ach, misschien leeft Glaucus wel niet zo lang meer,' zei hij.

Spiro keek glimlachend opzij.

Dat lijdt geen twijfel, vader.

ACHTENTWINTIG

De zon was al een poosje onder toen Tessa bij het huis van Spiro arriveerde. Ze hoopte dat ze de avondmaaltijd had gemist. Simeon was fel in opstand gekomen tegen haar beslissing om naar het symposium te gaan, maar ze had hem niet uit kunnen leggen waarom ze erbij moest zijn. Hermes zou haar geheim alleen voor zich houden als ze hem hielp Spiro ten val te brengen. En ze stond op het punt het enige wapen in te zetten dat ze bezat.

Ze bleef even staan op de trap voor het huis, streek haar chiton recht, smeerde nog wat kleur op haar wangen en verzekerde zich ervan dat de bloemen in haar haar op hun plek zouden blijven.

Aan de geluiden te horen die uit het huis kwamen drijven, was het feest al goed op gang. Ze hoorde iemand op een fluit spelen, wat haar terugvoerde naar de avond van het symposium van Glaucus, de avond waarmee het allemaal was begonnen. Ze wankelde op haar benen bij de herinnering.

Richt je op de avond die voor je ligt, Tessa.

Ze liep het huis binnen zonder te wachten op een aankondiging. Voor de deur van het andron haalde ze nog eens diep adem. Toen ging ze in de deuropening staan en bleef daar wachten.

De maaltijd werd juist opgediend, op lange tafels die voor de banken waren neergezet. De kamer zat vol machtige figuren uit de Rodische politiek. Op het eerste gezicht leken bijna alle strategoi aanwezig. Het meisje dat op de fluit speelde, zag haar het eerst. Ze wisselden even een blik en opeens begreep Tessa waarom de muziek haar zo aan Glaucus had herinnerd. Het was hetzelfde meisje dat die avond had gespeeld.

Tessa keek naar Spiro, die in gesprek was met zijn vader, die naast hem zat.

Probeer je nog steeds te bewijzen dat je net zo'n goede gastheer bent als Glaucus, Spiro?

Alsof hij op haar gedachte reageerde, keek Spiro op. Hij nam haar van top tot teen op en begon warm te glimlachen. Andreas volgde de blik van zijn zoon en glimlachte ook. Tessa keek vriendelijk terug. Op de fluitspeelster na was Tessa de enige vrouw in de zaal. Dat had Spiro ongetwijfeld zo geregeld.

'Tessa.' Spiro stond op van de bank. 'Kom binnen.' Hij keek om zich heen en zorgde dat hij alle aandacht kreeg. 'Tessa heeft Glaucus' zij even verlaten om ons te vereren met een bezoek.' Hij wenkte Tessa dichterbij te komen. 'Hopelijk gaat het beter met Glaucus?'

Tessa liep langs een tafel waar schalen met geroosterde fazant en gekookte appels op stonden. Ze ging naast Spiro op de bank zitten. 'Ja,' zei ze. 'Hij is aan de beterende hand.'

'Fijn. We zien ernaar uit morgen naar hem te luisteren tijdens de bijeenkomst van de Vergadering.'

Spiro stak zijn hand op en gebaarde naar zijn gasten. 'De maaltijd kan beginnen. Tessa is er.'

Terwijl de andere aanwezigen enthousiast begonnen te eten, nam Tessa de tijd de groep nog eens te bestuderen. Zeven van de negen overgebleven strategoi waren aanwezig – alleen Glaucus en Hermes niet. Daarnaast waren er nog enkele andere rijke en machtige kennissen van Spiro.

De taak die ze vanavond moest uitvoeren, vereiste net zo veel tact als die van eerder die dag. Ze moest Spiro's vertrouwen zien te winnen en hem zijn geheimen ontfutselen, maar moest daarbij erg voorzichtig blijven. Als ze te ver zou gaan, zou hij haar kunnen betichten van ontrouw aan Glaucus en nog meer problemen voor haar veroorzaken.

Terwijl Spiro een stuk vlees van tafel pakte, raakte zijn arm die van haar even – onmiskenbaar met opzet.

Nikos, waar ben je?

Spiro bood haar een hap aan van zijn vlees, maar ze schudde

vriendelijk haar hoofd. Hij haalde zijn schouders op, stopte het stukje in zijn mond en likte, terwijl hij haar bleef aankijken, zijn vingers af.

Andreas leunde voorover. 'Spiro, ben je van plan de interessantste gast de hele avond voor jezelf te bewaren?'

Spiro's glimlach verdween. 'Misschien heeft Tessa niet zo'n zin om in de aandacht te staan,' antwoordde hij.

'Onzin! Welke vrouw wil dat nu niet?' Andreas schoof een stukje op, zodat er een smalle ruimte ontstond tussen hem en zijn zoon. 'Kom hier zitten, Tessa, dan kan ik je beter leren kennen.'

Spiro fronste zijn wenkbrauwen, maar boog zijn hoofd en schoof een stukje opzij, zodat Tessa aan de andere kant kon zitten.

Tessa voelde zich net een sappig bot waar door twee honden om werd gestreden. Het was een ongemakkelijke positie, tussen Spiro en zijn vader in, omdat ze steeds haar rug naar een van de twee zou moeten keren. En geen van beide mannen leek bereid haar gezelschap op te geven.

'Zo,' fluisterde Andreas in haar oor toen ze was gaan zitten. 'Nu ben je niet de hele avond aan mijn zoon overgeleverd.'

Tessa keek Andreas in de ogen. *U bent heel anders dan hij.*

Spiro stootte haar zachtjes aan. 'Eet wat, Tessa, voor het koud wordt.'

Haar maag kwam in opstand bij de gedachte. 'Ik heb niet zo'n honger, Spiro.' Ze zag de teleurstelling op zijn gezicht. 'Het spijt me. Maar ik lust wel een beker van je goede wijn.'

Hij glimlachte trots. 'Vanmorgen binnengekomen uit Lesbos.' Hij pakte een beker van tafel en dompelde die in de schaal wijn die voor hen stond.

Het meisje in de hoek begon aan een nieuw treurig wijsje op haar fluit. 'Speel eens iets opgewekters, kind!' schreeuwde Spiro haar toe. 'Dit is een feestelijke avond!' Ze begon een andere melodie te spelen, waarop Spiro Tessa aankeek. 'Er komt straks nog meer amusement. Ik heb iets bijzonders voor je georganiseerd.'

Geweldig.

Ze glimlachte. 'Je bent een indrukwekkende gastheer, Spiro. Ik was vergeten wat een bijzondere feesten jij geeft.'

'Dat is nogal een compliment van iemand die de symposia van Glaucus gewend is.'

Daar gaan we dan. De dans begint.

'Hmm,' zuchtte ze. 'Glaucus smijt graag geld over de balk.' Zich verzettend tegen haar weerzin boog ze zich naar Spiro toe. 'Maar het ontbreekt hem aan een zekere... stijl, zou je kunnen zeggen.'

Spiro's glimlach onthulde dat ze op de juiste weg was.

'Weet je, Spiro, Glaucus heeft nooit erg lovend over jou gesproken.'

De glimlach verdween van Spiro's gezicht en hij keek geërgerd naar zijn beker.

Ze haalde haar schouders op. 'Maar ik heb dat nooit begrepen.' Ze gebaarde naar de ruimte. 'Als ik hier vanavond om me heen kijk, zie ik dat je wordt gerespecteerd door iedereen die ertoe doet.'

Spiro veerde weer op. Tessa verbaasde zich erover hoe gemakkelijk hij zich naar de mond liet praten.

'Sinds Glaucus ziek is, heb jij je meer kunnen uitspreken dan ooit tevoren,' merkte Spiro op. Hij nam een slok wijn en Tessa volgde zijn voorbeeld. 'Ik zou het haast jammer vinden als hij beter werd.'

Tessa zette haar beker neer en knipperde verleidelijk met haar ogen.

'Zoiets zou ik natuurlijk nooit kunnen zeggen.' Ze wachtte even. 'Ook niet als ik het met je eens zou zijn.'

Met een grijns pakte hij een grote champignon van een bord.

Tessa schoof iets bij Andreas vandaan, hopend dat die niet meeluisterde.

'Spiro, heb je je ooit afgevraagd of je voor meer in de wieg bent gelegd dan de functie van strategos? Je komt uit een machtige familie. Verlang je nooit naar... meer macht?'

Hij ademde diep in. 'Als Rhodos zich bij de Achaeïsche Bond voegt...'

Tessa fluisterde bijna. 'Ik heb het niet over de Bond.'

'Voor er een echte leider op kan staan, zullen er eerst radicale veranderingen moeten plaatsvinden.'

'Jij lijkt me geen man die bang is voor radicale veranderingen.' Spiro keek haar vragend aan.

Aan de andere kant van de kamer werd opgewekt gelachen. Er was een magere man binnengekomen die alleen een lendendoekje droeg. Springend en salto's makend bewoog hij zich naar het midden van de ruimte.

Spiro klapte in zijn handen. 'Ha, mijn verrassing is gearriveerd. Heren, ik presenteer u Jason, de beste jongleur van het Egeïsche gebied!'

Het publiek applaudisseerde. Jason pakte drie oesters van een tafel en wierp ze de lucht in. De fluitiste zette een ritmische melodie in en al snel klapten de gasten op de maat mee.

Spiro werd nu volledig in beslag genomen door zijn gasten en het vermaak. Tessa nam een slok wijn. Ze zou haar volgende kans moeten afwachten – dit mocht ze niet overhaasten.

'Waar ben je mee bezig?' Ze hoorde Andreas zachtjes in haar oor spreken en draaide zich naar hem toe.

'O, ik geniet van de jongleur. Hij is...'

'Ik ben geen dwaas.'

Tessa hield haar blik op de acrobaat gericht. 'Ik weet niet...'

'Spiro wordt verblind door zijn verlangen. Maar ik hoor de spanning in je stem.' Hij raakte haar arm aan. 'Je hele lichaam verstijft als je tegen hem praat.'

Tessa nam een slok wijn en wierp een steelse blik op Spiro, maar die lachte mee met de rest en had geen aandacht voor hen.

'Ik denk dat jij net zo weinig vertrouwen hebt in mijn zoon als ikzelf,' fluisterde Andreas.

Tessa's hart ging iets langzamer kloppen.

'Denk je dat mijn zoon geschikt zou zijn om te regeren?'

Het leek een oprechte vraag. Ze keek Andreas aan en zag dat hij haar met een openhartige blik aankeek. Ze schudde zachtjes met haar hoofd.

'En waarom niet?'

Tessa draaide haar rug wat verder naar Spiro toe, waardoor ze tevens Andreas beter kon aankijken. Ze hield haar mond dicht bij zijn oor. 'Daar is een sterk karakter voor nodig. Je moet integer zijn, geven om mensen en hun welzijn. Ik geloof niet dat Spiro zulke kwaliteiten bezit. Hij geeft alleen om zijn eigen macht en plezier.' Ze trok zich een beetje terug en hoopte dat ze niet te vrijmoedig was geweest.

Maar Andreas keek alleen maar naar zijn beker en knikte. Toen glimlachte hij naar haar. 'Ik heb nog een zoon, wist je dat?'

'Nee, dat wist ik niet. Regeert hij samen met u op Kalymnos?'

'Dat zal hij ooit gaan doen.'

Ze glimlachte. 'Dan ben ik blij dat u een zoon hebt die op u lijkt.'

Andreas nam haar zwijgend op, tot ze er ongemakkelijk van werd en haar ogen liet zakken. Haar wangen gloeiden. *Te veel wijn.*

De jongleur was tijdens hun gesprek overgegaan van oesters naar appels, en tot genoegen van het publiek pakte hij nu drie kleine amfora's van een tafel en gooide die in de lucht. De fluitiste ging sneller spelen, de gasten klapten mee en de handen van de jongleur bewogen zo rap dat ze amper nog te zien waren.

Dat kon niet eindeloos goed blijven gaan. De man bewoog net iets te traag met één hand en miste een van de amfora's. Die viel met een klap stuk op de vloer. Stukken keramiek vlogen alle kanten op. De fluitspeelster gilde.

Jason ving de andere amfora's op en deed met een grimas een stap achteruit.

Spiro sprong overeind en riep een slaaf om de scherven op te ruimen. Hij grijnsde breed. 'Leuk, hè, mannen? Zullen we er nog een paar kapotgooien?' Hij hield een kruik boven zijn hoofd, waarop de gasten lachten.

Tessa merkte het meisje in de hoek op, dat nog steeds snikte en haar gezicht bedekte met haar hand. Was ze zo geschrokken van het ongeluk?

Toen zag ze het bloed.

Tessa sprong op van de bank en snelde door de kamer naar het meisje toe.

Vanaf haar wang liep het bloed over haar vingers op de dunne stof die haar schouder bedekte.

'Kom,' zei Tessa. 'Ga hier liggen.' Ze trok het meisje mee naar de dichtstbijzijnde bank en wierp de man die daar lag een vuile blik toe, waarop die opstond. Het meisje zakte neer op de kussens en Tessa boog zich over haar heen.

'Hoe heet je, kind?'

'Amara.'

'Het komt wel goed, Amara. Laat mij eens kijken.' Ze trok de bebloede vingers van het meisje voorzichtig van haar wang. Er was een flinke snee, maar het leek niet al te ernstig.

'Ik heb schone doeken en vers water nodig,' riep ze.

Spiro wenkte een slaaf die in de deuropening stond.

Andreas kwam naast Tessa staan. 'Moeten we er een arts bij halen?'

Tessa keek naar hem op van waar ze naast het meisje geknield zat. Dat hij bereid was een arts te halen voor een gewond slavinnetje maakte meer duidelijk over zijn karakter dan alles wat hij tot nu toe had gezegd.

'Dat lijkt me niet nodig,' zei Tessa met een glimlach. Ze richtte zich weer tot het meisje. Haar dunne chiton was opengevallen en Tessa bedekte haar voorzichtig. Een knecht kwam doeken en water brengen.

'Je doet me denken aan mijn zoon,' zei Andreas. 'Die wil ook altijd iedereen helpen.'

Tessa zag dat Andreas en Spiro een snelle blik uitwisselden en begreep dat Andreas het over zijn andere zoon had. Ze drukte met een doek op de wond van het meisje om het bloeden tegen te gaan. 'Heb je familie?' vroeg ze.

Het meisje tuurde haar aan en schudde haar hoofd. 'Ik ben alleen,' fluisterde ze.

Tessa zag in haar ogen dat ze niet alleen maar antwoord gaf op haar vraag, maar een diepere waarheid deelde. Ze begreep precies wat het meisje bedoelde. Het was een gevoel dat ze meer vreesde dan slavernij of wat dan ook. Ze veegde een haarlok uit Amara's ogen en boog zich naar haar toe om iets in haar oor te fluisteren.

'Je bent niet alleen.'

Binnen een paar minuten had Tessa de wond schoongemaakt, het kompres aangebracht dat een slaaf had klaargemaakt en Amara naar huis gestuurd.

Intussen had Spiro zijn best gedaan de luchtige sfeer te herstellen. Hij had alweer een nieuwe muzikant opgetrommeld, de amfora-scherven waren opgeruimd en Spiro gaf de jongleur grijnzend drie zakjes graan om zijn truc nog eens uit te voeren. De gasten gingen weer ontspannen zitten en Spiro verdween de hal in om voorbereidingen te treffen voor de volgende gang. Tessa nam weer plaats naast Andreas, opgelucht om even van Spiro af te zijn.

Een van de strategoi, Vasilios, riep boven de muziek van de lier uit: 'Het meisje had geluk dat er vanavond een vrouw aanwezig was.'

Tessa hief haar beker op. 'Waar vrouwen niet allemaal goed voor zijn, hè.' De gasten lachten.

Andreas keek haar weer aan. 'Waarom doe je dat?' vroeg hij.

'Reageren wanneer iemand iets tegen me zegt? Vindt u dat ik beter mijn mond kan houden?'

Veel te veel wijn.

'Dat bedoel ik niet. Waarom gedraag je je alsof je niet meer bent dan een speeltje voor de mannen?'

Tessa liet de wijn draaien in haar beker. *Ik hoor vanavond de vragen te stellen, Andreas.* Ze had zich bij de vader van Spiro totaal iemand anders voorgesteld. Hij straalde iets uit wat haar haast dwong hem te vertrouwen, tegen al haar instincten in.

Net als Nikos.

Vasilios sprak haar weer toe vanaf de andere kant van de kamer. 'Tessa, ik heb het idee dat de aanwezigheid van Glaucus in Rhodos amper wordt gemist wanneer jij zijn plaats inneemt.'

Ze glimlachte en hoopte dat de aandacht snel ergens anders op zou worden gericht.

Demetrius reageerde: 'Misschien zou Tessa strategos moeten worden. Laat Glaucus zijn andere liefhebberijen maar najagen.' Iedereen lachte, maar de humor had een serieuze ondertoon aangenomen.

'Zoals Tessa al zei: vrouwen beschikken over veel kwaliteiten,' zei Vasilios. 'Maar voor politiek zijn ze niet in de wieg gelegd.'

Er werd voorzichtig gelachen. Tessa richtte haar ogen op de vloer. 'Je zou je kunnen afvragen of voor Glaucus niet hetzelfde geldt. Misschien is de druk van het leiderschap hem wat te veel.'

De sfeer werd negatiever. Tessa zocht met moeite naar een reactie die niet te wanhopig zou klinken.

Demetrius opperde: 'Misschien zou de vertegenwoordiging van ons eiland tijdens de gesprekken op Kreta beter aan iemand anders kunnen worden overgelaten.'

Tessa veerde op. 'Glaucus heeft het eiland jarenlang trouw gediend. Ga nu niet meteen aan zijn leiderschap twijfelen alleen omdat hij een paar dagen ziek is!'

Het was even stil. Toen zei Vasilios op luide toon: 'Ik vind dat we Spiro naar Kreta moeten sturen.' Alle ogen werden op hem gericht. 'Laten we Glaucus wat tijd gunnen om te herstellen. Dan weten we zeker dat we goed vertegenwoordigd zullen zijn.' Hij haalde zijn schouders op. 'Stel dat Glaucus opnieuw ziek wordt, of – de goden verhoeden het – het hiernamaals ingaat, dan komt het welzijn van ons eiland in ieder geval niet in gevaar.'

Tessa slikte. 'Glaucus zal prima in staat zijn om Rhodos te vertegenwoordigen op Kreta!'

'Maar Spiro…'

Ze zette haar beker met een harde klap neer op de tafel. 'Zelfs Spiro's eigen vader vertrouwt hem niet! Waarom zouden wij dat dan wel doen?'

Haar beschuldiging weerklonk door de kamer. De lierspeler hield abrupt op met spelen en keek net als veel gasten met grote ogen naar de deuropening, waar Spiro stond met een grote kan wijn.

NEGENENTWINTIG

Het was een lange, vervelende dag geweest. Nikos had allerlei huishoudelijke taken moeten uitvoeren, Tessa weigerde hem te spreken en hij had niets ontdekt wat hij zijn vader kon vertellen. Nu slenterde hij door de stad in de hoop voor het eind van de dag nog iets te kunnen achterhalen.

Hij staarde naar zijn voeten, ontweek door honden aangevreten vuilnis en stapte over de goot waar het vuile water door werd afgevoerd – ook hier, in de chicste buurt van de stad.

Hij moest twee keer de weg vragen naar het huis van Spiro. Hij hoopte dat de jongen en het dienstmeisje zich zijn gezicht niet zouden herinneren. Toen hij het huis eenmaal had bereikt, leek het wel licht te geven. Het andron moest vol olielampen staan. Hij hoorde lachende mensen en muziek.

Tessa. Spiro. Andreas. Ze zaten allemaal gerieflijk in die kamer terwijl hij hier op straat stond. Hij voelde een sterk verlangen. Was het verkeerd om geliefd te willen zijn door zijn vader? Om haar lief te hebben?

Omdat Spiro's huis tegen een heuvel op was gebouwd, liep er geen steegje achterlangs waardoor hij kon binnensluipen. Maar er waren wel voldoende donkere hoeken. Nikos ontweek de trap naar de voordeur en liep de heuvel aan de linkerkant van het huis een stukje op.

Hij had eigenlijk geen plan. Hij wilde alleen proberen het huis binnen te komen, om te kijken of hij iets zou kunnen ontdekken. De grond naast de woning was platgetreden door de slaven die deze route gebruikten. Er steeg een rotte geur op van het vuilnis dat langs het huis was opgestapeld. Nieuwsgierige ratten trippelden tussen de stapels door.

Bij een deuropening zag Nikos iets bewegen. Hij drukte zich tegen de muur van het huis aan. Er kwam een man tevoorschijn die bezig was iets in een grote zak te stoppen. Terwijl hij verder liep, knoopte hij de zak dicht. Zonder op te kijken, liep hij langs Nikos.

De man was bijzonder groot. En had een kaalgeschoren hoofd.

Nikos volgde hem.

Om onopgemerkt te blijven, moest hij meerdere malen een steeg in duiken. Eén keer draaide de kale man zich om en Nikos sprak snel een slaaf aan die hem passeerde. Toen liepen ze weer verder, tot Nikos de fakkels kon zien die om de voeten van het standbeeld in de haven brandden.

Toen de reus de haven had bereikt, benaderde hij een groepje mannen die vlak bij de waterkant stonden – drie of vier, Nikos kon het niet precies zien. Hij vertraagde zijn pas en slenterde in de richting van een sloep die in de buurt lag, terwijl hij de mannen in de gaten bleef houden.

Hij kent me toch niet. Ik kan best dichterbij komen.

Met gebogen hoofd banjerde Nikos traag langs de groep, alsof hij een havenarbeider was die met tegenzin een lange nacht werk tegemoet ging.

'Zijn jullie er morgen allemaal bij?' hoorde hij de kale man zeggen.

Er werd instemmend gemompeld.

'Hier.' Hij overhandigde de zak aan een van de mannen. 'Dit zijn de kleren. Weten jullie wat je er na afloop mee moet doen?'

'Adelphos heeft ons het huis aangewezen. Daar zullen we ze achterlaten.'

Nikos cirkelde zo onopvallend mogelijk om de groep heen.

'Ze moeten allemaal dood, begrepen?' zei de kale man. 'Richt jullie messen goed. Voor half werk worden jullie niet betaald.'

'We hebben het begrepen. Iedereen op het podium gaat eraan.'

Hij knikte. 'En breng dan de kleren weg. Dan krijgen jullie je geld.'

De kale man keek even naar Nikos en toen weer naar de groep.

'Weten jullie nog wat je moet schreeuwen?'
'Je hebt alles al uitgelegd, Ajax! Genoeg! We zijn er klaar voor.'
'Goed.'
Nikos liep verder langs de groep. Plotseling stapte de kale man op hem af; hij was veel sneller dan zijn lengte zou doen vermoeden. De man greep Nikos bij zijn haren.
'Wie ben jij?'
Nikos probeerde hem van zich af te schudden. 'Ik ben op weg naar de dokken. Om te werken. Laat me gaan.'
'Je luisterde ons af.'
'Welnee. Ik zag een paar mannen kibbelen over een zak, meer niet.'
Ajax richtte zich tot de anderen. 'Zie je nu hoe belangrijk jullie taak is?' zei hij. 'Overal zijn spionnen.'
Zonder waarschuwing haalde hij uit. Nikos voelde een stomp in zijn maag en klapte voorover.
Niet weer.
Nikos vocht zo goed als hij kon, maar Ajax was veel groter dan hij en zijn vrienden droegen bij met een paar rake schoppen.
Na een paar minuten lag Nikos roerloos op straat. Hij hoopte maar dat ze hem voor dood zouden achterlaten.
'Pak hem bij z'n enkels,' beval Ajax. Nikos voelde dat hij bij zijn voeten en onder zijn schouders werd opgetild.
'Gooi hem in het water,' zei iemand.
'Nee, dan spoelt hij weer aan.'
Met schokkende bewegingen werd hij verder gedragen. Al zijn spieren deden zeer. Hij voelde langzaam een diepe duisternis over zich heen spoelen.
Hij werd ergens neergesmeten; met een stekende pijn in zijn schouder raakte hij de grond. Nikos wist niet waar hij was en het kon hem ook niet schelen. Vlak voordat hij het bewustzijn verloor, had hij het vreemde gevoel dat de grond onder hem bewoog.
Het spijt me, vader.

Het bleef doodstil in het andron. Tessa keek naar Spiro in de deuropening en wachtte tot die in woede zou uitbarsten.

Stomme Tessa. Wat ben je een dwaas.

Maar hij ademde alleen diep in en hield toen de kan wijn met een glimlach omhoog. 'Schenk nog eens in, mannen. Er is genoeg.'

Hij gaf de kan aan een slaaf en liep weer naar zijn plek, waar hij plaatsnam naast Tessa. De jonge lierspeler plukte voorzichtig aan een paar snaren. Het duurde even voor er weer een herkenbare melodie klonk.

'Spiro,' begon Tessa.

Hij stak zijn hand op. 'Je mening is opgemerkt, Tessa. Het is niet nodig erover uit te wijden.'

'Ik heb te veel gedronken, Spiro. Ik dacht niet na over wat ik zei.'

Hij slikte en keek haar aan. Er school een woede in zijn blik die ze wel had verwacht, maar er was nog iets, wat ze niet herkende. Hij sprak op zachte toon. 'Je kwetst me, Tessa. Zijn afkeuring ben ik wel gewend.' Hij knikte met zijn hoofd naar Andreas. 'En hij zal snel gaan inzien dat hij ernaast zit. Maar…' Hij sloeg zijn ogen neer. 'Ik dacht dat jij…'

'Spiro, ik moet Glaucus trouw zijn,' zei Tessa zachtjes. 'Ze proberen zijn autoriteit te ondermijnen. Dat kan ik toch niet stilzwijgend toestaan? Stel dat Glaucus zou horen dat ik stil bleef terwijl hij openlijk werd bekritiseerd. Ik zit hier namens hem, dan moet ik wel mijn mond opendoen.'

Ik lijk wel een bazelend kind.

'Alsjeblieft, Spiro.' Ze raakte zachtjes zijn arm aan. 'Vat mijn woorden niet te persoonlijk op.'

Spiro riep iets naar een man aan de andere kant van het andron. Hij was duidelijk niet van plan het gesprek met Tessa voort te zetten. Om haar heen werd weer volop gediscussieerd. Zowel Spiro als Andreas spraken met anderen en soms raakte de hele kamer betrokken bij een gesprek. Eerst ging het over de plaatselijke politiek, daarna over financiële zaken die het eiland aangingen. Hoe meer wijn er werd ingeschonken, hoe luidruchtiger de gasten werden, tot de meesten ten slotte te dronken waren om nog iets intelligents te uiten.

Tessa zocht naar een opening om haar intieme gesprek met Spiro voort te zetten. Tot nu toe was ze nog niets te weten gekomen over zijn plannen. Als daar niet snel verandering in kwam, zou Hermes haar geheim niet voor zich houden. Ze twijfelde of ze hem überhaupt kon vertrouwen, maar een andere keuze had ze niet.

Alsof hij haar gedachten had gelezen, verscheen Hermes op dat moment in de deuropening.

'Ha, Hermes,' riep Spiro. 'Ik vroeg me al af of je nog zou komen.'

Hermes maakte een buiginkje. 'Mijn excuses voor de late aankomst. Ik was met belangrijke zaken bezig.'

Tessa moest bijna grinniken. Het was lachwekkend hoe de leiders voortdurend probeerden belangrijker over te komen dan hun collega's. Ze was blij dat Glaucus' afvaardiging naar Kreta in ieder geval niet meer ter discussie stond. Iemand had opgemerkt dat het een hele geruststelling zou zijn om Glaucus de volgende dag tijdens de Vergadering te horen spreken, en daarmee was het onderwerp afgesloten.

Daar maak ik me morgen wel druk om. Eerst moet ik iets verzinnen om te voorkomen dat Hermes mijn geheim verklapt.

In een nisje in de muur begon een olielamp te sputteren. Tessa vatte het aan als excuus om Spiro aan te spreken. Ze zette zichzelf ertoe zijn onderarm aan te raken, op het kussen naast haar. 'Er is een lamp uitgegaan,' fluisterde ze met een knikje naar de olielamp. Het was een doorzichtige poging om contact te zoeken, maar ze begon wanhopig te worden.

Spiro keek haar onderzoekend aan. 'Je bent een compleet raadsel voor mij, Tessa van Delos.'

Ze glimlachte en knipperde verleidelijk met haar wimpers. 'Dat is hopelijk positief.'

Hij zei niets, maar keek alleen naar haar hand, die nog steeds op zijn arm lag.

Rechts van haar boog Andreas zich naar haar toe. 'Voor mij ben je net zo'n raadsel, kind.'

Tessa's glimlach naar Andreas was oprecht. 'Zo complex zit ik niet in elkaar, hoor, Andreas.'

Het werd laat en de wijn begon haar nu echt te beïnvloeden. Ze dacht steeds minder na voordat ze iets zei. Met een zucht leunde ze achterover.

Van de andere kant van de kamer keek Hermes haar fronsend aan, alsof hij wist dat ze nog niets te weten was gekomen.

Ze besloot nog maar een poging te wagen. 'Spiro, je had het eerder vanavond over bepaalde radicale veranderingen. Vertel eens hoe je de toekomst van Rhodos voor je ziet.'

Spiro kreeg de kans niet te reageren, want van een afstand riep Hermes haar toe: 'Hoe gaat het met Glaucus, Tessa? Nog steeds ziek?'

Ze wierp hem een vinnige blik toe. 'Het gaat steeds beter, Hermes. Ik moest van hem doorgeven dat hij het erg jammer vindt deze mooie avond niet met jou te kunnen delen.'

'Laat hem maar weten dat hij erg wordt gemist.'

Hermes' cynische toon bleef niet onopgemerkt. Diverse andere gasten wisselden verbaasde blikken met elkaar, zich ongetwijfeld afvragend waarom een van Glaucus' bondgenoten zo sarcastisch over hem sprak.

Vasilios sprak Hermes aan. 'Morgen tijdens de vergadering zullen jullie je mening over de Rodische democratie nog eens uiteen kunnen zetten.' Hij knikte naar de twee andere strategoi die Hermes' standpunten deelden.

'Vasilios, we hebben onze mening al zo vaak...'

Spiro kwam tussenbeide. 'Misschien is het inmiddels te laat en heeft de wijn te rijkelijk gevloeid om nog over politiek te praten. Bovendien heeft Hermes veel minder gedronken dan wij, wat een eerlijk gesprek onmogelijk maakt.'

Hermes lachte. 'Ja, zo te zien is het er hier vanavond erg gezellig aan toegegaan,' zei hij met een blik naar Tessa.

'Ik denk dat ik maar eens terug moet keren naar Glaucus,' zei ze zachtjes.

Toen ze wilde opstaan, pakte Spiro haar stevig bij de pols. 'Hermes is boos op je.'

'Tja. Hermes mag mij niet zo graag, vrees ik.'

Spiro trok haar naar zich toe. 'Glaucus en Hermes houden je gevangen,' zei hij. 'Je hoort niet bij hen.'

'Ik ben nu eenmaal niet vrij om mijn eigen keuzes te maken, Spiro.'

Hij boog zijn hoofd dicht naar haar toe, tot ze zijn adem voelde tegen haar wang. 'Wees niet bang, Tessa. Binnenkort zal alles anders zijn. Ik zal je van hen bevrijden.'

Ze verstrakte. 'Ik zou niet willen dat je Glaucus iets aandeed,' zei ze gespannen. 'Voor mij zou er toch niet veel veranderen. Als hij er niet meer was, zou ik meteen worden overgeleverd aan de volgende die voor mij heeft betaald.'

Spiro kwam nog dichterbij. Zijn intieme blik vervulde haar met een angst die heviger was dan ze ooit had gevoeld.

Zijn ogen straalden triomf uit.

Nee, dat is onmogelijk.

'Spiro?' Zijn naam kwam wankel en krakend over haar lippen.

'Tessa, lieveling,' fluisterde hij glimlachend. 'Ik heb Servia een hoge prijs moeten betalen en het heeft een tijd geduurd, maar spoedig… zal alle moeite worden beloond.' Hij liet haar pols los, pakte haar hand en kuste haar vingers. 'Spoedig, Tessa, zul jij van mij zijn.'

Ω

Langzaam werd Nikos zich bewust van de warme zon die in zijn nek scheen. Hij tilde zijn hoofd op, kreunde en liet het meteen weer zakken. Eerst moest hij zich maar oriënteren.

Hij lag op zijn buik, met zijn gezicht op houten planken. Zijn lichaam werd tot aan zijn schouders bedekt door iets zwaars. Toen hij zich voorzichtig omdraaide, viel er een aantal geweven zakken van zijn rug. Vlak hij zijn hoofd lag een dik stuk touw, dat zwart zag van het vele gebruik. De grond deinde heen en weer onder zijn lichaam.

Ik lig op een boot.

Met een bonzend hoofd ging Nikos op zijn handen en knieën zitten. Boven hem kraaiden drie boze zeemeeuwen, die ruzie leken te maken over eten. Hij volgde hun duikvlucht met zijn ogen en zag toen dat hij in een haven lag.

Gelukkig, de boot is niet weg gezeild terwijl ik aan boord lag.

Het was een niet al te grote vissersboot. Via de plank kwam een visser de boot op lopen, met een net in zijn hand. Hij deinsde verrast terug toen hij Nikos zag.

'Waar kom jij vandaan?'

Nikos schudde zijn hoofd en krabbelde omhoog. 'Dat weet ik niet precies. Ik ben aangevallen en...'

'Ben je net aan boord gekomen?'

'Nee. Vannacht een keer.'

De visser gooide zijn netten neer aan Nikos' voeten. 'Vannacht hebben we Rhodos aangedaan.'

'Ja, Rhodos.'

Nee toch.

Nikos keek richting de haven. Voor een rotsachtige helling stonden huizen die hij nooit eerder had gezien. *Nee!*

'Dit is Rhodos niet.'

Hij keek weer naar de visser, wiens geamuseerde grijns hem niet erg bemoedigde.

'Halki, vriend.'

Nikos greep de visser bij zijn bovenkleed. 'Ik moet terug naar Rhodos!'

De man trok Nikos' hand van zijn kleding. De grijns verdween van zijn gezicht. 'Dan moet je voortaan beter opletten bij welke boot je aan boord gaat.'

'Ik zei toch dat ik was aangevallen…' Nikos hield gefrustreerd op. Het had weinig zin met deze man te kibbelen. 'Gaat u terug naar Rhodos?'

'Het viswater is hier beter. We gaan weer naar Rhodos als we een volle lading hebben gevangen.'

Nikos gromde en duwde de man opzij. Via de smalle plank rende hij het dok op. De kade was drukbevolkt met zeemannen, koopmannen en vissers. De vroege ochtendzon verwarmde de stenen al en weerkaatste van de witgekalkte huizen. Er leek een vakantiestemming in de haven te heersen. Nikos werd steeds zenuwachtiger.

Het gesprek dat hij had opgevangen over een moordaanslag ging zonder twijfel over de bijeenkomst van de Vergadering van vandaag. Spiro had die kale reus opdracht gegeven iedereen op het podium van het amfitheater te laten vermoorden.

Tessa!

Hij wist niet hoe laat de vergadering zou beginnen, maar één ding was zeker: hij moest meteen terug. De reis naar Rhodos zou minstens een paar uur duren.

Nikos kon zichzelf wel iets aandoen. Door zijn zwakheid was hij mijlenver van Tessa verwijderd nu ze hem het hardst nodig had.

En zijn vader. Andreas zou ook bij de vergadering aanwezig zijn, misschien zelfs op het podium, als hij als geëerde gast van het eiland zou worden ontvangen.

Nikos rende de plank van de dichtstbijzijnde boot op.

'Ho!' Een zeeman, de kapitein misschien, stak een hand op en keek hem streng aan. 'Wie bent u?'

'Ik zoek vervoer naar Rhodos.' Hij reikte naar de buidel onder zijn kleed. 'Ik kan ervoor betalen.'

De zeeman fronste. 'Je ziet eruit als een ontsnapte slaaf.'

Nikos wuifde ongeduldig met zijn hand. 'Ik kan u verzekeren dat ik dat niet ben. Gaat u naar Rhodos?'

'Naar Kos.'

Nikos kreunde en rende terug naar het dok. Hij informeerde bij de volgende boot en hoorde dat die 's avonds naar Rhodos zou varen. Dat was te laat.

Een uur later had hij nog niemand gevonden die naar Rhodos vertrok. Verderop in zee lagen grote handelsvaartuigen die werden volgeladen door sloepen, maar het zou nog uren duren voor die klaar waren voor vertrek.

'Jij daar!' riep iemand vanaf het dek van een vissersboot. 'Zoek je werk? Wij kunnen wel een extra kracht gebruiken.'

Nikos schudde zijn hoofd. 'Ik zoek vervoer naar Rhodos.'

'Rhodos?'

Nikos knikte en hield een hand boven zijn ogen tegen de zon.

De zeeman vormde een silhouet achter de rand van de boot. 'Wij vertrekken naar Rhodos zodra we dit lek hebben gerepareerd. Wil je werken voor je overvaart?'

Nikos sprong aan boord. 'Wat moet ik doen?'

De zeeman lachte. 'Zo, heb je haast?' Hij keek naar Nikos' kleding. 'Aan wie probeer je te ontsnappen?'

'Aan niemand. Ik wil naar iemand terugkeren.'

'Aha.' De zeeman lachte opnieuw. 'Een vrouw.'

Inderdaad.

Nikos nam een handvol ijzeren spijkers uit zijn ruwe hand aan. Hij blikte even naar de zon, die vlak boven de horizon stond, en vroeg zich af hoe lang het zou duren voor hij weer in Rhodos zou zijn. Voor hij weer bij Tessa zou zijn.

Ω

Tessa stond in de hal buiten het vrouwenvertrek te luisteren. Ze had deze vreselijke klus zo lang mogelijk uitgesteld. Ze gaf veel om Persephone, maar moest Hermes' opdracht uitvoeren om zichzelf te redden.

Vanachter het gordijn dat voor de deuropening hing, klonk een aanhoudend gezoem van Daphnes weefgetouw en haar valse geneurie. Tessa zuchtte diep en schoof het gordijn opzij.

Hoewel het weefgetouw nog even door bleef draaien, bevroren Daphnes handen midden in de lucht.

'Mijn kamers,' zei ze terwijl ze ging staan. 'Mijn kamers!'

'Het spijt me dat ik je stoor,' zei Tessa.

Daphne haalde zwaar adem, alsof Tessa's aanwezigheid de lucht uit de kamer had gezogen.

'Ik moet je spreken.' Tessa beet op haar lip. 'Ik heb een boodschap van Glaucus.'

Daphne plofte weer neer op haar kruk en liet haar vingers over het vlas lopen dat in het weefgetouw werd strakgetrokken. 'Dus nu worden zelfs boodschappen voor mij via jou afgehandeld.'

Het was geen vraag, maar Tessa hoopte dat ze een reactie kon geven die haar enigszins zou geruststellen. 'Hij maakt zich zorgen om je gezondheid,' zei ze. 'Hij wil je niet blootstellen aan zijn ziekte.'

Daphne keek Tessa vol argwaan aan. 'Maar zijn lieveling wil hij wel opofferen?'

Tessa wuifde de vraag weg. 'Ik doe er niet toe. Glaucus' boodschap gaat juist over jullie gezin, dat hem na aan het hart ligt.'

Daphne snoof. 'En wat is dat dan voor boodschap?'

Nu het moment was aangebroken, zakte de moed Tessa in de schoenen. *Het spijt me, Persephone.* 'Glaucus heeft me verteld dat Persephone al jaren geleden aan Hermes is uitgehuwelijkt.'

Daphne keek lachend voor zich uit. 'Dus dat wist je nog niet? Nee, je weet natuurlijk niet alles. Je was er niet bij toen ik Glaucus een kind schonk, hè? En ook niet toen ze ten huwelijk werd gegeven.'

Tessa sloot haar ogen. 'Nee,' zei ze. 'Nee, ik heb dit net pas van Glaucus gehoord. Hij heeft besloten dat Persephone de huwbare leeftijd heeft bereikt en zo snel mogelijk aan Hermes moet worden gegeven.'

Daphnes blik schoot omhoog. 'Nee!'

278

Tessa slikte. 'Glaucus staat erop dat de ceremonie morgen begint, zodat de twee dagen van de *proaulia* en de *gamos* kunnen plaats-vinden voor hij naar Kreta afreist.'

'Voor jullie samen naar Kreta afreizen.'

Tessa gaf met tegenzin een klein knikje. 'Ja. De proaulia moet morgen beginnen.'

Daphne ging weer staan en liep naar het raampje dat uitkeek over de straat en de zee daarachter.

'Ik heb geen zoon gebaard.'

Tessa wachtte tot ze meer zou zeggen, maar daar bleef het bij. 'Dat is spijtig,' zei ze ten slotte.

'Alleen een dochter. Eén dochter. Dat heeft hij me nooit verge-ven.'

'Mannen vergeten dat wij daar zelf niets over te zeggen hebben,' zei Tessa tegen Daphnes rug.

De vrouw liet haar schouders hangen. 'Ons wordt niets toever-trouwd behalve het baren van kinderen. En als dat dan niet naar tevredenheid gebeurt, krijgen wij de schuld, alsof wij het lot van de wereld bepalen.'

'Het is oneerlijk.'

Daphne lachte zonder zich om te draaien. 'Ik haat jou. Weet je dat?'

Tessa probeerde de huivering in haar lichaam te onderdrukken. 'Ja. Dat weet ik.'

'Je hebt me mijn man afgepakt. En nu kom je het enige afpakken wat ik nog heb – mijn dochter.'

Het was ondraaglijk, waar Hermes haar toe had gedwongen. Toch wist ze een optimistische toon op te brengen. 'Ze zullen een goed stel vormen. Hermes is erg rijk en machtig.'

'Hermes is een monster.'

Ja, dat is hij. Mogen de goden mij vergeven.

'Er zal goed voor haar gezorgd worden. Het wordt vast een goed huwelijk.'

Toen Daphne zich eindelijk omdraaide, keek ze Tessa aan met ogen die jarenlange haat uitstraalden. 'Een goed huwelijk bestaat niet. Niet voor een vrouw. Maar waarom zou Persephone een beter lot verwachten dan dat van haar moeder of de vrouwen die voor mij kwamen?'

Tessa werd kortademig. Ze wilde deze afschuwelijke opgave zo snel mogelijk achter de rug hebben. 'Nou, wil jij zo snel mogelijk voorbereidingen treffen voor de proaulia? Ik zal Simeon opdracht geven het feest voor te bereiden en uitnodigingen te versturen. Dan kan het morgen beginnen.'

Daphne keerde zich weer naar het raam. 'Ga nu maar weg, Tessa. Jij hebt Glaucus. En ik heb nu niets meer.'

Tessa deed een paar stappen achteruit, tot ze het gordijn tegen haar schouder voelde. Ze draaide zich om...

En stond oog in oog met Persephone.

Het meisje had in de hal staan luisteren.

Tessa kon niet bewegen, kon niet eens haar naam uitspreken. Persephones wangen waren vochtig, maar haar ogen waren alweer droog en kil. Ze haalde zwaar adem.

'Tessa,' zei ze. 'Tessa.'

Het gevoel van verraad droop van haar stem.

Ik heb maar één dochter, klonk Daphnes stem in Tessa's hoofd.

Moeder, laat me niet alleen. Ga niet weg. Haar eigen stem, van jaren geleden.

Ze strekte haar hand naar het meisje uit, maar Persephone duwde haar aan de kant. Haar stem klonk laag en haar ogen waren net koude, blauwe stenen. 'Je hebt me van de ene man bevrijd,' zei ze, 'om me vervolgens over te leveren aan een andere.' Ze wierp een blik op het gordijn dat Daphne afgescheiden hield van de wereld. 'Alles wat jij aanraakt, gaat kapot, Tessa van Delos.'

Tessa sloeg een hand voor haar mond om de kreet te smoren die voortkwam uit haar gebroken hart, en holde naar de trap.

Deel III

'Een aardbeving bereikt wat de wet belooft,
maar in de praktijk niet waarmaakt:
de gelijkheid van alle mensen.'
— Ignazio Silone

DERTIG

Een dag voor de grote aardbeving

Voor een bijeenkomst van de Vergadering was altijd grote belangstelling in Rhodos. Hele gezinnen trokken naar het amfitheater, met eten voor tussen de middag in de hand. Vanaf de helling boven het theater zat Spiro te wachten tot de voorstelling die hij voor hen had georganiseerd van start zou gaan.

Het zou nog wel even duren voor alle leden van de Vergadering aanwezig zouden zijn en de eerste sprekers op het toneel zouden verschijnen. Spiro deed zijn armen over elkaar en zette zijn hielen in de zachte grond. Hij tuurde even naar de hemel en snoof de lucht op. Er was vast regen op komst.

Hermes was gearriveerd en ging achter in het theater staan, waar hij de andere leiders bij aankomst begroette. Demetrius en Vasilios zaten al op de eerste rij. Zij deelden beiden de politieke ideeën van Spiro, al wisten ze niets af van zijn plannen voor vandaag.

Glaucus was er nog niet, maar Spiro was ervan overtuigd dat hij deze bijeenkomst niet zou durven overslaan. Het symposium van gisteravond had duidelijk gemaakt dat zijn functie op het spel stond. Dat zou Tessa hem zeker hebben doorgegeven.

Tessa. Zou zij aan Glaucus' zij verschijnen – voor de laatste keer? Deze dag was onvermijdelijk geweest sinds de avond waarop Xenophon was vermoord. De voordelige politieke gevolgen van die moord hadden Spiro op een idee gebracht. Blijkbaar kon de eliminatie van een handjevol tegenstanders het lot van het hele eiland veranderen. Het was eenvoudig gebleken een opstand onder de Joden in scène te zetten. Ondanks wat onverwachte tegenwerking, heerste er inmiddels een algemeen wantrouwen jegens de Joodse gemeenschap in Rhodos. En nu, binnen een paar minuten, zou een groepje Joden het toneel van het amfitheater bestormen om de vier laatste mannen die Spiro's koningschap in de weg stonden te vermoorden.

Het theater op de heuvel bood plaats aan een publiek van zo'n tienduizend man. Het leek erop dat alle zitplaatsen wel zouden worden gevuld. Na de moord op Xenophon en de Joodse opstand was er veel ongerustheid ontstaan over de veiligheid en vrede in Rhodos.

De rij zitplaatsen vlak voor het toneel werd gereserveerd voor priesters en andere hoge functionarissen. Op het toneel, de eenvoudige halve cirkel die *orchestra* werd genoemd, waren stenen banken geplaatst. Daarop zouden Hermes, Glaucus en de twee andere voorstanders van de democratie aan hun einde komen.

Het zal nu allemaal snel voorbij zijn.

Spiro schrok op van een stem naast hem.

'Moet jij je plaats niet gaan opzoeken?'

Spiro draaide zich om en keek zijn vader aan. 'Ik had u nog niet verwacht.'

'Ik wil niets missen.'

'De strategoi die tegen aansluiting bij de Bond zijn, zullen eerst van zich laten horen.'

'En ben jij goed voorbereid om het voor de Bond op te nemen?'

Tegen die tijd zal deze bijeenkomst al voorbij zijn.

'Natuurlijk, vader.'

Andreas gromde sceptisch. 'Ik zie Glaucus nergens.'

'Die is er nog niet.'

Andreas zuchtte. 'Nou, ik loop maar vast naar beneden. Ik moet goed in de gaten houden hoe ons standpunt wordt ontvangen.'

Spiro wenkte uitnodigend naar het toneel. Hij keek toe hoe Andreas de heuvel af liep en voelde een plotseling verlangen zijn vader ook te laten ombrengen.

Er klonk weer een stem achter hem.

'Alles is geregeld,' zei Ajax.

Spiro draaide zich om en leidde de slaaf verder de heuvel op, waar niemand hen zou kunnen zien of horen. 'Ik had toch tegen je gezegd dat we niet samen in het openbaar mogen worden gezien? Weet je zeker dat de mannen die je hebt ingehuurd precies weten wat er van ze wordt verwacht?'

'Ze zullen geen fouten maken. O, en ik heb nog afgerekend met een nieuwsgierige knecht die ons leek af te luisteren.'

'Wat voor knecht?' siste Spiro.

Ajax haalde zijn schouders op. 'Een jonge Griek die in de haven rondhing en verdacht dicht bij ons in de buurt kwam. Maar we zullen geen last van hem hebben.'

'Beschrijf hem eens.'

Spiro fronste terwijl Ajax iemand beschreef die wel erg veel weg had van Nikos, die lastige bediende van Glaucus.

'Wat heb je met hem gedaan?'

Ajax grijnsde vals. 'Hem afgetuigd en bewusteloos op een boot gegooid die op het punt stond weg te zeilen.'

Spiro zuchtte en klopte Ajax op de arm. Hij had Nikos liever dood gehad, maar aangezien de Joden hem tot held hadden uitgeroepen, was het waarschijnlijk niet verstandig een martelaar van hem te maken. Die Nikos was net een vervelend insect dat maar om Spiro's hoofd bleef zoemen. Maar Ajax had niet kunnen weten met wie hij te maken had.

'Misschien laat Poseidon zijn boot wel ondergaan.' Hij klopte Ajax op de schouder. 'Blijf maar hier. Misschien heb ik je nog nodig. Ik moet gaan zitten.'

Hij liet de slaaf hoog boven het theater achter onder een grote boom en liep de heuvel af tot hij de bovenste rij zitplaatsen van het amfitheater bereikte. Daar stond hij even stil en tuurde naar de plek waar de strategoi hoorden te zitten.

Glaucus is er nog steeds niet.

Hij liep vlug de trap af tussen de rijen banken. Hij werd aangestaard door leden van de Vergadering en andere toeschouwers, maar hield zijn blik strak vooruit gericht. Op de voorste rij ging hij tussen Demetrius en Vasilios zitten.

De epistates van de Raad liep op het drietal af. 'Glaucus is nog niet gearriveerd,' zei hij fronsend, 'maar ik wil niet langer wachten. Daarom wil ik een kleine wijziging in het programma aanbrengen. Terwijl we op Glaucus wachten, zullen we eerst van u drieën horen waarom Rhodos zich bij de Achaeïsche Bond zou moeten voegen. Wanneer u klaar bent, zullen Glaucus en de anderen hun zegje doen.'

Spiro voelde de spieren in zijn kaken verslappen en wist even niets uit te brengen.

Wij kunnen niet als eersten spreken. De eerste groep die op het podium zit, zal worden vermoord.

Hij ging staan en riep met zo veel mogelijk verontwaardiging als hij op kon brengen: 'We krijgen nu al dagen te horen dat Glaucus volledig in staat is aan te blijven als leider van Rhodos. Dit is nog niet één keer bewezen, maar de Raad blijft hem steunen en laat hem blindelings naar Kreta afreizen om ons te vertegenwoordigen. Nu beledigt hij de hele Vergadering met zijn vertraging en u neemt het nog voor hem op ook!'

Spiro blikte even opzij naar Demetrius en Vasilios, die meteen gingen staan. De epistates zuchtte. Hij had duidelijk geen zin in ruzie.

Een in het wit gehulde figuur kwam het toneel over lopen vanuit de hoek waar de *skene* stond, waarin de kostuums van de acteurs werden opgeborgen.

Tessa.

De epistates beende zonder begroeting op haar af. 'Waar blijft hij? We moeten beginnen.'

Tessa's witte chiton glom als een zomerse wolk op een grauwe dag. Ze glimlachte en knikte naar Spiro en de anderen. 'Glaucus is al flink opgeknapt, maar hij wilde graag zijn kracht sparen voor de reis naar Kreta, waar hij zich momenteel op voorbereidt. Hij is ervan overtuigd dat Hermes en de anderen zijn mening over de Bond adequaat zullen verwoorden.'

Spiro sprak op zo'n luide toon dat de hele Vergadering hem kon horen. 'De Raad zal Glaucus' aanmatigingen niet langer tolereren.'

Daar was de epistates het mee eens: 'Het volk kan zijn voortdurende afwezigheid niet blijven dulden. Ze zijn benieuwd naar zijn ideeën.'

Vasilios mengde zich in de zaak: 'Laat Tessa maar voor hem spreken.'

'Nee!' Spiro greep Vasilios bij de arm om hem het zwijgen op te leggen. 'We kunnen toch niet toestaan dat Tessa het woord voert tijdens deze officiële bijeenkomst?'

Ze mag het podium niet op. Niet als een van de eerste sprekers.

De epistates haalde zijn schouders op. 'Ze heeft ook al voor de Raad gesproken. Wat is erop tegen?'

Tessa kwam een stap dichterbij. 'Ik denk niet dat…'

Hij schudde resoluut zijn hoofd. 'Je zult spreken namens Glaucus. Of moet het volk concluderen dat Glaucus meer om zijn eigen welzijn geeft dan om dat van Rhodos?'

'Nee. Goed, ik zal spreken.' Ze boog haar hoofd.

Spiro gromde: 'Ik moet even iets regelen. Ik ben zo terug.' Hij staarde streng naar de epistates. 'Wacht op mij.'

Hij draaide zich om en sprintte de trap en toen de heuvel op, naar de olijfboom waar Ajax uit het zicht van de mensen beneden op het gras zat te wachten.

'Ajax!'

De slaaf kwam met een ruk overeind. 'Wat is er?'

'Tessa zal op het toneel verschijnen. Je moet je huurlingen waarschuwen dat ze haar niets aan mogen doen.'

Ajax tuurde naar het volle amfitheater. Hij schudde zijn hoofd en keek Spiro aan. 'Dat gaat niet! Ze verschuilen zich tussen het publiek en komen pas tevoorschijn wanneer de eerste spreker het woord neemt. Ik heb geen idee waar ze zijn en zou ze bovendien niet herkennen in hun Joodse kleding.'

Spiro pufte gefrustreerd en drukte zijn hand tegen zijn voorhoofd.

'Misschien beschermt Glaucus haar wel,' opperde Ajax.

'Glaucus is er niet! Die bereidt zich voor op zijn reis naar Kreta...' Spiro stompte met zijn vuist in zijn hand. Hij mocht Tessa en Glaucus niet weg laten gaan. Hij richtte zich weer tot Ajax. 'Ga naar het huis van Glaucus!' zei hij. 'Hij moet dood, net als de rest. Vermoord hem in zijn bed en kom dan snel terug.'

'Hoe moet ik...'

'Dat kan me niet schelen! Ga het doen!'

Ajax knikte. 'Ik kom terug zodra het gebeurd is.'

Spiro bleef even staan kijken hoe zijn slaaf naar de stad stormde en holde toen de heuvel weer af.

Dus uiteindelijk zal ik Tessa's leven moeten redden. Het had wel iets toepasselijks. Hij vroeg zich af hoe ze hem haar dankbaarheid zou tonen.

Ω

Tessa ging op de voorste rij zitten en luisterde afwezig naar de epistates die tekeerging over Spiro's arrogantie. Aan haar linkerhand zaten Hermes, Philo en Bemus ook te wachten. Ze had vernomen dat zij vieren eerst hun standpunt zouden moeten toelichten. Ze wist niet wie er eerst zou moeten spreken. Als een van de anderen begon, zou zij misschien nog een zinnige indruk kunnen maken door op dat verhaal voort te borduren of iets soortgelijks te zeggen. Maar als zij verwacht werd te openen, zou ze geen idee hebben wat ze moest zeggen. Alle details van de kwestie leken wel uit haar geheugen gewist.

Wat is er met me aan de hand?

Sinds Spiro haar de voorgaande avond had onthuld dat hij haar na Glaucus zou bezitten, had ze niet meer helder kunnen nadenken. Ze was teruggestrompeld naar het huis van Glaucus, vertraagd door de vele wijn en geplaagd door Spiro's gruwelijke glimlach in haar gedachten.

Dit drama zou nog maar een paar uur duren, maar die uren lagen vóór haar als een woestijn die ze voor haar gevoel nooit zou kunnen doorkruisen.

Hermes stond op en kwam naast haar zitten.

'Ik had intussen wel wat bezwarende informatie verwacht om tegen Spiro te gebruiken,' fluisterde hij kwaad.

Ze dacht terug aan Spiro's beloften van de voorgaande avond. 'Hij voert iets in zijn schild,' zei ze terwijl ze strak voor zich uit bleef kijken. 'Hij wil jou en Glaucus en de anderen iets aandoen. Maar ik weet nog niet precies wat.' Ze keek Hermes smekend aan. 'Ik heb meer tijd nodig.'

'Meer tijd! Tot jij en Glaucus zogenaamd naar Kreta afreizen zeker?' Hij gromde. 'Hoe wilde je dat eigenlijk...'

Ze slikte. 'Ik verzin wel iets om mensen te laten geloven dat hij aan boord van het schip is. En ik zal met hem meegaan.'

'Om nooit meer terug te keren naar Rhodos zeker?'

Ze knikte, beseffend dat ze haar lot bezegelde.

'Aan de andere kant van de zee heb ik niet veel aan je, hè?'

'Alsjeblieft, Hermes.' Ze klampte zich vast aan zijn hand. 'Verklap mijn geheim niet.'

Hij snoof. 'Mijn loyaliteit ligt in de eerste plaats bij Rhodos,' zei hij. 'En het eiland vaart slecht bij dit aanhoudende bedrog.'

De lucht werd steeds grijzer en de wolken boven het theater leken zo laag te hangen dat ze konden worden aangeraakt. Tessa bad om een fikse regenbui die iedereen naar huis zou jagen. Een andere kans zou ze waarschijnlijk niet krijgen.

Hermes schudde haar hand van zich af. 'Ik zal voorlopig mijn mond houden, omdat ik onze positie hier geen schade wil toebrengen.'

Tessa knikte dankbaar. 'Maar jij zeilt niet naar Kreta, Tessa. Daar zal ik persoonlijk op toezien.'

Spiro kwam de trap weer af wandelen en knikte naar de epistates, alsof hij de leiding had over de hele bijeenkomst. Met een chagrijnige blik wenkte de epistates Tessa en de andere drie op het toneel te gaan zitten. Spiro keerde niet terug naar zijn zitplaats, maar liep via de rij achter Tessa naar haar toe. Juist toen ze wilde opstaan om naar het orchestra te lopen, pakte hij haar pols beet en hield haar tegen.

'Je moet niet naar voren gaan,' fluisterde hij in haar oor.

Ze wilde zich naar hem toe keren, maar met zijn andere hand dwong hij haar naar voren te kijken. 'Zeg niks, maar blijf hier zitten.'

'Wat krijgen we nou?'

'Jij hoort daar niet te zitten.'

'De epistates stond erop dat…'

'Dit is niet volgens het plan!'

Tessa probeerde opnieuw naar hem te kijken, maar hij leunde voorover, tot hij vlak achter haar stond. Tessa voelde zichzelf blozen van schaamte om zijn nabijheid. Ze werden vast van alle kanten bestookt met nieuwsgierige blikken.

'Loop met me mee naar de *parados*, Spiro. Daar kunnen we praten.'

Aan weerskanten van het orchestra liep een gang waar de toneelspelers zich uit het zicht van het publiek konden terugtrekken. Hij liet haar los en samen liepen ze naar de gang aan de rechterkant van het toneel. Hermes, Philo en Bemus waren intussen in het orchestra gaan zitten.

Nu zal ik in ieder geval niet als eerste hoeven spreken.

Het grauwe daglicht drong amper door in de parados. Toen Tessa zich in het schemerlicht omdraaide, bleek Spiro angstwekkend dicht bij haar te staan.

'Wat gebeurt er, Spiro?' Ze deed haar best haar woede te onderdrukken. Uit ervaring wist ze dat hij inschikkelijker was als hij vriendelijk werd bejegend.

Spiro pakte haar handen beet. 'Het zal nu niet lang meer duren, Tessa. Maar ik kan niet toestaan dat je bij hen gaat zitten. Wacht nog een moment, dan wordt alles vanzelf duidelijk.'

Hij gaat ze vermoorden.

Hij legde rustig een vinger op haar lippen. 'We zullen spoedig samen regeren over dit eiland, Tessa. Jij zult de machtigste vrouw...'

'Ga je ze *allemaal* ombrengen?' Tessa's stem kraakte in de stenen galerij.

Hij knikte. 'En maak je geen zorgen om Glaucus. Ik heb al met hem afgerekend.'

In het amfitheater kwam het publiek tot stilte terwijl de epistates midden in het orchestra ging staan om de bijeenkomst te openen.

'Glaucus?'

'Ik heb vanmorgen iemand naar hem toe gestuurd om hem om te brengen. De Joden zullen overal de schuld van krijgen.' Hij glimlachte doortrapt. 'Het schijnt dat ze wraak wilden nemen voor dat gedoe met het water. Die dwarse Joodse knecht van Glaucus heeft het hele plan georganiseerd. Het bewijs is te vinden in het huis van zijn familie in de Joodse wijk.'

Tessa sloot haar ogen. Eindelijk begreep ze waarom Spiro de Joden zo had opgestookt. Hij had dit hele plan al dagen geleden bedacht. Dit was precies wat ze aan Hermes moest doorgeven om hem stil te houden.

Ze deed haar ogen weer open en keek in de richting van het orchestra. Hermes zat op een bank te wachten op zijn spreekbeurt. Nog even en hij zou tegenover de Raad verkondigen dat Glaucus dood was. En dan zou Tessa aan Spiro toebehoren.

Tenzij ik hier nog even blijf wachten tot Hermes voorgoed het zwijgen wordt opgelegd. Dan kan ik terug naar huis rennen en een manier verzinnen om Glaucus' dood nog een paar uur verborgen te houden. En dan zal Persephone van Hermes bevrijd zijn.

Maar Simeon. Marta en Jacob...
In de verte klonk een onweerslag. De storm kwam dichterbij.
In het orchestra liep de epistates naar achteren.
Hermes ging staan.
Tessa's snelle ademhaling en bonzende hart overstemden de donderslagen.
'Laat het gebeuren, Tessa,' fluisterde Spiro in haar oor.
Laat het gebeuren.
Ruil Hermes' leven voor dat van jezelf.
Het was toch een eenvoudige keuze?

EENENDERTIG

Vanuit de parados zag Tessa dat de wind was toegenomen. Hermes' himation wapperde om zijn benen. Hij trok eraan terwijl hij naar het midden van het orchestra liep.

Het vocht in de lucht vermengde zich met het kille zweet dat over haar hele lichaam was uitgebroken. Spiro had haar nog steeds vast en keek haar afwachtend in de ogen.

Maar ze wist dat ze niet werkelijk vrij was om een keuze te maken. Alle vrijheid was een illusie. Ze was nooit vrij geweest en zou het ook nooit zijn. En ze wist ook dat ze niet in de parados kon blijven staan terwijl drie van de bekwaamste leiders van de stad voor de ogen van het volk zouden worden vermoord. Ze hapte naar adem en hoopte dat haar stem boven de huilende wind uit zou komen. Maar Spiro was haar te snel af. Hij sloeg zijn hand voor haar mond en keek haar woest aan. Ze probeerde zich los te woelen, maar hij ging achter haar staan en sloeg zijn andere hand om haar middel. Zo trok hij haar mee naar achteren, verder de parados in.

Het werd steeds donkerder. Ze haalde wanhopig adem door haar neus en werd misselijk van de schimmelgeur die van de muren kwam. Spiro liet haar middel even los om een houten deur in de stenen muur open te trekken en haar door de opening te duwen. Ze stonden nu buiten het amfitheater, maar Tessa had het idee dat ze misschien nog gehoord zou kunnen worden als ze maar hard genoeg gilde.

Toen barstte de hemel open.

De regen kwam bij bakken uit de lucht. De mensen in het theater trokken hun himations beschermend over hun hoofd. Maar ze stonden niet op om weg te gaan; dit soort buien trokken boven Rhodos altijd snel over. De bijeenkomst zou wél vertraging oplopen;

Hermes en de anderen zouden de storm waarschijnlijk uitzitten in het proskenion.

Spiro trok haar mee de heuvel op, zonder acht te slaan op de modderplassen die haar voeten en kleren besmeurden. Aan de top bleven ze staan onder een boom die een beetje bescherming bood. Hij liet haar los en draaide haar kwaad naar zich toe.

'Ik heb jou alles aangeboden! En nog blijf je je tegen mij verzetten!'

De regen plensde in haar gezicht, maar ze keek hem zonder blikken of blozen aan. Ze spande haar spieren en schreeuwde hem vol frustratie toe: 'Ik... wil... niemands... bezit zijn!'

Hij trok haar fronsend naar zich toe. 'Maar dat is waarvoor je bent bedoeld!'

Ze waren niet alleen, zag Tessa door de regen heen. Er kwam een reusachtige man op hen afrennen. Het water spoelde over zijn kale hoofd. Spiro merkte zijn aanwezigheid op, maar liet haar niet los.

'Hij is dood!' riep de slaaf terwijl hij hijgend tot stilstand kwam.

'Mooi.' Spiro zei tegen Tessa: 'Je behoort nu niet meer aan Glaucus...'

'Nee,' zei de slaaf, 'hij wás al dood.'

'Is de ziekte hem...'

De slaaf schudde zijn hoofd. 'Glaucus is al een week dood.' Hij wees naar Tessa. 'Zij heeft zijn lichaam verborgen, met behulp van die jonge Griek van gisteravond.'

Spiro keek Tessa verbaasd aan en begon toen vals te lachen. 'Tessa toch. We lijken nog meer op elkaar dan ik al dacht. Je bent werkelijk een uitzonderlijke vrouw. Wat een geheim om voor je te houden! En het was je nog bijna gelukt ook.'

Het was afgelopen.

Spiro kende haar geheim. Ze zou niet naar Kreta gaan.

De regen begon af te nemen. Hermes en de anderen zouden straks weer op het podium plaatsnemen en hun dood tegemoet gaan.

Diep vanbinnen voelde Tessa een ijzige kilte opkomen.

Vijf dagen geleden was er een klein vlammetje van hoop in haar ontstoken. Nikos had dat vervolgens aangewakkerd tot het feller brandde dan ze ooit voor mogelijk had gehouden. Maar Nikos kon haar niet redden. En ze kon zichzelf ook niet redden. Het was allemaal voor niets geweest.

Door de regen kwamen nog twee figuren naar hen toe. Vanuit het amfitheater stapte Andreas met lange passen en een norse blik in zijn ogen op hen af. En rechts in de verte kwam iemand aan rennen. Nikos.

Tessa sloot haar ogen en moest de idiote neiging onderdrukken om hard om de situatie te lachen.

Nikos en Andreas kwamen tegelijk aan.

Andreas stevende op Spiro af. 'Wat heeft dit te betekenen?'

'Spiro wil de strategoi op het podium laten vermoorden,' hijgde Nikos. Hij wees naar de kale reus. 'Ik heb zelf gezien dat deze slaaf in de haven hiervoor mannen inhuurde.'

De slaaf stond in één grote stap achter Nikos en wikkelde moeiteloos een dikke arm om zijn nek.

Andreas keek Spiro fel aan. 'Is dit waar?'

'Vader, maakt u zich geen zorgen. Ik heb al gezegd dat ik de situatie onder controle heb.'

'Onder controle? Door vooraanstaande leiders te vermoorden?'

Tessa had het gevoel dat de tijd stilstond. Het was alsof ze een scène uit een toneelstuk verbeeldden, zoals ze daar stonden in de regen. De kale slaaf die Nikos in een wurggreep hield. Spiro, een onzeker kind in aanwezigheid van zijn vader. Andreas, vol minachting jegens zijn oudste zoon.

Ze strekte haar hand uit naar Nikos, maar de ruimte die hen scheidde was te groot. Toen ze haar hand liet zakken, voelden haar vingers aan als hagelstenen.

De regen hield abrupt op, alsof de goden een opdracht hadden gegeven omdat ze wilden zien hoe dit zou aflopen.

Ze konden de epistates horen roepen van beneden in het amfitheater.

De chaos kan beginnen.

Ω

Spiro hoorde de epistates en wist dat het nu niet lang meer zou duren. Hij werd bevangen door een gevoel van wanhoop.

Ik moet iedereen hier zien te houden. Ik heb het bijna bereikt.

Hij trok Tessa naar zich toe en wendde zich tot Ajax.

'Dood die knecht.'

Ajax verstevigde zijn greep om Nikos' nek. Spiro zou maar wat graag van die jonge held af zijn.

'Nee!' riep Andreas.

'Hij strijdt tegen de Bond, vader...'

Zijn vader wierp Spiro een vernietigende blik toe. 'Je bent een dwaas, Spiro! Alles wat jij onderneemt, is dwaasheid.'

Spiro kookte van woede, maar bleef stil.

'Laat hem los, slaaf,' zei Andreas tegen Ajax.

Ajax aarzelde even. Hij liet Nikos ten slotte los, maar bleef pal achter hem staan.

'U blijft me verbazen, vader,' zei Spiro. 'U hebt meer sympathie voor een eenvoudige knecht dan voor...'

'Nikos is je broer.'

De woorden bleven in de lucht hangen, nog zwaarder dan de wolken voordat de storm was losgebarsten.

Spiro keek zijn vader in de ogen. Hij moest moeite doen de woorden tot zich te laten doordringen. Hij merkte amper dat zijn armen van Tessa af gleden.

Tessa deed een paar passen achteruit. Met grote ogen keek ze naar Nikos.

'Mijn broer?' kraste Spiro.

Andreas' gezicht was onaangedaan. 'Ik heb hem naar Rhodos gestuurd om jouw motieven te onderzoeken. Hij heeft zich als een waardige troonopvolger bewezen.'

Spiro deinsde terug van de minachting in zijn vaders stem. Zelfs Ajax had zijn bevel gehoorzaamd.

'Nee,' zei hij. 'Nee. Jullie begrijpen het niet!' Hij balde zijn vuisten en zwaaide er hulpeloos mee voor zich uit. 'Ik heb mijn doel bijna bereikt. Nog even en ik regeer over dit eiland. Vader, u moet begrijpen…'

'Jij begrijpt niets van macht, Spiro. Dat heb je nooit gedaan ook.' Zijn vader legde een hand op Nikos' schouder. 'Na één jaar in mijn huishouden heeft jouw broer al meer gevoel voor goed leiderschap dan jij ooit zult hebben.'

Die onervaren slaaf heeft zowel mijn vader als Tessa voor zich gewonnen.

Spiro werd zo woest dat het gras onder zijn voeten haast begon te smeulen. De haat werkte zich vanuit zijn tenen omhoog en richtte zich op één enkele persoon.

Het kon Spiro niet schelen dat hij gilde als een gewond dier terwijl hij op de man afstormde die hem alles had ontnomen.

Nikos, zijn broer.

Ω

Tessa kon alle verwarring niet meer aan. De onthulling van Andreas. Spiro's woede.

Toen Spiro Nikos belaagde, zette ze het op een rennen.

Ze dacht maar aan één ding. Ze wist dat ze dit moest doen, als verzoening voor haar daden, en misschien om de goden te behagen.

Ze moest de drie mannen in het orchestra redden.

Terwijl ze de trap van het theater af rende, werd ze van alle kanten bekeken. Haar sandalen klakten tegen de natte stenen.

Nikos is de zoon van Andreas.

Overal verraad. Ze kon niemand vertrouwen.

Hermes stond midden op het toneel. Op luide toon begon hij het volk toe te spreken. 'Burgers van Rhodos. Geëerde leden van de Raad.' Zijn stem drong door tot de achterste rijen van het theater, waar de natgeregende mensen op het punt stonden opnieuw getuige te worden van een razende storm.

Tessa handelde zonder erbij na te denken. Ze vloog de trap af en keek angstig naar het toneel.

'Hermes! Pas op!'

Alle ogen werden op haar gericht. Hermes hield abrupt op met spreken, zijn arm nog opgeheven. Met open mond staarde hij haar aan.

'Een complot!' riep ze. 'Moordenaars!'

Vanuit de parados verscheen een groep soldaten.

In het publiek stonden vier mannen op – Joden, aan hun uiterlijk te zien. Onder angstaanjagend geschreeuw bestormden ze het podium. Ze hielden alle vier een mes in de aanslag.

Een van de mannen scheerde vlak voor het orchestra langs Tessa. Er liep een rilling over haar lijf toen ze hem hoorde uitroepen 'De wraak van Jahweh!'

Een aantal vrouwen in het publiek begon te gillen.

Het orchestra liep vol soldaten met geheven zwaarden. Hermes, Philo en Bemus vluchtten naar achteren, onder de portico door en het proskenion in.

De vier leken niet te beseffen dat hun plan dreigde te mislukken. Ze bleven onder luid geschreeuw naar voren rennen, op de soldaten af.

Het leek wel of de bijeenkomst van de Vergadering op het laatste moment was vervangen door een geïmproviseerd drama, dacht Tessa. Ze voelde haar benen slap worden en zakte op haar knieën in de modder.

De vier Joden werden omsingeld door meer dan drie keer zoveel soldaten. Er volgde een korte, bloederige strijd.

De valse Joden lagen nog bloedend in de modder toen de epistates het podium op holde en uitleg eiste. Hij richtte zich tot Tessa. 'Sta op, hetaere!'

Tessa probeerde overeind te krabbelen. Ze wroette met haar vingers door de modder, maar ze had geen kracht meer in haar armen. Van achteren werd ze door andere handen omhooggetild.

Toen ze omkeek, zag ze Andreas staan. 'Vertel het ze,' beval hij. 'Vertel ze alles.'

Ze strompelde naar de epistates toe, draaide zich om en richtte zich tot de burgers van Rhodos. Het doorweekte publiek wachtte ademloos af wat ze te zeggen had.

'Vandaag...' begon ze schor. Ze schraapte haar keel. 'Vandaag is er een poging gedaan u te beroven van uw beste leiders. Het plan was bijna geslaagd.'

Ze was even stil terwijl ze op adem probeerde te komen.

Andreas legde voorzichtig een hand tegen haar rug om haar te steunen. Ze keek op en zag Nikos de trap af stormen, met Spiro en de kale slaaf vlak achter zich.

Ze wees omhoog. 'Daar! Daar is de man die een moordaanslag wilde plegen!'

De aanwezigen keken de drie mannen aan, die in volle vaart bleven rennen.

'Hij wilde de tegenstanders van de Bond uit de weg ruimen,' riep ze de Vergadering toe. 'Maar zijn eigen steun aan de Bond is een façade. Zodra de democratie is opgegeven, wil hij als koning regeren over Rhodos!'

Er steeg een geroezemoes op uit het publiek, als rommelend onweer vlak na een storm. Nikos voegde zich bij Tessa, terwijl Spiro hijgend voor op het toneel ging staan.

'Burgers!' schreeuwde Spiro. 'Vergeet niet wie deze beschuldigingen uitspreekt! Wat is er van ons geworden, dat we het geraaskal van zo'n vrouw serieus nemen?'

De epistates stapte op Spiro af. 'Wat is jouw reactie op haar beschuldigingen, Spiro?'

Spiro wuifde de vraag geërgerd weg, alsof het de moeite niet waard was op Tessa te reageren. 'Wat kan ik erop zeggen? Deze hetaere heeft geen enkel bewijs om haar leugens te onderbouwen.'

Tessa wees naar de kale slaaf. 'Er zijn getuigen in de Joodse wijk die kunnen bevestigen dat Spiro's slaaf de geruchten heeft verspreid over de kapotte waterleiding. En ook dat hij iemand heeft betaald om een Jood te beschuldigen van de moord op de bewaker van het watergebouw. En diezelfde slaaf heeft deze mannen betaald...' – ze wees naar de lijken op de grond – 'om zich te verkleden als Joden en zogenaamd in naam van Jahweh de strategoi te vermoorden!'

Spiro sloeg zijn hoofd achterover en lachte theatraal, alsof hij een voorstelling gaf die hij van tevoren had gerepeteerd. Tessa kreeg het er benauwd van.

Hoofdschuddend keek hij naar het publiek. 'Laat deze vrouw u niet manipuleren. Dat kan ze als de beste – ze is er zelfs voor opgeleid!' Hij wees naar de slaaf. 'Deze man is mijn slaaf helemaal niet! Hij heeft alles gedaan in opdracht van zijn echte meester.' Spiro draaide zijn hoofd om naar Nikos. 'Een man die zich voordoet als iemand anders!'

De epistates keek verward van de ene naar de andere man. 'Ik begrijp het niet. Is de knecht van Glaucus de meester van die slaaf?'

Andreas mengde zich in het gesprek, wat de verwarring nog groter maakte. 'Hij is geen knecht. Hij is mijn zoon. Ik heb hem naar Rhodos gestuurd om de corruptie te onderzoeken die in de Rodische politiek aan de orde van de dag lijkt te zijn.'

Er steeg een verontwaardigd geroezemoes op bij deze beschuldiging. Tessa kon het allemaal nog maar moeilijk bevatten. De gezichten van de mensen om haar heen dansten voor haar ogen.

De epistates richtte zich tot de kale slaaf. 'Hoe heet jij?'

'Ajax.'

'En wie is je meester?'

Ajax draaide zich traag om naar Nikos en wees hem aan. 'Ik gehoorzaam aan deze man.'

Er klonk weer gemompel in het publiek. Spiro glimlachte zwakjes naar de slaaf.

'Dat is een leugen!' schreeuwde Andreas.

Spiro verhief zijn stem boven die van zijn vader uit. 'Vraag maar eens aan Tessa waarom Glaucus hier vandaag niet is.'

De epistates keek gefrustreerd naar Tessa. De toenemende complexiteit van de situatie begon hem duidelijk te irriteren. 'Waar is Glaucus, Tessa?'

Tessa zag zijn mond bewegen en ving de woorden op, maar kon geen antwoord geven. Diep vanbinnen voelde ze die ijzige kou weer opkomen.

Spiro gaf antwoord voor haar. 'Hij is dood! Bijna een week geleden werd hij zogenaamd ineens te ziek om nog in het openbaar te verschijnen, maar in werkelijkheid heeft zijn hetaere hem vermoord.'

Tessa staarde naar het publiek, dat als één wezen met grote ogen en open mond terugstaarde.

'Dat is niet waar!' Nikos mengde zich eindelijk in het gesprek. 'Het was een ongeluk. Ze heeft hem niet vermoord!'

Tessa staarde naar Nikos. De zoon van Andreas.

Wat wist ze eigenlijk van hem? Ajax beweerde voor hem te werken. Misschien was dat wel waar. Misschien had Nikos alles verzonnen, om haar te laten geloven dat Spiro Glaucus en de anderen iets aan wilde doen. Ze zocht in gedachten naar een argument om hem te geloven. Ze besefte ergens wel dat Spiro leugens verkondigde, maar het werd steeds moeilijker waarheid en leugens uit elkaar te houden.

Spiro sprak nu op spottende toon. 'Tja, waarom zouden we deze man ook niet geloven? Hij heeft immers alleen maar geprobeerd de moord op een van onze leiders te verdoezelen en zijn hetaere in bed te krijgen.'

Tessa zag Nikos' gezicht vertrekken van woede. Alsof de tijd vertraagde, zag ze Nikos langzaam op Spiro afvliegen. Nijdig sloeg hij zijn handen om de nek van zijn broer.

De epistates wenkte met zijn hand, waarop meteen een groep soldaten aan kwam snellen.

'Genoeg!' schreeuwde de epistates. 'Genoeg!'

De soldaten trokken Nikos en Spiro uit elkaar. Andreas ging tussen hen in staan. De broers stonden grommend tegenover elkaar als twee wilde honden.

Tessa keek gefascineerd toe, er steeds meer van overtuigd dat deze hele dag een nauwkeurig ingestudeerd toneelstuk was dat in het theater werd opgevoerd tot vermaak van de burgers van Rhodos. *Het is bijzonder vermakelijk, ja. Zo goed gespeeld.* Ze wilde wel applaudisseren, maar had het gevoel dat het drama nog niet ten einde was. *Laat ik nog maar even wachten.*

Het gezicht van de epistates liep donkerrood aan van opwinding. 'Houd ze hier vast!' riep hij tegen de soldaten. Toen wendde hij zich tot de mensen op de tribune. 'Inwoners van Rhodos, ga naar huis! Alleen de Raad moet hier blijven. We zullen deze zaak vandaag tot op de bodem onderzoeken en de schuldigen berechten.'

De menigte bleef roerloos zitten.

'Vort! Ga naar huis!' riep hij opnieuw.

Langzaam maar zeker begonnen de burgers op te staan.

Terwijl de meerderheid van het publiek het amfitheater verliet en de raadsleden naar voren kwamen, beval de epistates de soldaten degenen die midden op het toneel stonden van elkaar te scheiden.

Nikos en Andreas werden links neergezet, terwijl Spiro en Ajax ieder afzonderlijk door een soldaat werden bewaakt en Tessa naar de rechterkant van het orchestra werd geleid.

Toen alleen de Raad nog op de tribune was overgebleven, werd er in stilte afgewacht wat er nu zou gaan gebeuren. De epistates richtte zich tot degenen op het podium.

'Dan zullen we nu de waarheid achterhalen.'

Ω

Tessa zag dat Nikos haar aankeek, maar wist dat er niets van haar gezicht af te lezen viel, omdat ze helemaal niets voelde. Ze beantwoordde zijn blik met een lege uitdrukking.

Spiro opperde dat het vast Nikos was geweest die Glaucus had vermoord. 'Het is algemeen bekend dat mijn vader hoopt dat Rhodos zich net als Kalymnos bij de Achaeïsche Bond zal aansluiten. Blijkbaar heeft hij zijn bastaardzoon gestuurd om zijn tegenstanders hier te vermoorden!'

De slaaf Ajax werd rechtstreeks gevraagd of hij de chaos in de Joodse wijk had veroorzaakt. Hij boog zijn hoofd, alsof hij zich schaamde. 'Andreas en Nikos hebben mij gekocht in Kalymnos en meegenomen naar Rhodos om hun plannen uit te voeren,' zei hij. 'Ik doe alleen maar wat me wordt opgedragen.'

De raadsleden mompelden tegen elkaar.

Nikos protesteerde. 'Deze bruut is van Spiro. Hij denkt natuurlijk dat hij beloond zal worden als jullie Spiro ongestraft vrijlaten.'

'Ongestraft waarvoor?' wilde de epistates weten.

'Voor dit alles!' Nikos gebaarde om zich heen.

'De dood van Glaucus?'

Nikos sloot zijn ogen. 'Nee, niet de dood van Glaucus…'

'Dus je geeft toe dat je Glaucus hebt vermoord?'

'Ik heb al gezegd dat het een ongeluk was.'

'Een ongeluk dat toevallig net gebeurde toen jij naar Rhodos kwam en onder valse voorwendselen een positie verwierf in zijn huishouden?'

Het wolkendek was opengebroken en er vielen nu warme zonnestralen neer op het amfitheater. Er kwam stoom van de stenen en Tessa voelde haar nek vochtig worden van het zweet.

De epistates richtte zich tot de Raad. 'Tot nog toe wordt een mogelijke aanklacht tegen Spiro alleen gestaafd door de getuigenissen van Andreas en zijn zoon Nikos. En andersom hebben we alleen het woord van Spiro en de slaaf als aanklacht tegen onze gasten uit Kalymnos.'

Hij keek naar Tessa. 'Wat zeg jij van dit alles, Tessa van Delos?'

Tessa keek van Spiro naar Nikos. Broers. En leugenaars, allebei.

Ze glimlachte naar de epistates. 'Ik ben maar een eenvoudige hetaere,' zei ze. 'Wat weet ik nu van zulke zaken?'

De epistates wendde zich vol afkeer weer tot de Raad. 'We zullen stemmen,' zei hij. 'Het wordt een open stemming. Wie Spiro schuldig acht aan de gebeurtenissen van vandaag moet links gaan zitten. En wie denkt dat Andreas en Nikos schuldig zijn en direct van het eiland moeten worden gestuurd, neemt rechts plaats.'

Tessa keek onbewogen toe hoe de Raad als één man ging staan en naar weerskanten van de tribune uitweek, als een wandkleed dat dwars doormidden werd gescheurd.

Rijen mannen voor zich.

Een kring mannen om haar heen.

Dode mannen aan haar voeten.

Mannen beslisten over haar lot, zoals het altijd was gegaan en altijd zou blijven gaan.

Toen de raadsleden eenmaal aan weerskanten van de tribune waren gaan zitten, was het niet nodig de stemmen te tellen.

Spiro kwam dicht op haar staan. Er verscheen een sluwe glimlach op zijn knappe gezicht. Hij fluisterde in haar oor: 'Dit is nu die kostbare democratie waar jij voor strijdt, Tessa. De wil van de meerderheid. Die zich tegen jou keert.'

Tessa werd geflankeerd door twee soldaten terwijl ze voor de laatste keer de trap naar het huis van Glaucus op liep.

Alsof ik ergens naartoe zou kunnen vluchten.

Ze had toestemming gekregen om haar spullen op te halen. Ze zouden niet lang blijven. De zon, die de stad na de storm van vanmiddag opnieuw had verwarmd, ging nu achter haar onder.

Door de deur liep ze de vertrouwde hal binnen. In het andron was het muisstil. Ze vroeg zich af wanneer daar ooit weer een symposium zou worden gehouden.

Toen ze de haardruimte passeerden, hoorde Tessa zachte stemmen. Ze bleef in de deuropening staan en zag Simeon gebukt boven Persephone staan, die op de grond naast het vuur zat. Simeon hield een doekje tegen een bloedende snee boven haar oog.

'Je bent gewond,' zei Tessa. Ze vroeg zich af waarom het haar zo weinig deed.

Toen Simeon naar haar opkeek, zag ze dat hij geslagen was. Een van zijn ogen zag paars en was opgezwollen, en zijn onderlip was gebarsten.

'Wat is er gebeurd?'

'Er kwam een man om Glaucus te vermoorden,' zei Simeon.

Ze strekte haar hand naar hem uit. 'Hij heeft je pijn gedaan.'

Simeon schudde zijn hoofd en ging rechtop staan. 'Het komt wel goed.'

Tessa tuurde naar het gewonde gezicht van de oude bediende. 'Ik had het mezelf nooit vergeven als…'

Simeon raakte haar arm aan en boog zich naar haar toe. 'Er zal meer voor nodig zijn dan een slaaf om mij te doden,' zei hij. 'Zolang Jahweh het wil zal ik Hem blijven dienen tussen de levenden.'

Persephone begon te huilen. 'Het spijt me, Tessa. Hij dwong me hem te vertellen…'

Ze is niet meer boos op me.

Dat had een troostrijke gedachte moeten zijn, maar ze voelde er nog steeds weinig bij. Ze legde een hand op Persephones hoofd, waarop het meisje haar hand beetpakte en erin kneep. Ze keek Tessa vergevingsgezind aan. Achter Tessa porde een soldaat haar in haar rug.

'Doorlopen,' gromde hij.

Ze liet Persephones hand los, keek haar nog even aan en verliet de ruimte. Met de soldaten liep ze het binnenplein over, naar de kamer van Glaucus achter in het huis, waar Tessa haar eigendommen had opgeborgen.

De dekens op het bed waren opzij getrokken – een bittere herinnering aan haar ontdekte geheim. Tessa spreidde een doek over het bed uit, haalde haar weinige bezittingen uit een kist die naast de muur stond en legde die midden op de doek. Onder in de kist zag ze een kettinkje liggen dat ze van haar moeder had gekregen. Zonder het te pakken, deed ze het deksel weer naar beneden.

Ze knoopte de hoeken van het kleed aan elkaar en pakte het bundeltje van het bed.

De twee soldaten volgden haar de kamer uit en het binnenplein weer over.

Bij de kooi van Myna stond ze even stil. De zwarte vogel floot haar vrolijk toe. Tessa strekte haar armen uit om de kooi mee te nemen, maar liet die toen weer zakken. Ze zou Myna niet meenemen naar het huis van Spiro. Ze maakte het deurtje open, stopte haar hand in de kooi en wachtte tot de vogel op haar vinger wipte. Vervolgens trok ze Myna de kooi uit en stak ze haar hand in de lucht. Stilletjes zei ze gedag en liet de vogel met een snelle polsbeweging los.

Toen ze zich naar de soldaten omdraaide, zag ze dat Nikos en Andreas het plein op waren gelopen, ook vergezeld door soldaten.

'Wat doen jullie hier?'

'We worden geëscorteerd naar het eerstvolgende schip dat naar Kalymnos vaart,' zei Andreas.

Nikos voegde toe: 'Ik wilde Simeon en Persephone nog gedag zeggen.'

Tessa wachtte af of hij nog meer zou zeggen. De soldaten die Andreas en Nikos begeleidden, werden ongeduldig. Andreas keerde zich om.

Nikos bleef haar aankijken met een droefheid in zijn ogen die haar ondanks alles in het hart raakte.

'Ga maar, Nikos,' zei ze. 'Je hoort in Kalymnos thuis. En ik hoor bij Spiro. Ik heb je niet meer nodig.'

De soldaten trokken hem aan zijn arm. Nikos schudde hen kwaad van zich af en bleef haar aankijken. 'Dan wens ik je veel succes in je strijd tegen de mooie Berenice om de positie van belangrijkste hetaere van Rhodos.'

Ze keerde zich van hem af en richtte haar blik op de fontein midden op het plein, die opgewekt water in de lucht spoot alsof er geen vuiltje aan de lucht was. 'Je moet nu gaan,' zei ze.

Er verschenen nog twee mensen op het plein. Het leek wel of heel Rhodos was uitgelopen om getuige te zijn van haar nederlaag.

Spiro. Met Servia achter zich.

'Wat doen zij hier?' gromde Spiro.

Andreas liep langs zijn zoon. 'We zullen je nu verlaten, Spiro. Je bent vrij om dit eiland te ruïneren, wat je ongetwijfeld snel zult doen.'

Zonder nog iets te zeggen, verlieten Andreas en Nikos het plein.

Servia waggelde steels naar Tessa toe. 'Je blijkt nog waardevoller dan ik al hoopte toen je moeder jou aan mij verkocht,' lachte ze. 'Ik heb maar geluk dat je je meester uit de weg hebt geruimd, want nu ontvang ik de prijs van de volgende.' Luid genoeg dat Spiro haar kon horen, fluisterde ze: 'Je mag deze van mij ook best wegwerken, hoor. Er zullen altijd mannen voor je in de rij blijven staan.'

Spiro fronste zijn wenkbrauwen. 'Maak je maar geen illusies, Servia.'

Hij keek naar Tessa. 'Ze zal nog vele jaren in mijn bezit blijven.' Hij haalde een goedgevulde buidel onder zijn mantel vandaan en gaf die aan haar. Servia hield de buidel glimlachend voor zich en liet de munten zachtjes rinkelen.

'Laat ons nu alleen, Servia,' zei Spiro. 'Onze zaken zijn geregeld. Ik hoop je nooit meer te zien.'

Servia haalde haar schouders op, keek nog eens glimlachend naar de buidel en verliet het plein.

Spiro trok Tessa mee door de hal naar de portico. Daar bracht hij haar hand naar zijn lippen en kuste die zachtjes. 'Eindelijk,' zuchtte hij. 'Ben je klaar om aan je nieuwe leven te beginnen?'

Tessa zei niets. Dacht niets. Voelde niets.

Het eiland baadde in het gouden licht van de ondergaande zon. Helios glinsterde in de haven. Ze keek uit over de zee en dacht met verbazing aan de wending die haar leven had genomen.

Was het nog geen week geleden dat ze hier had gestaan en Helios had beloofd zichzelf aan zijn voeten te offeren? Had ze zich maar aan die belofte gehouden.

Ergens in de haven lag een schip dat zich voorbereidde om naar Kreta af te zeilen, naar de vrijheid. Het zou zonder haar vertrekken.

Ω

Vanaf het dek van het schip zag Nikos het eiland Rhodos steeds kleiner worden in het licht van de ondergaande zon. Zijn vader stond naast hem. Soldaten hadden hen naar de haven geëscorteerd, het schip op geleid en de kapitein opdracht gegeven te vertrekken. Over vier uur zouden ze Kalymnos bereiken.

Helios hield zijn fakkel omhoog alsof hij Nikos vaarwel zei. Hij dacht aan die eerste morgen waarop hij Tessa had aangetroffen aan de voet van het standbeeld, onderkoeld en halfdood. Eerder vandaag in de tuin van Glaucus had ze dezelfde blik in haar ogen gehad als toen.

Het was een illusie geweest, het idee dat hij haar kon redden. Ze dienden de goden en de politiek, en ze zouden zich aan beide moeten onderwerpen.

'Ze was een erg bijzondere vrouw, dat geef ik toe,' zei Andreas.

Vanuit de haven steeg een zwerm zeemeeuwen op. Nikos keek toe hoe de zon van hun vleugels weerkaatste terwijl ze achter elkaar omhoog vlogen. Kraaiend verlieten ze Rhodos en vlogen ze boven de hoofden van Nikos en Andreas de sprankelende blauwe zee over. Nikos glimlachte. 'Dat is ze zeker.'

'Ik had graag gezien dat ze je hetaere was geworden.'

'Hou op, vader.'

'Zoon, je denkt toch niet werkelijk dat...'

Nikos stak zijn hand op. 'Ik wil niet over haar praten.'

Andreas lachte. 'Liefde is voor eenvoudig volk en voor slaven, Nikos. Jij kunt je beter richten op macht.'

Zoals Spiro altijd heeft gedaan.

Nikos dacht aan de obsessie van zijn halfbroer om hun vader te behagen. Zijn bereidheid alles te doen om bij hem in de gunst te komen.

Net als ik.

Die waarheid kwam van diep vanbinnen omhoog borrelen. Nikos liet de reling van het schip los en liep naar de voorsteven. Was hij niet net als Spiro? Hij was naar Rhodos gekomen om hun vader te behagen, had Tessa bedrogen omwille van hem en zeilde nu terug naar Kalymnos – ook weer om voor zijn vader te gaan werken. Wanneer zou hij zijn eigen koers gaan varen?

Het beeld van Helios verdween langzaam in de schemering. Hij zou spoedig terugkeren naar Dalios Apollo, de patroongod van Kalymnos. Hij dacht aan de ene God van de Joden, Die iets bood dat geen Griekse god ooit had geboden: verlossing.

Nikos begreep wat verlossing was. Hij was in de goot geboren en aangenomen als zoon. Hij voelde een diep verlangen om terug te keren naar de Joden.

Terwijl Rhodos aan de horizon verdween en Kalymnos steeds dichterbij kwam, had Nikos het vreemde gevoel dat hij zijn ware thuis achter zich liet.

$$\Omega$$

Tessa had niets gehoord tijdens de korte reis naar het huis van Spiro. Misschien had hij tegen haar gesproken, maar ze kon zich er niets van herinneren. Ze wist niet eens meer wat voor weer het was – misschien had de zon geschenen en misschien had het gewaaid. Ze wist alleen dat ze nu van Spiro was.

Ze stond in de centrale hal van zijn huis en keek naar een scheur in de muur, die van de vloer naar het plafond liep.

Er kwam een dikke man met een brede glimlach op haar af lopen.

'Daar is ze dan, daar is ze dan.'

'Heb je ze meegenomen?' vroeg Spiro aan de man.

'Natuurlijk, natuurlijk.' De kleine man klapte in zijn handen. 'Alleen de allerbeste stoffen! U zult zien.'

'Waar?'

'Ik heb ze in haar kamer gelegd. Kom, volg mij.'

Spiro wenkte haar de man te volgen. Zonder na te denken, zette ze de ene voet voor de andere. In een kleine kamer die uitkwam op het binnenplein, lag een stapel kleding uitgestald op het bed.

'Tessa,' glimlachte Spiro. 'Deze kamer is voor jou als je hier aanwezig bent.' Hij wees naar het bed. 'Zoals je ziet, heb ik een geheel nieuwe garderobe voor je aangeschaft.' Hij liep naar het bed en hield een luxe chiton omhoog. 'De prachtigste kleuren en stoffen, zie je wel?'

Tessa knikte, omdat hij een antwoord leek te verwachten.

Spiro gebaarde dat de man mee naar buiten moest komen. Ze spraken even over geld en toen liep Spiro weer naar binnen. Tessa was roerloos blijven staan.

Hij raakte haar witte chiton aan, die grijs was geworden van de modder en regen. 'Ik zal jou mooier kleden dan Glaucus ooit heeft gedaan.' Hij liet zijn vingertoppen langs haar arm glijden. 'Hij besefte niet wat voor kostbaars hij in handen had. Ben je niet blij dat je nu tenminste aan iemand toebehoort die je eerbied waardig is?'

'Ik heb in mijn leven zelden eerbied op kunnen brengen voor een man.'

Spiro pakte haar bij de pols en trok haar naar zich toe. 'Dan voel ik me des te gelukkiger dat ik wel een van die mannen mag zijn.' Hij sloeg zijn vrije hand om haar middel. 'Je leven met mij zal in niets lijken op het leven dat hij je bood, Tessa. Je zult op alle manieren van mij zijn, en ik zal jouw naam bekendmaken aan eilanden waar je nog nooit van hebt gehoord.'

Ze voelde de kou weer in zich toenemen en ervoer het als een opluchting. Vanaf een schilderij aan de muur zag ze Athena met open armen op haar neerkijken.

Spiro bleef haar vasthouden. 'Ik zal niets in de weg laten staan van jouw roem. Eventuele belemmeringen zijn wel te ontwijken. En aan een troonopvolger heb ik toch geen behoefte.'

Tessa merkte plotseling dat ze toch nog gevoel bezat en trok zich uit zijn omhelzing terug. 'Wat?'

Hij glimlachte geduldig. 'De vroedvrouw zal zulke problemen in het verleden toch al wel eens voor je hebben opgelost, Tessa? Of zijn de goden je gunstig geweest en is het nooit nodig geweest?' Hij haalde zijn schouders op. 'Er zijn natuurlijk allerlei manieren om eventuele complicaties te verhelpen, maar de vroedvrouw heeft mij ervan verzekerd dat er ook een methode bestaat waarmee we zulk ongemak bij voorbaat kunnen uitsluiten.'

'Wat bedoel je nu precies, Spiro?'

Hij keek haar onderzoekend aan. 'Ik bedoel dat de vroedvrouw en ik erop toe zullen zien dat je mooie lichaam en bevoorrechte leven nooit zullen worden verpest door een jengelend kind.'

311

Tessa probeerde adem te halen, maar het leek wel of alle lucht uit de kamer was gezogen. Ze wankelde op haar voeten, maar Spiro pakte haar snel vast. Hij sloeg zijn armen om haar heen en fluisterde in haar oor: 'Ga je maar wassen, Tessa. En trek iets moois aan. Ik kom zo terug, en dan gaan we samen onze toekomst tegemoet.'

Hij liet haar los en Tessa strompelde naar achteren en liet zich op het bed vallen. Spiro bleef haar aanstaren terwijl hij de kamer uitliep. Ze bleef een tijdje liggen, boven op de stapel kleurrijke stoffen. Haar vingers speelden met de rand van een donkerblauw kledingstuk. Ze trok de stof over zich heen, eerst over haar lichaam en toen ook over haar gezicht, als een lijkwade. Onder het donkere kleed stelde ze zich voor dat ze dood was, maar haar adem liet de stof zachtjes op en neer wapperen – een bewijs dat ze nog leefde.

Ze leefde, maar waarvoor?

Ze sloot haar ogen en keerde in gedachten terug naar de herinnering die ze ooit met alle macht had proberen te vergeten.

De haven, de zee, het standbeeld. Alles zag er groot uit door haar kinderlijke ogen. Ze herinnerde zich geen woorden, alleen beelden. Haar moeder, smerig en verweerd. Servia, breed grijnzend, met haar gouden tand. De geur van vis en zweet. Het gekras van de vogels. Tessa keek toe hoe een meeuw aan een visgraat pikte en toen moeiteloos de lucht in steeg. Ze volgde het beest met haar ogen, de dokken en de golven over, de heldere, blauwe lucht in. Toen was het verdwenen, om nooit meer terug te keren.

Haar moeder trok aan haar hand. Ze legde Tessa's hand in de hand van die dikke vrouw met de gouden tand en nam met haar andere hand iets van de vrouw aan.

Tessa had vissers vis zien ruilen voor munten. Ze wist wat het betekende om te worden geruild. Nu werd zij geruild. Aan de zij van de dikke vrouw zag ze haar moeder verdwijnen, zoals ze net die meeuw had zien verdwijnen. Maar haar moeder zweefde niet. Haar armen hingen langs haar lijf, als gebroken vleugels. Misschien werden ze naar beneden getrokken door het gewicht van de munten.

Tessa had haar moeder nooit meer gezien.

Ze kreeg het benauwd onder de blauwe stof en trok die opzij.

Ik zou mijn eigen kind nooit in de steek laten. Ik zou bewijzen dat een moeder meer van een kind kan houden dan van zichzelf.

Maar die kans zou ze nooit krijgen. Daar was Spiro erg duidelijk over geweest.

Ze wist wel dat de vroedvrouwen manieren kenden om vrouwen nooit zwanger te laten raken, maar welke vrouw zou er nu bewust voor kiezen het enige op te geven dat haar echte waarde gaf?

Maar ik heb niets te kiezen. Ik ben geruild.

Ze rolde zich op haar buik. Dat ze de dure stoffen onder zich verkreukelde, kon haar niets schelen. In de schemerige kamer liet ze de waarheid op zich inwerken: de pijn van die dag zou nooit worden verzacht door de liefde voor een eigen kind. Ze had gestreden als een dier in nood om niet meer door een man te worden bezeten, maar nu was ze in handen gevallen van een man die nog vreselijker was dan haar vorige eigenaar. Het had geen zin om te blijven vechten. Als ze zou proberen te ontsnappen, zou ze op straat belanden, waar ze zichzelf aan vissers en matrozen zou moeten verkopen om in leven te blijven.

En ze was te laf om voor de bevrijding van de dood te kiezen.

Ze leek vanbinnen helemaal te bevriezen, zodat er geen ruimte meer overbleef voor pijn.

Hoe lang lag ze hier al? Spiro zou straks terugkomen.

Tessa stond op en liep naar de kan water en de schaal. Ze trok haar modderige chiton uit, goot water over een doekje en begon zich te wassen. Gezicht, armen, borst, buik, benen. Ze boende, maar voelde niets.

Ze koos de donkerblauwe chiton uit. Maar nu zou ze zich er niet achter kunnen verschuilen.

Toen ze was aangekleed, ging ze voor de bronzen spiegel staan die op een tafeltje stond. Er lag een gouden halsketting voor, die ze oppakte. Ze zag de vrouw in haar spiegelbeeld de ketting vastmaken.

Hij viel zwaar om haar nek, als een halsband voor een kostbaar huisdier.

Het gordijn voor de deuropening werd opzij getrokken. De vlam van de olielamp flikkerde zachtjes. Tessa draaide zich niet om.

'Laat me eens naar je kijken,' fluisterde hij.

De marmeren Athena. Die is altijd veilig.

Tessa draaide langzaam om haar as en ging toen voor hem staan. Ze keek hem niet aan, maar voelde hem dichterbij komen.

Toen hij vlak voor haar stond, legde hij zijn handen op haar schouders. Hij drukte zijn lippen op haar hals.

Op het fresco aan de muur keek de godin met sympathieke ogen op Tessa neer. Ze concentreerde zich op die ogen terwijl Spiro haar zachtjes naar het bed toe duwde.

Toen hij naast haar lag, hoorden ze vanuit de deuropening iemand zachtjes zijn keel schrapen.

Spiro negeerde de knecht, tot die begon te fluisteren. 'Meester…'

Hij rolde zich op zijn zij en keek de man kwaad aan. 'Dit moet wel iets van levensbelang zijn!'

'Het spijt me, meester. Dit leek me wel iets…'

'Nou, schiet op.'

'De strategoi worden bijeengeroepen om naar Glaucus' begrafenis te komen. Er is haast bij geboden.'

Spiro keek geërgerd naar Tessa en zwaaide toen zijn benen van het bed.

'Een begrafenis!'

'Ze schijnen zijn lichaam te hebben gevonden in de kuil waar… waar dat in was gegooid. Zijn vrouw staat erop dat hij nu een fatsoenlijke begrafenis krijgt, om de goden te behagen.'

Spiro sloeg met zijn vuist op het bed. 'Dat mens is gek.' Hij zuchtte en liet zich weer naast Tessa in de kussens zakken. 'Hier kan ik niet onderuit. Na alles wat er vandaag is gebeurd, zou het erg ongepast zijn om niet te komen opdagen.'

De knecht verdween. Spiro rolde zich op zijn zij en keek Tessa aan.

Hij liet zijn vinger langs haar been lopen en glimlachte. 'Jij moet natuurlijk mee. En daarna zullen we samen weer hier komen.' Hij lachte. 'Je laat me altijd wachten, Tessa. Maar ik weet zeker dat ik niet zal worden teleurgesteld.'

Weer reisden ze de stad door naar het huis van Glaucus. Het voelde vreemd om weer die drempel over te gaan. Wat deed ze hier opnieuw?

Naar traditioneel gebruik was het huis schoongemaakt – zij het erg vluchtig zo te zien – en waren er rouwkransen opgehangen. In de hal kon Tessa het gejammer van de rouwklaagsters al horen. Daphne en Persephone werden waarschijnlijk vergezeld door diverse vrouwen die speciaal waren gekomen voor de nachtwake. De monotone klaagzang riep geen enkele emotie bij Tessa op.

De rouwenden hadden zich verzameld op het binnenplein. Tessa nam de aanwezigen op. Ze herkende veel gezichten, maar begroette niemand. Spiro hield haar arm bezitterig vast en nam haar mee van het ene groepje mensen naar het volgende. Hij maakte opmerkingen die duidelijk moesten maken dat Glaucus' waardevolste bezit alweer door een ander was overgenomen.

Tussen de gesprekjes door fluisterde hij in haar oor: 'Probeer er eens iets minder sip uit te zien, Tessa.' En: 'Ze zullen denken dat je het niet fijn vindt om bij mij te zijn. Kijk eens iets opgewekter.'

Tessa dacht dat ze misschien zou gaan lachen wanneer ze Glaucus' lichaam onder een kleed op zijn bed zou zien liggen, zoals ze al die dagen had voorgewend. Maar toen ze eenmaal tussen de andere belangstellenden in zijn kamer stond, hoefde ze niet te lachen. Ze kon alleen maar gevoelloos staren naar het opgebaarde lichaam van de man die haar al die jaren zo veel ellende had bezorgd.

Hadden ze hem gewassen en met olijfolie ingesmeerd nadat ze hem uit de kuil hadden gehesen? Zou zijn lichaam niet stinken na zo veel dagen in de hitte? Toen ze om zich heen keek, zag ze dat veel andere mensen vieze gezichten trokken of discreet hun neus dichtknepen. Ze keek weer naar het lichaam, waarvan de voeten traditiegetrouw in de richting van de deur lagen. Misschien stonk het inderdaad wel. Ze rook zelf niets.

Spiro nam haar weer mee naar het plein, waar een groepje strategoi stond te praten. Het gesprek hield abrupt op toen ze kwamen aanlopen.

Spiro fronste. 'Mannen,' zei hij, 'het is een droevige avond.'

Hermes trok een wenkbrauw op. 'Iedereen weet dat jij en Glaucus niets om elkaar gaven, Spiro.'

'Dat is waar. Maar daarom had ik hem nog niet dood gewenst.'

Philo sloeg zijn armen over elkaar. 'We zijn het niet allemaal eens met de beslissing die de raad vandaag nam. Sommigen van ons zijn er niet van overtuigd dat jij niets te maken had met het recente geweld.'

Hermes keek naar Tessa. 'Als jij niet tussenbeide was gekomen, zou een aantal van ons vanavond ook opgebaard hebben gelegen.'

Spiro sloeg een arm om haar middel. 'Ze is een grote aanwinst, dat is zeker. De goden zijn ons gunstig gezind geweest door haar tijdig het complot van mijn halfbroer te laten ontdekken.' Hij glimlachte naar Tessa. 'Je was vandaag geweldig, schat.'

Tessa zweeg. Ze staarde Spiro aan en vroeg zich af waarom hij naar haar lachte. Na een ongemakkelijke stilte ebde Spiro's glimlach weg.

'Het is een lange dag geweest voor Tessa,' zei hij. 'Ik denk dat ze maar moet gaan rusten.'

'Loop je niet mee in de rouwstoet?' vroeg Philo.

Spiro beet op zijn lip. 'Ik zal eerst Tessa thuisbrengen. Dan kom ik terug.'

Hij trok haar mee het plein af, de hal door en de straat op. Ze moest moeite doen zijn tempo bij te houden, maar hij ging niet langzamer lopen.

'Ik zal je terugbrengen naar de haven, Tessa. Ik moet me bij de rouwstoet voegen.' Hij wierp haar een chagrijnige blik toe. 'Maar morgen begint ons nieuwe leven. Ik verwacht je vroeg bij mij thuis, fris en goed uitgerust.'

Even later stonden ze voor het huis van Servia, waar altijd een bed voor haar klaarstond.

'Morgen,' zei hij, 'wil ik de vurige hetaere zien waar ik zo lang naar heb verlangd.' Hij kuste haar op haar wang. 'Dan zal ik van je genieten.'

Ω

Er stond een heldere maan boven de stad toen Spiro terugkeerde naar zijn huis en over zijn binnenplaats slenterde, genietend van alle bloemen en planten die er groeiden.

De optocht naar Glaucus' laatste rustplaats was zonder noemenswaardigheden verlopen. Er was een korte toespraak gehouden en hij was buiten de stad in een uit steen gehouwen graf gelegd. Spiro was voor de anderen uit teruggelopen naar Rhodos; hij wilde graag alleen zijn om te genieten van de overwinning die hij vandaag had behaald. Hij regeerde nog niet over Rhodos, maar Tessa was eindelijk van hem. De gedachte was als zoete honing op zijn tong.

Maar de dag was nog niet voorbij.

Er was iemand naast hem komen lopen terwijl hij over de zandweg liep. Iemand met wie hij niet in het openbaar wilde worden aangetroffen.

'We kunnen hier niet met elkaar praten,' zei Spiro tegen de grote, kale man terwijl hij even achterom keek naar de begrafenisgangers die hem op een afstand volgden.

'Wat wordt er nu van mij verwacht?' vroeg Ajax.

'Ik ben erg tevreden met de diensten die je voor me hebt geleverd, Ajax, en ik vind het jammer dat ik er niet langer gebruik van kan maken. Maar we kunnen niet riskeren dat iemand te weten komt dat je in opdracht van mij hebt gewerkt.'

'Wilt u me dan de straat op sturen?' Ajax klonk een beetje verontwaardigd.

'Je bent vrij om te doen en laten wat je wilt.' Spiro probeerde Ajax van zich af te schudden. 'Dat is toch de wens van iedere slaaf?'

Ajax greep Spiro bij de arm en keerde hem naar zich toe. 'Dan zal ik geld nodig hebben.' Zijn witte tanden glommen in het donkere avondlicht. 'Om ergens opnieuw te kunnen beginnen.'

Spiro wurmde zich los uit Ajax' greep. Hij kon niet stil blijven staan; de andere strategoi waren niet ver achter hen.

'Goed, goed. Kom later maar naar me toe,' zei hij. 'Dan heb ik iets voor je.' Hij wierp weer een snelle blik achterom. 'Maar nu wegwezen!'

Ajax leek tevreden met de belofte en verdween uit het zicht.

Nu, uren later, stond Spiro op zijn plein te wachten. Hij twijfelde er niet aan dat Ajax zijn beloning zou komen ophalen.

Spiro genoot 's avonds het meest van zijn binnenplaats. Hij had de begroeiing met zorg uitgezocht. Hij snoof de geur op van de witte orchideeën, die pas opengingen als het donker werd, en liep door een wandelgang waar tropische planten en fuchsia's overheen groeiden.

Zijn naam werd gefluisterd. Ajax was gearriveerd. Spiro rechtte zijn rug en ademde diep in ter voorbereiding op wat hij moest doen. 'Ik ben hier, Ajax.'

De slaaf keek om een perenboom heen en zag hem staan. 'Wat doet u daar?' vroeg hij aarzelend. 'Kom eens in het maanlicht staan.'

Spiro wandelde rustig naar het midden van het plein, waar Ajax naast de fontein stond te wachten.

De slaaf boog zich naar het water toe en nam een grote slok. Met zijn hand veegde hij zijn mond schoon en keerde zich toen weer naar zijn meester toe.

'Hebt u geld voor mij?'

Spiro glimlachte. 'Ik had eerder niet genoeg tijd om je te bedanken voor alles wat je voor me hebt gedaan, Ajax. De omstandigheden zijn vandaag in ons voordeel uitgevallen, en dat heb ik grotendeels aan jou te danken. Ik sta bij je in het krijt.'

'U heeft duidelijk gemaakt dat u niet langer van mijn diensten gebruik wilt maken.'

Spiro zuchtte dramatisch. Het was belangrijk dat hij het vertrouwen van de slaaf zou winnen. Hij kwam een stap dichterbij en zei: 'Ik zou wel willen dat het allemaal anders kon.'

'Hoezo, anders?'

'Ik zou je graag als slaaf houden.' Hij legde een hand op Ajax' arm. 'Ik ben erg op je gesteld geraakt.'

Ajax leek wat te ontspannen. 'Ik heb graag voor u gewerkt,' zei hij. 'Ik ben van plan Rhodos te verlaten en naar Nissyros te zeilen, waar ik hopelijk ander werk kan vinden. Mocht u me ooit nog nodig hebben, dan kunt u altijd contact met me opnemen.'

'Contact met je opnemen op Nissyros?' Spiro keerde zich om en liep langzaam om de fontein heen.

'Ja. Het is een klein eiland en ik ben een… opvallende man. U weet me wel te vinden. Mocht u me nodig hebben.'

Spiro bukte zich om iets te pakken wat hij eerder onder de rand van de fontein had verstopt. Terwijl hij verder om de fontein heen liep, terug naar de slaaf, hield hij het voorwerp verstopt onder zijn mantel.

'Ajax, Ajax,' zei hij terwijl hij de grote man onafgebroken aankeek. 'Je hebt me trouw gediend. Maar ik geloof niet dat je precies begrijpt waar ik heen wil.' Spiro stond nu zo dicht bij Ajax dat hij hem kon aanraken, zijn armen om hem heen kon slaan. Er kwam een machtsgevoel in hem boven dat hem de beheersing gaf die nodig was om deze klus te klaren.

De kunstig versierde dolk behoorde al generaties lang toe aan Spiro's familie. Hij voelde aan als een vertrouwde vriend in Spiro's hand, zelfs toen hij Ajax ermee in zijn zij stak.

Spiro moest op zijn tenen staan om Ajax in zijn oor te kunnen fluisteren. 'Ik kan nu geen enkel risico meer nemen. Niets of niemand mag haar van mij afnemen.'

Hij stak het mes dieper naar binnen en gaf het een draai.

Ajax staarde hem met grote ogen aan.

Met genoegen voelde Spiro warm bloed over zijn hand lopen. Toen Ajax aan zijn voeten neerviel, had hij het mes nog steeds vast.

Hij bestudeerde de reus zonder medelijden. Het was onvermijdelijk geweest.

Ze is nu van mij. Niemand mag tussen ons in komen te staan.

DRIEËNDERTIG

De dag van de grote aardbeving

Hoe lang had ze hier gelegen? Tessa rolde zich op haar zij en zag door haar wimpers dat het schemerde op haar kamer op de bovenste verdieping van het huis van Servia. Ze deed een hand voor haar ogen en viel weer in slaap.

Toen ze haar ogen weer opendeed, was het licht een stuk feller geworden. Ze tuurde naar de scheuren in het plafond. Misschien zou het dak wel boven op haar instorten. Nee, daar was Servia te netjes en voorzichtig voor. Ze trok de deken over haar hoofd en ging weer slapen.

Ze werd wakker van de drukkende hitte onder haar deken. Ze voelde zich zo benauwd en vermoeid dat ze zich amper kon bewegen.

Er klonk een laag gemompel in de kamer. Toen ze haar ogen opendeed, zag ze twee meisjes staan aan het voeteneind van haar bed, alsof ze opgebaard lag, zoals Glaucus, en er om haar werd gerouwd.

'Moet je niet eens opstaan, Tessa? Het is al bijna middag.'

Het andere meisje giechelde. 'Ze is vast tot diep in de nacht op een groot feest geweest.'

Tessa staarde naar de lippen van het meisje, naar haar glimlach en de manier waarop ze haar hand voor haar mond hield toen ze lachte. Tessa's eigen mond smaakte bitter en kleverig. Ze wist niet wanneer ze voor het laatst iets had gegeten.

'Tessa, vertel eens iets over het feest.'

'Ja, vertel op!'

De meisjes gingen op het voeteneinde zitten en staarden haar afwachtend aan.

Ik word verwacht bij Spiro.

Ze probeerde op te staan, maar zakte meteen weer terug op bed. Haar armen leken niet goed te functioneren.

Zou hij me komen ophalen?

Misschien sliep hij ook nog wel. Glaucus' begrafenis was vast pas vroeg in de morgen afgelopen. Misschien bleven ze vandaag wel allemaal in bed en probeerden ze de vorige dag te vergeten.

Nee, ik ben de enige die probeert te vergeten.

Ze sloot haar ogen tegen de herinneringen. Toen ze die weer opendeed, waren de meisjes verdwenen.

Berenice, Servia's nieuwe sensatie, kwam op zeker moment binnen, met een opgewekt humeur. 'Rust maar lekker uit, Tessa,' zei ze. 'Laat het werk maar aan anderen over.'

Hij zal zo wel komen. En hij zal me niet laten rusten.

Op den duur hoorde ze zware voetstappen op de trap.

Daar is hij.

Tessa voelde zich alsof ze was opengesneden, alsof al het bloed uit haar lijf was gevloeid, dwars door het bed en door de vloer de aarde in.

Is dit hoe het voelt als je sterft?

Er verscheen iemand in de deuropening. Ze keek op. Het was Spiro niet.

Het was Simeon en hij keek nog bezorgder uit zijn ogen dan anders.

'Tessa, ik wilde even komen controleren hoe het met je gaat.' Hij liep naar het bed toe en legde een gerimpelde hand op haar voorhoofd. 'Je hebt geen verhoging. Voel je je ziek?'

'Simeon.' Meer wist ze niet uit te brengen.

'Heb je buikpijn, Tessa? Hoofdpijn?'

Ze deed haar ogen weer dicht.

Die twee meisjes waren er weer. Ze herkende hun gefluister in de deuropening.

'Wat is er met haar aan de hand?' vroeg een van hen.

'Ik maak me zorgen om haar geestelijke gezondheid,' antwoordde hij. 'Let goed op haar. Ik kom straks terug.'

Tessa wilde niet dat hij wegging. Zijn aanwezigheid bood om de een of andere reden troost.

Tot Spiro haar zou komen halen, tenminste.

Het leek wel of er helemaal geen tijd voorbij was gegaan toen ze de stem van Simeon opnieuw hoorde. 'Tessa, we gaan hier weg. Kun je staan?'

Er werd aan haar arm getrokken. Ze probeerde op te staan, maar dat lukte niet.

Ze voelde een arm onder haar schouders en nog een onder haar knieën. Ze had niet gedacht dat Simeon nog sterk genoeg zou zijn om haar op te tillen. Ze legde haar hoofd tegen zijn schouder terwijl hij de trap af liep. Een van de meisjes hield de voordeur open. Tessa knipperde met haar ogen tegen het zonlicht.

Simeon legde haar voorzichtig in een grote ossenwagen, eentje die ze nooit eerder had gezien. Toen nam hij een deken van een van de meisjes aan en legde die over haar heen, ook al was het nog erg warm buiten. Tessa trok de deken op tot onder haar kin, zodat voorbijgangers haar alleen zouden kunnen herkennen als ze nadrukkelijk in de wagen keken.

Even later knarsten de wielen over de karrensporen in de weg. Bracht Simeon haar naar Spiro? Tessa vermoedde dat hij dat niet zou doen. Maar ze wist intussen wel dat ze nooit blindelings op iemand moest vertrouwen.

$$\Omega$$

Terwijl de bemanning het schip naar Kalymnos 's nachts varende hield, sliepen de geëerde gasten onder een luifel op het achterdek. Het was erg laat toen vader en zoon van boord gingen en samen naar het hooggelegen landgoed van Andreas reisden. Nikos ademde de nachtelijke lucht in en probeerde zich te gewennen aan het idee dat hij weer thuis was.

Het bestuur van het eiland liet die morgen niet op zich wachten. Nikos werd al vroeg wakker geschud door een bediende. 'Uw vader laat u wekken.'

Nikos kreunde en begroef zijn hoofd onder de deken.

'De Raad komt vanmorgen bijeen. U wordt verwacht te rapporteren over Rhodos.'

Ik wil de rest van mijn leven geen raadsvergaderingen meer bijwonen.

'Zeg maar tegen mijn vader dat ik eraan kom.'

De knecht boog en liep de kamer uit, waarop Nikos zich met tegenzin aankleedde.

Toen ze eenmaal in de luxueuze koets van zijn vader zaten en de bestuurder hen naar de agora bracht, voelde Nikos zich echter al een stuk beter. Het deed hem goed Kalymnos te zien, badend in de ochtendzon en bruisend van leven.

Zijn vader leek de verandering in zijn gemoed op te merken. 'Is het dan toch niet zo erg om terug te zijn op Kalymnos?'

Nikos haalde zijn schouders op en glimlachte.

Terwijl ze door de straten reden, werden Nikos en zijn vader begroet door mensen uit alle lagen van de bevolking.

'Jouw naam klinkt vaker dan die van mij,' constateerde zijn vader. 'Het volk is dol op je.'

'Ze kennen mij. Ik was ooit een van hen.'

Andreas knikte. 'Nog een reden waarom je op een dag een formidabele leider zult zijn. De mensen vertrouwen je en mogen je. Ze zullen je graag gehoorzamen; ze zullen het idee hebben dat iemand uit het gewone volk hen leidt.'

'Ik bén iemand uit het gewone volk.' Nikos merkte dat zijn toon nogal fel was en vroeg zich af of het ook zijn vader was opgevallen.

'Je bent mijn zoon, Nikos.'

Nikos zwaaide naar een jonge man op straat die een kar duwde, een vriend die hij al sinds zijn kinderjaren kende.

'Vader, u lijkt te denken dat ik maar een rol speelde toen ik tussen die mensen leefde – dat ik me voordeed als een eenvoudige arbeider, wachtend tot mijn werkelijke afkomst bekend zou worden.'

'Ja, en?'

Nikos keek Andreas aan. 'Ik wist niet eens dat u mijn vader was. U heeft het bestaan van mij en mijn moeder altijd goed verborgen gehouden tot uw vrouw stierf. Mijn hele leven heb ik tussen het gewone volk geleefd. Zoiets kun je niet als een kledingstuk van je afwerpen.'

Andreas tuitte zijn lippen. 'Het is prima dat je deze mensen een warm hart toedraagt, Nikos. Maar ik zal niet toestaan dat een zoon van mij leeft als een eenvoudige arbeider.'

Ze bereikten de markt en de koets zigzagde tussen de ochtenddrukte door. Nikos werd begroet door een vleesverkoper.

'Dag Nestor,' riep Nikos. 'Hoe staan de zaken?'

Nestor haalde zijn schouders op. 'De mensen in deze stad proberen me te beroven,' lachte hij. Nikos lachte mee. Nestor haastte zich naar de koets en overhandigde hem een pakje.

'De beste eendenborst die je ooit hebt geproefd.'

Nikos greep naar zijn geldbuidel, maar Nestor wuifde met zijn hand. 'Zeg maar tegen je vrienden dat Nestor het beste vlees verkoopt,' zei hij grijnzend.

Nikos knikte warm en de koets reed weer verder.

Het gebouw waarin de officiële bestuurszaken van het eiland werden geregeld, was vergelijkbaar met het bouleuterion van Rhodos. Ook hier kwam een Raad samen, al had die binnen de monarchie van Kalymnos een andere functie. Vandaag zou er worden gesproken over de op handen zijnde aansluiting van het eiland bij de Achae-ische Bond.

De galerij stond aan de rand van de agora, net als in Rhodos. Dit-maal zou Nikos niet buiten blijven staan wachten. Hij zou aan de rechterhand van de belangrijkste man van het eiland zitten.

Waar ik hoor, zei hij in zichzelf.

Het gebouw, dat de vorm had van een halve cirkel, liep al snel vol met stadsleiders. Toen elke stenen zitplaats bezet was, ging de voorzitter van de Raad staan, maande de aanwezigen tot stilte en hield een korte inleiding. Toen droeg hij de vergadering over aan Andreas.

Nikos probeerde zich te concentreren op de woorden van zijn vader, maar zag in gedachten steeds beelden voor zich van Tessa die het bouleuterion van Rhodos uit liep na haar mislukte toespraak.

Zijn vader bracht verslag uit van de situatie in Rhodos en sprak kort zijn onvrede uit over het gedrag van Spiro, ook al leek die de Bond wel te steunen.

Er ontstond een discussie over de vraag hoe de leiders van Rhodos overtuigd zouden kunnen worden zich bij de Bond aan te sluiten.

'Misschien pakt Spiro het niet eens zo onverstandig aan,' riep een man. 'We moeten de oppositie gewoon uitschakelen.'

Andreas gromde: 'We gaan juist over naar een beschaafdere regeringsvorm, niet naar een barbaarsere!'

Nikos werd gevraagd zijn bevindingen over zijn tijd in Rhodos met de Raad te delen. Hij ging staan en gaf een snelle samenvatting, waarbij hij met geen woord over Tessa repte.

Toen er naar andere agendapunten werd overgegaan, liet Nikos zijn gedachten afdwalen naar Rhodos. Hij keek om zich heen en herinnerde zich de gedachten die hij op het schip had gehad.

Wat doe ik hier?

Hij was hier alleen om zijn vader te behagen.

Wat leek hij toch op zijn broer Spiro. Zou Nikos er ook alles voor overhebben om zijn vader te behagen? Hij was bereid een leider te worden, maar zou hij daar alles voor willen opofferen? De vrouw van wie hij hield? De God over Wie hij meer te weten wilde komen?

Toen de vergadering was beëindigd, bleef Nikos op zijn bank zitten. Zijn vader liep de galerij door en knoopte gesprekjes aan met diverse leiders, tot ten slotte alleen hij en zijn zoon waren overgebleven. Zijn vader ging tegenover hem staan in het lege gebouw, vlak bij de uitgang.

'Je had je wel wat socialer mogen opstellen, Nikos,' riep hij door de zaal.

'Ik was er niet erg bij met mijn gedachten.'

'Dat is duidelijk.' Zijn vader deed zijn armen over elkaar en zette zijn voeten een stukje uit elkaar – een pose die hij aannam ter voorbereiding op een conflict, wist Nikos inmiddels.

Opmerkzaam was zijn vader wel.

'Ik ga terug,' zei Nikos.

'Niks ervan.' Zijn vaders gezicht bleef uitdrukkingsloos. 'We zijn van dat vreselijke eiland afgestuurd, weet je nog? Bovendien hoor je hier thuis.'

Nikos knikte. 'Dat klopt. Ik ga haar alleen ophalen.'

Andreas zuchtte diep, alsof Nikos een ongehoorzaam kind was dat voor de zoveelste keer moest worden toegesproken. 'Ze is zo ver beneden jouw stand, Nikos, dat ik niet eens kan begrijpen…'

'Is dat zo? Ik ben iemand van het gewone volk, vader!'

'Dat ben je niet!' Andreas kwam met lange passen naar hem toe lopen. Zijn gezicht liep rood aan. 'En zelfs al was je dat wel, dan nog zou het ongehoord zijn een hetaere tot vrouw te nemen.'

'Niemand hoeft het te weten.'

Andreas vertraagde zijn pas. 'Daar komen ze achter, Nikos. Zulke informatie komt vroeg of laat altijd aan het licht. En wat moet er dan terechtkomen van je leiderschap? Hoe zul je dan het ontzag van het volk kunnen behouden?'

Nikos stond op en liep twee treden af zodat hij op dezelfde hoogte stond als zijn vader, op de vloer van de galerij. Hij liep naar hem toe en zei op zachte toon: 'Ik wil graag dat u trots op mij bent, vader. Echt waar. Ik ben erg dankbaar voor alles wat u voor me heeft gedaan. Maar ik moet doen wat ik juist acht, ook als dat misschien niet overeenkomt met uw wensen, of zelfs met de wensen van de burgers van Kalymnos.'

'Wat jij juist acht! Hoe kun je nu…'

'Ik hou van haar.' Nikos keek zijn vader aandachtig in de ogen. 'Zoals u ooit van mijn moeder hield.'

Andreas' strenge gezicht verzachtte en hij zuchtte.

'U hebt ooit tegen mij gezegd dat liefde iets voor arbeiders en slaven is, vader. Maar ik geloof niet dat u dat echt meent.'

Andreas liet zijn hoofd zakken. 'Ga dan maar, Nikos. Doe wat je moet doen.'

Nikos aarzelde. 'Ik zal geld nodig hebben, vader. Behoorlijk veel. Maar u moet begrijpen dat ik daarmee geen hetaere aanschaf. Ik zal de slavenprijs betalen om haar vrij te kopen.'

Andreas hief zijn hoofd op en keek zijn zoon aan met een warme glimlach. Die zou Nikos voldoende kracht geven om de zee nogmaals over te steken om zijn geliefde te gaan redden.

VIERENDERTIG

Tessa merkte iets vertrouwds op in de omgeving, ook al lag ze in een schommelende ossenwagen en kon ze amper iets zien. Ze snoof de lucht op. Was het een geur? Waren het de gebouwen aan weerskanten van de straat? Ze besloot het maar op te geven en sloot haar ogen weer.

'Tessa.' Ze voelde een hand op haar schouder. 'Tessa, we zijn er. Kom.'

Ze werd van de wagen getrokken en op straat neergezet.

De Joodse wijk.

Simeon leidde haar aan de hand een smalle deur door. Ze stonden in het huis van zijn dochter.

'Vader! Tessa!' Marta's warme begroeting drong door de nevel in Tessa's hoofd heen. Haar vriendelijke gezicht nam al snel een bezorgde uitdrukking aan. 'Wat is er aan de hand? Wat is er gebeurd?'

Simeon trok Tessa mee. 'Ze moet ergens rusten.'

'Kom mee.' Marta ging hen voor naar de haardruimte en haalde snel kussens en dekens om voor het vuur neer te leggen. Simeon hielp Tessa te gaan zitten. Met gekruiste benen nam ze plaats voor het vuur.

Simeon en Marta gingen achter haar staan en spraken op gedempte toon, alsof ze hen niet zou kunnen horen.

'Ik heb gehoord wat er tijdens de Vergadering is gebeurd,' zei Marta. 'Is Glaucus echt dood?'

'Ja. Hij is vannacht begraven.'

'Wat gebeurt er nu met u, vader?'

'Maak je maar geen zorgen om mij. Ik zal Daphne blijven dienen, zolang ze me nodig heeft. Mijn leven ligt in de handen van Jahweh.'

'En zij?'

Tessa hoorde Simeon zuchten. 'Zij is nu de hetaere van Spiro.'

Ze waren even stil. Tessa voelde dat ze haar met medelijdende aankeken, ook al staarde ze voor zich uit, naar de vlammen.

'Waarom hebt u haar hier gebracht?' vroeg Marta ten slotte.

'Het gaat niet goed met haar sinds de bijeenkomst van gisteren. Ik denk dat alleen Jahweh haar geestelijk kan genezen.'

Marta hurkte naast Tessa neer en legde een hand op haar arm. Tessa probeerde naar haar te glimlachen.

'Waar ben je bang voor, Tessa?'

Tessa keek in Marta's vriendelijke ogen en wilde wel dat ze alles kon benoemen wat zich in haar hart afspeelde.

Ik ben bang om een slavin te zijn. Ik ben bang voor pijn.

Vanuit een andere kamer hoorde ze kinderen roepen. Marta fronste en klopte op Tessa's arm. 'Ik ben zo terug.'

Simeon nam haar plaats in. Hij kwam naast haar zitten en leunde ontspannen achterover.

'Tessa, herinner je je het Paasfeest?'

Lamsvlees. Ongezuurd brood. De vragen van Daniël. Ze knikte.

'Pascha is niet alleen een geschiedenisles. Het verwijst ook naar de toekomst. En niet alleen naar de toekomst van Israël, maar naar de toekomst van alle volken.'

Ze schraapte haar keel om te kunnen praten. 'Ik wil niet aan de toekomst denken.'

'Maar dat moet!' Simeon leunde voorover. 'Als je rust wilt vinden, moet je ongestoord aan zowel het verleden als de toekomst kunnen denken.'

'Ik denk liever helemaal niet over zulke dingen na.'

'Wat wil je dan, Tessa? Wil je weer verstenen?'

Ze keek hem aan. 'Weer?'

Hij richtte zijn blik op het vuur. 'Ik heb jaren toegekeken hoe je je best hebt gedaan om niets te voelen. Geen pijn. Geen vreugde.'

'Dat is de enige manier…'

'Nee! Dat is niet de enige manier. De ene ware God, jouw Schepper, heeft je het leven geschonken. Om dat geschenk te weigeren... Zo heeft Hij het niet bedoeld.'

'Ik heb nooit veel van de goden begrepen.'

'Dat komt omdat die goden van jullie alleen slavernij bieden. Jullie priesters verkondigen dat je de goden moet behagen, omdat je anders hun toorn over jezelf afroept.'

'En is jouw God dan zo anders?'

'Ja, heel anders. Dat toont het Pascha ons. Hij schenkt vrijheid, Tessa. Vrijheid om van het leven te genieten, omdat Hij verlossing biedt van zonden en van het verleden.'

Tessa tuurde naar het haardvuur, dat inmiddels alleen nog bestond uit gloeiende kolen. Buiten de warme kamer klonken de geluiden van een actief gezinsleven. Geluiden die in haar eigen huis nooit zouden klinken.

Langzaam maar zeker leek ze weer iets helderder te kunnen nadenken. Ze wendde zich tot Simeon. 'Ik wil geen pijn meer voelen. Ik kan niet aan mijn situatie ontsnappen, dus sluit ik mijn hart voor alles wat mij pijn kan doen. Zo blijf ik veilig. Begrijp je dat, Simeon?' Ze hoorde de boosheid in haar eigen stem. 'Ik wil geen pijn meer voelen!'

Hij strekte zijn hand naar haar uit en streek zachtjes over haar wang.

'Ach, Tessa,' zei hij. 'Pijn voelen hoort bij het leven. Als je geen pijn meer toelaat, ben je niet menselijk meer. En belangrijker nog, als je de pijn niet meer voelt, ervaar je ook Gods vaderlijk slaande hand niet meer.'

'Je praat net als Nikos.'

'Die man zit dichter bij de waarheid dan hij zelf beseft.'

Tessa zuchtte. 'Ik wil helemaal niet geslagen worden.'

Simeon lachte zachtjes. 'Nee, dat wil niemand. Aanvankelijk niet, tenminste. Maar God is geduldig. Hij blijft toestaan dat we pijn voelen in ons leven, en als we dan op een dag terugkijken, beseffen we dat Hij die heeft gebruikt in ons voordeel.'

Ze schudde haar hoofd en tuurde naar haar handen, die gevouwen in haar schoot lagen. Uit het vuur kwamen een paar vonken omhoog.

'Tessa, als je jezelf afsluit voor emoties, zodat je geen pijn en teleurstelling en afwijzing meer voelt, sluit je jezelf ook af voor liefde en vreugde. Voor het leven zelf. Dat is onhoudbaar. Op den duur wil je dan alleen nog maar sterven.'

Ze keek naar hem op en vroeg zich af of hij had geraden wat ze van plan was geweest toen hij haar had aangetroffen aan de voet van de Colossus.

'Ik begrijp dat je het liefst zou willen dat je leven was afgelopen,' zei Simeon. 'Een leven zonder vreugde is de moeite niet waard. Maar een leven waarin wel plaats is voor vreugde, zal ook pijnlijke ervaringen bevatten. Vreugde is niet afzonderlijk verkrijgbaar.'

'Wat wil je dan dat ik doe?'

'Ik heb je al eerder verteld dat Jahweh niemand zal afwijzen die tot Hem vlucht, zelfs als je niet tot het volk van Israël behoort. Verlossing van je verleden is alleen te bereiken door Zijn vergeving.'

'Hoe kan Hij dan zo gemakkelijk vergeven?'

Simeon pakte haar hand vast. 'Dat gaat niet gemakkelijk. Daar zijn offers voor nodig. Er vloeit veel bloed om onze zonden te bedekken. Maar op een dag...' Simeon staarde voor zich uit, alsof hij de toekomst voor zijn ogen kon zien. 'Op een dag komt er een Messias om ons te verlossen. Ik weet niet hoe dat precies zal gebeuren, en ook niet wanneer. Maar ik weet dat mijn Verlosser ooit zal komen.'

Hij keek haar weer aan en legde zijn andere hand boven op die van haar. 'Tessa, onderwerp jezelf aan Hem.'

'Maar ik ben nog van Spiro.'

'Ja. Het lijkt erop dat dit een deel van de pijn is die Hij in jouw leven toelaat. Maar die pijn zal gepaard gaan met vrijheid, Tessa. De vrijheid om God met heel je hart lief te hebben en om die liefde ook voor anderen te voelen en van anderen te kunnen ontvangen.'

Hij keek haar in de ogen en de rimpels op zijn oude gezicht leken te vervagen. 'Laat de pijn toe, Tessa. Laat jezelf de pijn voelen.'

Tessa ademde de warmte van de kamer in en sloot haar ogen om Simeons woorden te overwegen.

Het is zo vermoeiend om te proberen niets te voelen.

Maar ik ben zo bang om gevoelens toe te laten.

Alsof hij haar gedachten had gelezen, zei Simeon: 'Je bent bang om te worden gekwetst, Tessa. Laat die angst maar los. Laat de pijn toe in je hart. Alleen dan zal er ook vreugde kunnen groeien.'

Het vreemde gevoel dat ze kreeg, had ze de afgelopen dagen al vaker ervaren. Ze had het hoop genoemd en zich afgevraagd of het bronzen geraamte binnen in haar aan het smelten was. Maar zo intens als nu had ze het nog niet ervaren. Terwijl ze hier naast Simeon voor de haard zat en zijn woorden indronk, werd ze overspoeld door een gevoel dat veel angstaanjagender was dan al die eerdere gevoelens.

Diep vanbinnen begonnen de lagen steen die zich in de loop der jaren hadden opgehoopt zo hevig te beven dat ze even dacht een scheurend geluid te horen. Van onder het steen kwam er iets boven, iets dat lang gevangen had gezeten en haar nu dreigde te overmeesteren.

Pijn. Diepe, hevige pijn.

Ze voelde een traan over haar wang rollen en probeerde slikkend de onvermijdelijke huilbui tegen te houden.

'Tessa,' fluisterde Simeon, 'laat het maar komen. Je zult gewoon blijven leven; je zult jezelf niet verliezen. Jahweh houdt je vast in Zijn machtige rechterhand. Hij heeft je lief met een eeuwigdurende liefde.'

Ze begon te rillen. Ze klemde haar handen samen om het te laten ophouden. Maar het trok van haar handen naar haar borst. En toen begon ze te snikken.

Terwijl de pijn omhoogschoot vanuit de kieren in haar hart, flitsten de herinneringen die aan haar pantser hadden bijgedragen voor haar ogen.

Vader – zijn grote hand op haar kleine handje terwijl hij stierf.

Moeder, die haar met een glimlach in de klauwen van Servia had gedreven.

O, moeder, heeft u zich nooit afgevraagd wat er van mij is geworden?

Kon het u niets schelen?

De beelden bleven komen. Elke herinnering leek een stukje van haar hart open te scheuren dat ze was vergeten.

Glaucus – de vernederende grijns om zijn dikke lippen.

Daphne, met haar holle, beschuldigende ogen.

Persephone, wanhopig op zoek naar een moeder, vol wrok jegens Tessa.

Spiro. Knap, obsessief, verdorven.

De snikken veranderden in luid geween. Ze liet zich in Simeons armen vallen en huilde alle pijn van de afgelopen tien jaar eruit.

'Laat het toe, Tessa,' zei hij. 'De teleurstellingen; het verraad; de verdorvenheid. Er is een Verlosser die je daarvan kan bevrijden.'

Tessa had het gevoel dat ze eindeloos bleef huilen. Simeon bleef al die tijd bij haar, zelfs toen ze geen kracht meer had om op rechtop te blijven zitten.

Langzaam maar zeker voelde ze echter iets veranderen. De stroom uit haar hart leek af te nemen. De snikken werden minder, terwijl de pijn opraakte. Ten slotte voelde ze zich zo volkomen leeg dat ze zich haast afvroeg of ze naar de onderwereld was overgegaan.

Toen Tessa uiteindelijk haar ogen weer opendeed, zag ze het gezicht van Simeon voor zich, die haar met een geduldige glimlach aankeek.

'Bij Jahweh is uitkomst, Tessa,' fluisterde Simeon. 'Pijn zul je blijven voelen, maar dat zal niet opwegen tegen de blijschap die je in Hem zult vinden.'

Kan dat waar zijn?

Vanuit de gang klonk een vrolijke uitroep. Er kwam een lachend kind naar binnen rennen. En toen nog een. En nog een. Ze holden in een kring om de haard heen en ploften aan haar voeten neer.

'Tessa!' Daniël draaide zich op zijn rug en liet zijn hoofd in haar schoot zakken. 'Je bent er weer!'

'Ik zei toch dat ze weer zou komen?' zei Sara vanuit de deuropening.

Daniël stak zijn tong uit naar zijn zus. 'Nee, hoor! *Ik* zei dat ze weer zou komen!'

Marta haastte zich de kamer in, haar handen afvegend aan haar schort. Ze stond op het punt de kinderen toe te spreken, maar deed haar mond weer dicht toen ze Simeon rustig een hand zag opsteken.

Tessa begreep waarom Simeon dat deed.

Want toen de kinderen lachend de kamer in kwamen rennen, werden de lege plekken in haar hart gevuld met zoiets puurs, zoiets heiligs, dat ze geloofde dat dit een geschenk was van Jahweh Zelf.

Wat is dit? Wat is dit?

Ze stelde de vraag in haar hart aan Jahweh.

Liefde, Tessa. Vrijheid en liefde.

Ze keek naar Simeon en voelde nieuwe tranen in haar ogen opwellen, een ander soort tranen nu. Ze hield haar hand voor haar mond om een lach te onderdrukken. Simeon trok haar hand opzij.

Tessa keek lachend neer op Daniëls grijnzende gezicht.

'Ja,' zei ze. 'Ja, ik ben er weer.'

'Wil je onze vriendin zijn?' vroeg hij.

Ze had niet gedacht dat ze nog meer tranen had, maar ditmaal leken ze wel een balsem voor haar hart, om de wonden te dichten.

Marta kwam op haar knieën tussen Tessa en haar vader in zitten. Ze pakte Tessa's gezicht vast en hield haar eigen gezicht er dichtbij. 'Ja, Tessa, vertel eens. Wil je onze vriendin zijn?'

Tessa lachte weer – ze herkende het geluid amper. 'Ja,' fluisterde ze. 'Ja.'

'En onze God...?' vroeg Simeon.

Ze knikte naar de lieve man. 'Ja, Simeon. De God van Israël is ook mijn God.'

Er liepen nog meer leden van het gezin de kamer binnen. Op zeker moment werd er zelfs een maaltijd binnengebracht. Daniël bleef tijdens de hele maaltijd vlak naast Tessa zitten. Toen hij een groot stuk brood pakte en dat helemaal in zijn mond stopte, begroef ze haar gezicht in zijn donkere krullen en lachte opnieuw.

Ze behoorde nog steeds toe aan Spiro, daar kon ze niet onderuit. En ze kon niet bevatten hoe ze de pijn van die wetenschap zou moeten combineren met deze nieuwe vreugde. Maar ze zou leven. Want nu behoorde ze ook toe aan Jahweh.

VIJFENDERTIG

S piro zat op de portico voor zijn huis en staarde naar de zon, die zijn hoogste punt aan de hemel al lang geleden had bereikt.

Hij had lang genoeg gewacht.

Toen Tessa 's ochtends niet was gekomen, had hij aangenomen dat ze na alle gebeurtenissen van de voorgaande dag wat extra slaap nodig had. Toen het middag werd, begon hij zich te ergeren aan haar gebrek aan respect. Nu was hij gewoon kwaad.

Ik heb lang gewacht op deze dag en zal me dit genoegen niet laten ontnemen.

Dacht ze soms dat ze zich als een vrije vrouw kon gedragen?

Hij zat nu al een uur in dubio – hij zou haar het liefst gaan halen, maar als iemand wist dat hij zijn hetaere moest smeken om naar hem toe te komen, zou dat een enorme afgang zijn.

Zijn verlangen naar haar werd echter te groot. Hij sloeg met zijn vlakke hand tegen een zuil en riep een slaaf.

Een paar minuten later stond er een wagen klaar. De slaaf klom aan boord en pakte de teugels.

'Nee,' zei Spiro, 'ik ga alleen.'

Op die manier zou hij minder opvallen.

De slaaf knikte en stapte weer af.

Het havengebied lag aan de andere kant van de stad, onder aan de heuvel waarop zijn huis was gebouwd. De wagen hobbelde over de ruwe, steile weg, waardoor hij een aantal keren tegen de rand van de wagen werd geslingerd en een hand tegen het achterwerk van de os moest leggen om zijn evenwicht te bewaren, wat hij erg onsmakelijk vond.

Hier zal ze voor boeten.

De afgelopen dagen had Spiro wel eens vermoed dat Tessa het liefst van Glaucus bevrijd zou worden om zijn hetaere te worden. Maar hij maakte zich inmiddels geen illusies meer. Ze zou een ingehuurde gezelschapsdame zijn, geen vrijwillige.

Des te beter. Een slavin moet doen wat haar wordt opgedragen.

Hij glimlachte bij de gedachte, ook al werd hij weer tegen de rand van de wagen geslingerd.

Het standbeeld van Helios kwam steeds dichterbij. Hoewel het beeld al voor zijn geboorte was gebouwd, was hij er altijd weer van onder de indruk.

Wat een technische prestatie. We zijn waarlijk een buitengewoon volk.

Maar zijn trotse gedachten maakten al snel plaats voor een toenemende woede. Tessa was hier in het havengebied, in het huis van Servia, terwijl ze bij hem thuis hoorde te zijn. Het werd tijd om haar haar plaats te wijzen.

Hij stormde het huis van Servia binnen. Een jong meisje gluurde vanuit de hal om de hoek.

Spiro wees naar haar. 'Breng Tessa ogenblikkelijk naar me toe!'

Het meisje zette grote ogen op bij zijn strenge toon en verdween uit het zicht. Hij bleef wachten, hopend dat hij nog enige waardigheid kon behouden door Tessa naar hem toe te laten komen. Maar ze kwam niet.

Hij weigerde naar haar te gaan zoeken als een ouder van een ongehoorzaam kind dat zich heeft verstopt. 'Tessa!' Zijn schreeuw weerklonk door het hele huis. 'Kom, Tessa!' Hij sloeg zijn armen over elkaar, tikte met een sandaal op de vloer en bleef wachten. Uiteindelijk klonken er trage voetstappen op de trap. Hij tuitte tevreden zijn lippen.

Eindelijk.

In gedachten zag hij zichzelf al met haar aan zijn zij door de straten van Rhodos lopen, terwijl de hele stad uitliep om naar hen te kijken.

Maar het was Tessa niet die van de trap af kwam lopen.

'Servia!'

'Ik ben net zo verrast om jou hier aan te treffen, Spiro. We krijgen hier niet vaak mannen van aanzien over de vloer.' Er glinsterde een gouden tand toen ze glimlachte. 'Meestal moet ik de meisjes de stad in brengen.' Ze nam hem even op. 'Je bent toch niet nu al op zoek naar een ander meisje?'

'Ik ben op zoek naar Tessa!'

Servia trok haar wenkbrauwen op. 'Is ze dan niet bij jou?'

'Heb je haar gezien?'

Servia wenkte het jonge meisje dat nog steeds vanachter een zijden gordijn achter in de hal naar hen gluurde. 'Jij zei toch dat Tessa hier het grootste deel van de dag is geweest?'

Het meisje tippelde verlegen naar hen toe en knikte. 'Ze lag tot laat in de middag in bed. Toen kwam die oude man haar ophalen.'

'Oude man?' gromde Spiro.

Het meisje keek naar hem op. 'Een oude Jood.'

Simeon. 'Heeft hij gezegd waar ze heen zouden gaan?'

Het meisje speelde met een haarlok en wiegde zachtjes heen en weer op haar voeten. 'Hij stelde haar een paar vragen, maar ze gaf geen antwoord. Hij zei dat hij haar ergens zou brengen waar het veilig was, waar iemand zou zijn om haar te verzorgen.'

Servia legde haar handen op haar brede heupen en keek het meisje aan. 'Was ze ziek?'

Het meisje haalde een schouder op. 'Niet ziek. Ik geloof... de man had het over haar geestelijke gezondheid.'

Servia glimlachte sardonisch. 'Na één dag met jou, Spiro...'

'Genoeg!' Hij kon de drang amper onderdrukken om de vrouw een klap te verkopen. 'Als ze terugkomt, moet je haar onmiddellijk naar mij toe sturen.'

Servia glimlachte nog steeds. 'Natuurlijk.'

Hij wierp beide vrouwen een laatste minachtende blik toe en raasde het huis uit. Hij sprong de wagen op en greep de teugels. Er waren niet veel plaatsen in deze stad waar een Jood een hetaere

339

kon verstoppen. Hij zou haar snel weten te vinden.

Spiro zwiepte met de teugels en keerde de wagen om. Met zijn blik op de os gericht, dacht hij na over Tessa en de Jood. Pas toen hij vanuit zijn ooghoek iemand op zich af zag komen rennen, keek hij op. Het duurde even voor het tot hem doordrong naar wie hij keek.

Nikos!

Zijn halfbroer zag hem op hetzelfde moment en kwam vlak voor de wagen slippend tot stilstand.

'Jij bent van dit eiland verdreven!'

'Ik kom haar halen, Spiro.'

'Wie?'

'Doe maar niet of je neus bloedt. Ze hoort bij mij.'

Spiro lachte. 'Door al die jaren in de goot weet je blijkbaar weinig van de slavenmarkt.' Hij hield zijn hoofd een beetje schuin en sprak hem op schoolmeesterachtige toon aan. 'Ze hoort bij Servia, Nikos. Ze is een slavin. Mensen betalen om van haar diensten gebruik te maken. Ik heb voor haar betaald. Ze dient *mij*.'

'Waar is ze?'

Spiro wikkelde de teugels om zijn hand en wierp hem een kwade blik toe. 'Ga van dit eiland af, Nikos. Je mag de goden dankbaar zijn dat de Raad je niet heeft laten ophangen. Ik zou daar niet op tegen zijn geweest.'

'Ik kom haar van Servia kopen. En dan ga ik haar vrijlaten.'

'Ga toch weg! Heb je enig idee wat voor bedragen Servia voor Tessa ontvangt? Ze kan de rest van haar leven op haar teren.' Hij glim-lachte en leunde voorover. Op zachte toon voegde hij toe: 'Tessa is natuurlijk geweldig, maar ik heb zomaar het vermoeden dat ze met de jaren alleen maar beter zal worden.'

Nikos' gezicht liep rood aan van woede en hij kwam op de wagen afrennen. Aan zijn himation rukte hij Spiro van het voertuig. Hij hield zijn gezicht dicht bij dat van zijn broer.

'Luister, Spiro. Ik heb het hele vermogen van Kalymnos tot mijn beschikking. Ik *zal* haar vrijlaten. Ze houdt van mij!' De laatste woorden spoog hij Spiro's gezicht.

Spiro duwde zijn broer van zich af. '*Houdt* van jou? Daar is ze niet eens toe in…'

'*Jij* bent daar niet toe in staat! Jij begrijpt alleen obsessie en lust. Maar ze houdt van mij, Spiro! En ze zal uit eigen wil met mij meekomen!'

De laatste woorden raakten Spiro als een klap in zijn gezicht. Hij had zich erbij neergelegd dat Tessa niet uit eigen wil bij hem zou zijn. Maar hij zou haar nooit toestaan van een ander te houden. Er kwam een gevoel van woede in hem boven zoals hij het zelden had ervaren.

Ze is van mij. Ze is van mij. Ze is van mij.

'Jij zult haar nooit krijgen,' zei hij op ijskoude toon.

Nikos snoof verachtelijk en keerde zich om, richting Servia's huis. Zijn intentie was duidelijk.

Je zult haar nooit krijgen.

'Ik zal haar vermoorden voor je de kans krijgt.'

Spiro sprak de woorden zachtjes uit, maar Nikos draaide zich abrupt om.

De ontsteltenis op het gezicht van zijn broer maakte een komische indruk op Spiro. Hij glimlachte en begon toen hardop te lachen. Hoe harder hij lachte, hoe meer hij zich bevrijd voelde. Alle opgehoopte spanning, al die verlangens – alles kwam in die ene, langgerekte schaterlach boven.

Ze is van mij. Maar ook weer niet.

Hij wierp zijn hoofd in zijn nek en lachte uitbundig om de hele situatie. En terwijl hij zijn obsessie voor haar langzaam voelde wegtrekken, kwam er iets voor in de plaats – een diepe, gerichte haat.

Ja. Als hij haar niet zou kunnen bezitten, dan zou hij haar vermoorden.

Zonder acht te slaan op Nikos pakte hij de teugels weer op en klakte met zijn tong naar de os. Hij moest haar vinden.

De sterke arm om zijn nek had Spiro niet verwacht. Hij wankelde en zwaaide met zijn armen in de lucht. De twee mannen vielen samen van de wagen af en rolden over straat.

Ik heb hier geen tijd voor. Ik heb dringende zaken te regelen.

Spiro probeerde zijn broer van zich af te duwen. Maar Nikos greep hem vast en wierp hem op zijn rug op straat. Hij kwam bovenop hem zitten. 'Blijf bij haar uit de buurt, Spiro. Raak haar niet aan! Ik wil niet eens dat je haar aankijkt!'

Hij kreeg weer de neiging te gaan lachen om het kwade gezicht van zijn broer. Maar de luchtigheid maakte al snel plaats voor frustratie. Nikos verspilde zijn tijd. Hij greep hem bij zijn kleding en wierp hem van zich af.

Ik moet haar vinden.

Hij liet de ossenwagen achter; te voet zou hij zich sneller kunnen voortbewegen. Hij rende de straat uit en hoorde al snel bonzende voetstappen achter zich. Nikos had het nog niet opgegeven.

Ik mag hem niet naar haar toe leiden. Tessa en ik moeten alleen zijn wanneer het gebeurt.

In gedachten had hij zich helemaal op zijn doel gericht, als een nauwkeurig afgeschoten pijl. Maar hij wist dat hij eerst van deze afleiding af moest komen.

Hij had geen zin zich om te draaien om met zijn dwaze broer te gaan vechten. Hij kon beter zijn krachten sparen. Hij besloot naar de Acropolisberg te rennen, in tegengestelde richting van de Joodse wijk, waar Tessa ongetwijfeld zou zijn. Daar, tussen de tempels en bomen, zou hij Nikos wel van zich af kunnen schudden.

En dan zou hij afrekenen met Tessa.

Ω

Nikos moest zich inspannen om zijn broer bij te houden, terwijl die door de straten van Rhodos rende alsof iemand de doos van

Pandora voor zijn neus had geopend.

Waar ga je naartoe, Spiro?

Toen hij in Rhodos was aangekomen, met een buidel vol geld van zijn vader, wist Nikos dat hij uit de buurt moest blijven van stadsfunctionarissen. En hij ging ervan uit dat het lastig zou worden om Servia ervan te overtuigen hem Tessa vrij te laten kopen. Maar hij had zich niet voorgesteld dat hij zijn moordzuchtige broer door de stad zou achtervolgen.

De Acropolis? Was Tessa daar? Waarom was ze niet bij Spiro? Was ze gevlucht? Hij probeerde een gevoel van wanhoop te onderdrukken en zich te concentreren op het inhalen van zijn broer.

Hij zou haar vinden. En haar bevrijden. En van haar houden.

Zijn borst deed pijn. Zijn hoofd bonsde op de maat van zijn voetstappen. Huizen en bomen flitsten wazig voorbij, tot ze het pad bereikten dat naar de Acropolis voerde.

Spiro rende een bocht om en verdween uit het zicht.

Daar, tussen de pijnbomen zag Nikos iets wits langs flitsen.

Nikos dook het pad af, het bos in.

De zonnestralen die tussen de bomen door schenen, zorgden voor lichte en donkere vlakken, waartussen Spiro's witte mantel moeilijk te onderscheiden was. Springend en duikend rende hij tussen de bomen door verder omhoog.

Toen zag hij Spiro boven aan de heuvel het bos uit komen. Iets voorbij de bosrand bleef hij hijgend staan wachten. Nikos snelde naar hem toe.

'Waar is ze?' riep hij.

Spiro spreidde zijn armen. 'Het valt niet mee om van jou af te komen,' zei hij.

Nikos legde de laatste paar voet naar zijn broer af en ramde hem in zijn maag met zijn schouder. Ze vielen beiden op de grond.

'Probeerde je me alleen maar af te schudden?' gromde hij.

Als antwoord kreeg Nikos van Spiro een vuistslag tegen zijn kaak.

'Het ziet ernaar uit dat ik jou eerst zal moeten vermoorden, broertje.'

Voor ik haar vermoord.'

Nikos gaf toe aan zijn drift en stompte Spiro op volle kracht terug.

Vermoord hem niet.

Dat waren de woorden van zijn vader. Nikos haalde opnieuw uit en betreurde het dat hij Andreas een belofte had gedaan voor zijn vertrek.

Maar Spiro vecht op leven en dood. Ik moet vluchten. Ik moet Tessa zoeken.

Ze kwamen gevaarlijk dicht bij de afgrond. Een eind onder hen sloegen de schuimende golven kapot tegen de rotsachtige kust.

Spiro sprong boven op hem. Ze rolden over de grond en kwamen steeds dichter bij de afgrond.

Een van ons gaat dit niet overleven.

Het spijt me, vader.

Maar toen hij de afgrond bereikte, keek hij even over de rand en bedacht zich iets. Hij zou aan Spiro kunnen ontsnappen zonder hem te hoeven doden. Dan zou hij wel eerder bij Tessa moeten aankomen dan Spiro.

Met een luide kreun duwde hij zijn broer van zich af. Spiro krabbelde overeind en maakte zich klaar voor een nieuwe aanval.

Het was nu of nooit.

Nikos draaide zich om naar de afgrond. Hij maakte een snelle inschatting, liep een paar passen achteruit en zette het op een rennen.

Met een schreeuw sprong hij over de rand en suisde hij even door de lucht.

Spiro's boze uitroep vervaagde achter hem.

Hij voelde de harde wind tegen zich aan blazen. Heel even zag hij Tessa's glimlach voor zich.

Eerst raakten zijn voeten de helling, daarna zijn knieën en zijn bovenlijf. Hij rolde verder naar de volgende afgrond, krabbelde overeind en sprong opnieuw.

Toen was hij in het water. Koud, donker, diep.

Zijn longen schreeuwden het uit.

Naar boven. Zwem naar boven.

Hij bereikte de oppervlakte, hapte naar adem en schudde het water van zijn hoofd.

Watertrappend keek hij naar de afgrond boven zich.

Spiro stond aan de rand naar hem te kijken.

Nikos kon de uitdrukking op het gezicht van zijn broer niet onderscheiden, maar hij had ook geen tijd om te blijven staren.

Spiro's mantel wapperde om zijn lijf terwijl hij zich omdraaide en van de heuvel begon te rennen. Nikos zwom zo snel hij kon naar het strand.

De wedstrijd was begonnen.

ZESENDERTIG

In de Joodse wijk zaten Tessa en Marta in de keuken aan tafel met bekers warme wijn voor zich. Marta had erop aangedrongen dat Tessa haar levensverhaal zou vertellen, beginnend bij de vroegste kindertijd. Elke keer als Marta haar in de rede viel om te vragen naar meer details, moest Tessa lachen.

'Je zult mijn verhaal zat zijn voor ik ermee klaar ben!' zei ze.

Marta raakte haar hand aan. 'Als het te zwaar voor je is om erover uit te wijden, begrijp ik dat natuurlijk.'

Tessa glimlachte. 'Het is erg lang geleden dat iemand zich voor mijn verhaal interesseerde.'

Marta wreef over haar hand. 'Ik wil alles horen. Ik wil er deel van uitmaken.'

Tessa slikte de emoties weg, zoals ze vandaag voortdurend leek te doen. Ze ging verder waar ze gebleven was, op een toon die zachter klonk nu ze vergeving en liefde in haar leven had toegelaten.

Ze hield abrupt op met praten toen er bij de voordeur werd geroepen. Ze hoorden dat de deur werd opengeduwd. Marta sprong overeind.

Jacob verscheen in de keuken. 'Blijf hier,' zei hij. Hij verdween de gang in. Tessa hield haar adem in.

Dit heeft iets met mij te maken.

Toen hoorde ze Spiro's gladde stem door het huis galmen.

'Waar is ze, Jood?'

'Er is hier niemand waar u mogelijk naar op zoek kunt zijn,' antwoordde Jacob.

Tessa hoorde een knal. En toen zware voetstappen.

Spiro verscheen in de deuropening. Hij nam haar rustig op. 'Daar ben je dan.'

'Hoe heb je me hier gevonden, Spiro?'

Hij lachte. 'Dacht je dat je onopgemerkt door de stad kon bewegen, Tessa? Een paar vragen, een paar drachmen. Het was niet moeilijk te ontdekken waar die oude Jood je heen had gebracht.'

Tessa legde een hand op Marta's rug. 'Ik moet gaan,' fluisterde ze. Ze kon het idee niet verdragen dat de familie waarvan ze was gaan houden door haar schuld iets zou overkomen.

'Kom, Spiro,' zei ze. 'Laten we terugkeren naar jouw huis. Het spijt me dat ik je zo lang heb laten wachten.'

Marta kneep even in haar arm en toen liep Tessa langs Spiro de gang in.

Hij aarzelde. Hij leek te twijfelen aan haar motieven.

Ze probeerde te glimlachen. 'Wilde je hier graag bij de Joden blijven, Spiro?'

Haar sarcastische toon had effect. Hij trok haar mee de straat op.

'Waar is je vervoer, Spiro?'

'Ik ben komen lopen.'

'Lopen?'

Spiro trok haar aan haar arm mee langs de Joodse huizen, richting het centrum van de stad.

'Ja. Ik had wat... moeite om hier te komen.'

Tessa bleef zwijgend naast hem lopen.

Help mij, Jahweh. Help mij ook nu te blijven leven. Leer mij te worden gezuiverd door de pijn.

De Joodse tegenliggers op straat vertraagden hun pas en staarden hen aan. Tessa glimlachte beleefd, beseffend wat een vreemde indruk ze vast wekten: de kwade strategos die zijn glimlachende hetaere met zich meesleurde.

Aan het eind van de straat bleef Spiro staan en keerde haar naar zich toe. 'Ik ben niet de enige die vandaag naar jou op zoek is, Tessa.'

Ze wierp een blik op de straat achter hem. Simeon wist waar ze was; die was al een paar uur geleden teruggegaan naar het huis van Glaucus.

347

'Wie dan nog meer?'

'Mijn bastaardbroertje is weer gesignaleerd in Rhodos.'

Tessa voelde dat haar hart iets sneller ging kloppen.

'Nikos?'

Spiro leunde naar haar toe en fluisterde in haar oor, alsof hij een geheim zou gaan verklappen. 'Hij heeft geld van mijn vader meegebracht en wil jou kopen.'

Tessa wendde haar gezicht van hem af.

Zoiets zou hij nooit doen.

'Ik wil geen bezit zijn van Nikos.' Ze rechtte haar rug. 'Of van welke man dan ook.'

Spiro's ogen fonkelden. 'Dat weet ik, Tessa.' Hij pakte haar beide armen beet en trok haar naar zich toe. 'Maar Nikos wil je vrijkopen.'

Haar hart ging weer sneller kloppen. Ze voelde een sprankje hoop. Tessa herkende meteen ook haar gebruikelijke neiging het gevoel te onderdrukken.

Maar in plaats daarvan liet ze het toe. Ze wakkerde het vonkje aan.

'Komt Nikos mij vrijkopen?' zei ze. Er verscheen een glimlach op haar gezicht.

Spiro liet een arm om haar middel glijden en drukte zijn lippen tegen haar oor. 'Hij zegt dat hij van je houdt, Tessa.'

Haar glimlach werd breder boven Spiro's schouder.

'En houd jij ook van hem?' Zijn fluistertoon kreeg iets gevaarlijks.

Ze wist dat het onverstandig was, maar volgde haar hart en antwoordde: 'Ja.' Ze zou haar gevoelens niet langer blijven ontkennen. Vanbinnen voelde ze de laatste laag steen doormidden breken.

Spiro wreef met zijn wang tegen die van haar. 'Hij zal je niet krijgen, Tessa, dat weet je toch wel?'

Dat kon ze ook niet ontkennen. 'Ja.'

'Jij bent van mij. Ik ben vrij om bezit van jou te nemen. En vrij

348

om je te vernietigen.'

Ze trok zich terug, geschrokken van zijn harde toon.

Spiro had een afstandelijke blik in zijn ogen gekregen. 'Ja,' zei hij terwijl hij haar zo bleef aanstaren. 'Ik zal bezit van je nemen. En dan zal ik je doden.'

Ren weg, Tessa.

Ze wist niet waar de woorden vandaan kwamen.

Maar ze gehoorzaamde.

Ze rende door de straten, die een grijze tint hadden aangenomen in het schemerlicht. Ze wist niet waar ze naartoe moest rennen. Ze wist niet waar Nikos was of waar ze veilig zou zijn.

Maar haar voeten brachten haar onwillekeurig naar de plek die haar zelfs nu nog aantrok.

Naar de haven.

Naar het standbeeld.

Ω

Ergens diep in de zee, onder de grond van Rhodos, verschoven tektonische platen in lagen steen die geen mens ooit had gezien. Door niemand gehoord en door niemand opgemerkt. Voorlopig.

Maar daar zou snel verandering in komen.

Ω

Spiro moest weer lachen toen Tessa het op een rennen zette. Hij wist dat hij de vrouw moeiteloos zou kunnen inhalen. En de achtervolging zou wat daarop volgde alleen maar plezieriger maken. Hij bleef even naar haar staan kijken, om haar te laten geloven dat ze hem was ontvlucht. Toen tilde hij zijn himation een stukje op en bond die vast om zijn middel, zodat hij vrij zou kunnen rennen. In de verte werd Tessa's gestalte steeds kleiner. Het was tijd om de jacht in te zetten.

En zo rende hij alweer door de stad. Maar ditmaal genoot hij ervan. Zijn prooi was in zicht. Zijn vijand wist hen niet te vinden.

Terwijl hij rende, liet hij zijn gedachten terugkeren naar alle belangrijke momenten die hieraan waren voorafgegaan, alle gebeurtenissen die naar dit moment toe hadden geleid. Het toneelspel, de manipulatie, het gekruip om bij de juiste mensen in de smaak te vallen. Het moment waarop hij strategos was geworden. De goedkeuring van zijn vader, die hij zo snel weer was verloren.

Zijn sandalen klapten tegen de weg. De afstand tussen hem en Tessa werd steeds kleiner.

Het aquaduct. De beheerder die hem betrapte, de bewaker van het waterhuis. Ajax. Het was hem allemaal hierom te doen geweest. Om Tessa.

Hij realiseerde zich terwijl hij rende dat hij de monarchie eigenlijk niet eens zo belangrijk vond. En was de goedkeuring van zijn vader echt zoveel waard?

Alles viel toch in het niet bij Tessa?

Een eind verderop zag hij haar struikelen, waarna ze snel weer opstond en verder rende.

Hij was nu zo dicht bij haar dat hij haar kon horen hijgen. Het geluid behaagde hem.

Toen zijn lichaam dat van haar raakte, vielen ze allebei bijna voorover. Hij ving haar op en ze draaiden samen een rondje – een geïmproviseerde dans op de lege straat.

Ze sloeg met haar vuisten tegen zijn borst.

Hij liet haar grijnzend haar gang gaan.

De zon was nu bijna onder, waardoor er lange schaduwen vielen in de stegen. Hij trok haar een steegje in, waar niemand hen zou kunnen zien en haar gegil hopelijk niet zou worden gehoord.

En gillen deed ze.

'Hou op!' Hij wilde zijn eigen gedachten kunnen horen, niet dat gekrijs.

Niet hier. Niet hier.

Nee, hij moest haar mee naar huis nemen. Het mocht niet in een steegje gebeuren, zo laag mocht hij niet zinken.

Hij schudde haar door elkaar. 'Hou op! We gaan naar huis.'

Haar gehuil nam af en ze keek hem wantrouwig aan.

Ze gelooft niet dat ik echt van plan ben haar te vermoorden.

Dat zou het misschien makkelijker maken haar mee te krijgen, maar om de een of andere reden zat het hem toch niet helemaal lekker.

Hij legde zijn handen op haar hoofd en trok haar speld los, zodat haar krullen vrij over haar schouders heen vielen.

'Zo,' zei hij. 'Zo heb je het toch graag?'

Er welden tranen op in haar ogen.

'Tranen, Tessa?' Hij bleef haar haren aanraken en trok toen haar hoofd naar zich toe, tot hun lippen elkaar bijna raakten. 'Huil je om Nikos? Of huil je omdat je weet dat ik je liever zou vermoorden dan je toestaan van hem te houden?'

De tranen rolden nu over haar bleke wangen en vielen neer op straat. Toen ontspande ze zich. Haar ogen vielen dicht.

Juist, Tessa. Leg je er maar bij neer dat je van mij bent.

Hij deed een stapje achteruit en liet haar haren los.

'Laten we naar huis gaan, Tessa.' Hij glimlachte. 'Ik zal je mijn binnenplaats laten zien bij het maanlicht.'

Ze waren even stil.

Toen trok Tessa met alle macht haar knie op.

Spiro kermde het uit. Hij klapte voorover van de pijn.

Tessa rende.

Ω

Nikos kwam onder aan de afgrond van de Acropolisberg de zee uit lopen. Het witte strand voelde zacht aan onder zijn voeten. Hij rende langs de kustlijn in de richting van de haven. Zou hij Servia eerder kunnen bereiken dan Spiro? Of had Spiro al voor zijn ontmoeting met Nikos vastgesteld dat Tessa daar niet was?

Hij moest het hoe dan ook proberen.

Het strand werd steeds ruiger, wat zijn voortgang vertraagde. Hij klom over grijze rotsen die glad waren van het slib, en sprong ten slotte weer in het water. In de branding kwam hij gemakkelijker vooruit dan over de scherpe stenen.

Voor hem maakte de kustlijn een scherpe bocht naar rechts.

De haven lag daar vlak achter.

Zijn hart bonsde van de spanning.

Ik kom eraan, Tessa.

De laatste klif om. Daar lag de haven.

Kleine bootjes dobberden aan meertrossen langs de steigers en grotere schepen lagen een eindje verder in zee te wachten op hun lading. Nikos liep een trap op die uit een rots was gehakt en klauterde de kade op.

Nog iets verder naar het huis van Servia.

Hijgend liep hij het gebouw binnen dat hem eerder was aangewezen. Hij hoorde Servia's stem vanuit een van de kamers door het luxe huis galmen.

'Je bent te dik,' zei ze. 'Ik verdien niet voldoende aan je om alles wat je eet te kunnen betalen.'

Nikos hoorde geen reactie.

'Servia!' riep hij.

De vrouw kwam meteen tevoorschijn.

'Alweer?' zei ze. 'Dit is nu al de derde keer dat je naar me toekomt, en je hebt me nog nooit voor een meisje betaald.'

Nikos haalde zijn buidel tevoorschijn. 'Daar komt vandaag verandering in.'

Ze tuurde naar de buidel als een hongerige kat.

'Hou je van dikke meisjes?' vroeg ze. 'Dan heb ik een aanbieding voor je...'

'Ik wil Tessa.'

Servia keek geërgerd omhoog. 'We hebben het hier al over gehad. Zij is niet te koop.'

352

'Weet je wie ik ben?'

Servia wuifde de vraag weg. 'Ik geef niets om politiek. Al was je de zoon van Alexander de Grote, zou het mij nog niets zeggen.'

'Maar mijn geld zegt je wel iets.'

Ze lachte. 'Ja, geld zegt me altijd iets.'

Nikos maakte het zakje open en goot de inhoud langzaam in een grote vaas die naast de deur stond. Hij keek naar Servia's begerige blik terwijl ze ieder talent probeerde te tellen dat uit het zakje gleed.

'Hoeveel?' vroeg hij. 'Hoeveel moet ik betalen om Tessa voorgoed mee te nemen van Rhodos af?'

'Voorgoed?'

'Ik wil je niet betalen voor haar diensten. Ik wil haar van je kopen.'

'En daar heb je zoveel voor over?'

'Noem je prijs.'

Ze grijnsde en begon toen te schateren. 'Twee broers, die allebei alles overhebben voor één vrouw.' Ze schudde geamuseerd haar hoofd. 'Het lijkt wel een legende. Een verhaal over twee godenbroers die strijden om een godin.'

'Hoeveel, Servia?'

Ze trok weer een ernstig gezicht. Ze bestudeerde de schat die haar was aangeboden en keek Nikos aan met een mengeling van afkeer en hebzucht in haar ogen.

Voor het eerst vroeg hij zich af waar deze vrouw toe in staat was. Zou ze hem proberen te vermoorden om het geld? Er werden mensen vermoord om mindere bedragen.

'Mijn vader is de vorst van Kalymnos,' zei hij. 'Ik ben hier op zijn gezag. Om Tessa te kopen en haar weg te voeren van dit eiland.'

Hij wachtte op Servia's reactie. Maar ze keek opeens vreemd uit haar ogen. Haar kaak verslapte en haar wangen begonnen te trillen. Tegelijkertijd klonk er een diep, angstaanjagend gerommel in de lucht, alsof er een storm was komen opzetten uit de onderwereld, zwaarder dan ze ooit hadden meegemaakt.

Nikos verloor zijn evenwicht en greep zich vast aan het deurkozijn. Het gebulder ging door, zo luid dat Nikos bang was dat hij zijn gehoor zou kwijtraken. Door het geluid heen hoorde hij angstig gegil van de meisjes in het huis.

Met een ongekende kracht werd het hele huis van zijn fundering getild en toen weer op de grond neergekwakt, alsof er een golf onderdoor rolde. Het plafond scheurde met een akelig kraakgeluid open en het huis vulde zich met stof en rook.

Nikos probeerde met alle macht de deur te openen, die klem zat in het verbogen kozijn. Hij beukte er met zijn schouder tegenaan.

De grond beefde.

Het huis gaat instorten.

Achter hem hoorde hij Servia gillen.

Eindelijk zwaaide de deur open. Nikos buitelde de straat op. Hij keek achterom, om te zien of Servia hem was gevolgd. Hij kon haar gestalte vlak achter de deuropening zien staan, maar ze vluchtte niet naar buiten. Ze bukte zich voorover.

Het geld.

Ze probeerde het geld te pakken.

Intussen ging het beven verder, opwerkend tot een gewelddadige climax.

Er spoelde opnieuw een vernietigende golf door de straat. Het ene na het andere gebouw stortte in.

Servia stond nog naar munten te graaien, in het huis waar ze zoveel meisjes had geleerd zichzelf te verkopen, toen het hele gebouw in elkaar zakte.

ZEVENENDERTIG

Terwijl Nikos met Servia onderhandelde, was Tessa naar de haven gevlucht. Ze had haar kuit opengehaald aan een steen toen ze in de steeg was gevallen, en probeerde de pijn te negeren terwijl haar voeten haar gezwind door de straten van het centrum voerden, richting de zee en het standbeeld.

En dan?

Waar zou ze Nikos aantreffen? Waar zou ze naar hem moeten zoeken?

De wind speelde met haar loshangende haren terwijl ze rende. Hoewel de stad voorbijraasde, had ze het vreemde gevoel dat het overal iets rustiger was dan gewoonlijk, alsof Rhodos zijn adem inhield in afwachting van iets onbekends.

Ze verliet de laatste woonwijk en arriveerde in het havengebied. Op de kade bruiste het van de handel en arbeid. Schepen deinden op en neer in het water. Slaven waren hard aan het werk. Koopmannen onderhandelden druk over prijzen.

Ergens begon een hond te janken. En toen nog een.

Het klonk als onaards gejank uit de onderwereld.

Tessa haastte zich naar Helios toe. Ze wist dat Spiro niet ver achter haar kon zijn.

Er hobbelde een wagen voorbij, gevuld met boomstammen waar planken van moesten worden gezaagd. Tessa pikte een stammetje dat smal genoeg was om met beide handen vast te houden en kort genoeg om te kunnen tillen. De chauffeur had niets in de gaten.

Aan de voet van het beeld draaide ze zich om en ging er met haar rug tegenaan staan. Ze hield de balk voor zich uit.

Een eind verderop kwam Spiro in zicht. Hij stond even stil om het gebied af te speuren en zag haar toen staan. Hij rende op haar af.

Ze dwong zichzelf rustig adem te halen.

Concentreer je op je wapen.

Ze wikkelde haar handen stevig om het hout heen en voelde de schors in haar huid snijden.

Spiro benaderde haar behoedzaam, zijn blik op de balk gericht. 'Gaan we nu al zo met elkaar om, Tessa? Wilde je me aanvallen?'

'Ik laat je mij niet vermoorden!'

Spiro stak zijn handen op, alsof hij de onschuld zelve was. 'Ik wil alleen dat je van mij bent, Tessa. Meer heb ik nooit gewild.'

'Ik zal nooit van jou zijn, niet zoals jij dat wilt.'

Hij fronste zijn wenkbrauwen. 'Ooit had ik dat kunnen accepteren, Tessa. Toen je de marmeren godin was die om niemand iets gaf. Ik wist dat je nooit iemand in je hart zou toelaten. Daarvoor hadden te veel mensen je slecht behandeld.'

Tessa knipperde met haar ogen en liet de balk een klein stukje zakken. Haar armen zouden het niet lang meer volhouden.

Spiro kwam een paar stappen dichterbij. 'En nu, na al die gevoelloze jaren, heb je plotseling besloten je vertrouwen op die arbeider te stellen! Je zegt zelfs dat je van hem houdt!'

Zou ik echt in staat zijn Nikos te vertrouwen?

Spiro glimlachte. 'Je bent nooit vrij geweest, Tessa. En dat zul je ook nooit zijn. Er is geen liefde voor jou. Je kunt niemand vertrouwen. Je had beter die marmeren Athena kunnen blijven.'

Ik hou je vast in Mijn machtige rechterhand.

De woorden van Simeons Jahweh klonken in haar hart.

Ze voelde nieuwe kracht in haar armen stromen en hield de balk weer steviger vast.

'Ik heb Iemand gevonden Die ik wel kan vertrouwen, Spiro. Iemand Die mij nooit in de steek zal laten.'

Zijn ogen leken vuur te spuwen.

Hij denkt dat ik het over Nikos heb. Hij zou het toch niet kunnen begrijpen.

Spiro richtte zijn blik weer op de balk, die ze vasthield als een gladiatorenspeer. Hij probeerde hem vast te grijpen, maar ze trok hem op tijd weg. Tessa moest bijna lachen om het kinderlijke spel. Toen ze heel even werd afgeleid door een ontsnapte os die langs kwam lopen, wist Spiro de balk uit haar handen te trekken. Ze voelde een stekende pijn en zag een druppel bloed uit haar handpalm lopen. Hij wierp haar enige wapen opzij.

Ergens achter hem gilde een kind.

'Ik zal jou bezitten, Tessa,' zei hij. 'Bij de goden, ik zal jou bezitten. Je leven ligt in mijn handen.'

Hij schreeuwde nog toen de herrie losbarstte.

Het was een afgrijselijk geluid. Als onweer dat uit de lucht was getrokken en over de stad werd uitgegoten.

Tessa keek langs Spiro heen naar de stad.

Wat gebeurt er?

Toen begon de grond te bewegen. In een golvende beweging vanuit de zee werd het aardoppervlak en alles wat erop stond een stuk de lucht in getrokken.

Tessa's maag draaide zich om en ze verloor bijna haar evenwicht.

Spiro zette grote ogen op en deed een stap achteruit.

Achter hem zag ze de gebouwen aan de rand van de haven op en neer golven. Er stegen wolken stof en puin op.

Ze spreidde haar armen om haar evenwicht te bewaren, maar zakte evengoed door haar knieën.

Een aardbeving.

Ze moest zich inhouden om niet te gaan gillen.

Spiro viel ook omver. Maar hij maakte geen bange indruk; hij begon zelfs te lachen. Hij ging op zijn knieën zitten, wierp zijn hoofd in zijn nek en schaterde naar de hemel. 'De zeegod beukt met zijn drietand op de vloer!' riep hij. 'Poseidon zelf geeft zijn goedkeuring! Dit is een teken!'

Het was Tessa allemaal te veel.

Verderop helden gebouwen gevaarlijk ver voorover en werden toen weer teruggezet. Funderingen scheurden met veel kabaal en kwamen los van de grond. Op de kade ontstonden overal scheuren in de grond, waar water uit omhoog spoot. Mensen rolden over de grond en gilden in paniek. Er liepen ontsnapte dieren over straat. Tessa zag de verlaten os een man aanvallen en met zijn hoorns doorboren.

Toen hield het beven abrupt op en begonnen de gebouwen in te storten.

Sommige vielen neer op de schreeuwende bewoners. Sommige vielen voorover, de straat op, en verpletterden burgers die panisch in het rond renden.

Tessa riep naar de mensen die ze niet kon redden.

Overal ontstond brand en de lucht werd donker van de rook- en stofwolken.

Ze zat nog op haar knieën toen ze Spiro naar haar toe zag kruipen.

Ze krabbelde overeind en rende hem voorbij, weg van Helios, die hoog boven iedereen uit op de ravage neerkeek.

Haar hoofd werd achterover getrokken. Spiro had haar haren vast. Ze zwaaide wild met haar armen naar achteren.

Hij dwong haar hem aan te kijken.

Om hen heen klonk gegil en werden mensen verpletterd.

Zelfs nu denkt hij alleen maar aan zijn verlangens.

'Ik zal je bezitten, Tessa,' zei hij. Hij wikkelde zijn handen om haar hals. 'Ik moet zeggen dat ik het me anders had voorgesteld.' Zijn ogen twinkelden.

Er huppelde een geit langs. Achter haar bleven gebouwen instorten. Over Spiro's schouder zag ze een grote golf over de kade spoelen. Voor ze het wist, waren ze tot hun middel overspoeld door zeewater. Allerlei puindeeltjes schraapten langs haar benen.

Spiro verstevigde zijn greep om haar nek. 'Ik weet niet waarom ik niet eerder inzag dat dit beter zou zijn,' zei hij. 'Om jouw leven in mijn handen te nemen, het langzaam te vernietigen, te voelen hoe het langs mijn vingers de grond in sijpelt. Dan bezit ik je pas echt.' Hij sprak haar rustig en geconcentreerd aan, alsof de wereld

helemaal niet verging om hen heen. 'Vind je zelf ook niet, Tessa?'
Ze kon niets uitbrengen. Ze kon niet ademen.
En toch voel ik me nu meer levend dan ooit.
Er kwam een vrede over haar heen. Een besef dat zelfs nú Spiro
haar niet volledig zou kunnen bezitten. Een machtige hand hield
haar vast en zou haar blijven vasthouden, zelfs als het zwart werd
voor haar ogen.
Haar oogleden begonnen te trillen. De haven en de lucht vervaag-
den.
Maar vlak voordat ze haar ogen zou sluiten, spoelde er een nieuwe
golf aan vanuit de zee. Een grotere, sterkere vloedgolf, die Spiro een
eindje met zich meesleurde. Hij verloor zijn greep op haar nek. Ze
nam proestend een hap stofrijke adem en liet zich ook een stukje
met het water meevoeren, zodat ze een paar passen naast Spiro
terechtkwam.
De golf trok zich terug naar de zee. Maar het gebulder hield niet
op.
Nee, Tessa hoorde nu een ander geluid – een soort laag, aanhoudend gekreun, alsof de goden weenden om de vernietiging van
Rhodos.
Ze keek op om de bron van het geluid te achterhalen. Ver boven
haar leek het wel alsof Helios duizelig was geworden en wankelde
op zijn benen. Als een boom die bezwijkt aan een woeste storm.
Helios valt om.
In een helder moment hield Tessa haar adem in en zocht oogcon-
tact met Spiro. Ze wierp hem een uitdagende blik toe. En zag de
reactie in zijn ogen.
Ze voelde de schaduw van de Colossus groter worden om hen
heen.
Nog even. Nog even.
Spiro voelde het gevaar nu ook aan. Met een ruk keek hij even
achter zich. Toen keek hij haar weer met grote ogen aan.
Met alle kracht die ze nog bezat, stormde Tessa op Spiro af. Ze

sloeg haar armen om zijn borst en plantte haar voeten stevig op de grond. Hij gromde verbaasd en probeerde zich toen panisch uit haar greep los te wurmen. Ze hield stand, tot de lucht vlak boven hen een donkere, bronzen kleur aannam.

Nu.

Ze gaf Spiro een laatste duw, nam een aanloop en sprong toen met een noodgang opzij.

Ze verloor haar evenwicht door de windvlaag die ontstond toen Helios op zijn rug op het havengebied te pletter sloeg.

Tessa vloog een eindje door de lucht en werd bedolven onder modder en stenen. Het leek wel of ze werd begraven.

Maar levend begraven.

Ze bleef maar even liggen en schudde toen het puin van haar gezicht en schouders, en krabbelde overeind.

Om haar heen zette de chaos zich voort.

De val van Helios had de mensen nog banger gemaakt dan ze al waren. De aardbeving had nu de vorm aangenomen van een goddelijke straf. Er brak een blinde paniek uit in de stad.

Helios was bij zijn knieën afgebroken. Zijn onderbenen en voeten bleven overeind staan op de sokkel boven Tessa. De rest van het beeld lag in stukken op de grond, deels begraven door de kracht van de inslag. Zijn levenloze ogen staarden naar de hemel.

En ergens onder die massieve stukken brons lag Spiro.

Ω

Tessa kon later niet precies omschrijven wat haar aandreef om nog een keer op de sokkel van het standbeeld te klimmen. Om naast zijn gebroken benen te gaan staan. Om na te denken over het verleden en zich af te vragen wat de toekomst voor haar zou brengen.

Ze deed het gewoon.

En daar stond ze toen Nikos haar vond.

ACHTENDERTIG

De zon ging onder boven het verwoeste eiland. De kleuren aan de westelijke hemel waren amper te zien door alle stof- en rookwolken in de lucht.

De inwoners van Rhodos rouwden en zochten naar hun geliefden en verzamelden wat er over was van hun bezittingen. Op den duur zouden ze de stad herbouwen. Rhodos zou weer even vermogend worden als voor de ramp, zij het nooit meer even machtig.

Het standbeeld zou in stukken aan de rand van de zee blijven liggen, een zwijgend getuigenis van een vergaan tijdperk.

Maar Tessa zou geen deel uitmaken van de wedergeboorte van Rhodos.

Ze stond op het dek van een van de tientallen schepen die op het punt van vertrek stonden. Sinds de aardbeving twee uur eerder was opgehouden, hadden kapiteins overal in de haven voorbereidingen getroffen om zo snel mogelijk uit te kunnen varen. Het werd bijna nacht in de chaotische stad en op zee waren ze veiliger.

Tessa was niet alleen.

Ze pakte de gerimpelde handen beet van een van de mannen die bij haar was.

'Weet je het zeker, Simeon?' vroeg ze nog een keer.

Simeon glimlachte geduldig. 'Ze waren allemaal op de markt. Marta en Jacob hadden het hele gezin meegenomen om een vogel uit te zoeken voor de avondmaaltijd. Prijs Jahweh; ze stonden allemaal op het marktplein toen de aardbeving begon. Ze konden nergens door worden getroffen. Ze zijn met de schrik vrijgekomen.'

Tessa sloot haar ogen. Ze voelde nog een hand op haar rug, warm en geruststellend.

Ze keek Simeon weer aan. 'En Daphne en Persephone?'

'Die maken het ook goed. Daphne had de bruiloft door laten gaan omdat ze nu als weduwe afhankelijk is van de echtgenoot van haar dochter. Maar Hermes…' Simeon liet zijn hoofd zakken. 'Hermes werd tijdens de ceremonie gedood.' Hij keek hen beiden aan. 'Persephone vroeg naar jullie beiden. Wat zal ik tegen haar zeggen?'

Tessa voelde dat Nikos vlak achter haar stond en liet haar hoofd tegen zijn schouder rusten. 'Zeg maar tegen Persephone dat de Tessa en Nikos die zij kende, zijn omgekomen tijdens de aardbeving. Maar een ander stel is aan boord van een schip gegaan om elders aan een nieuw leven te beginnen.' Ze glimlachte. 'Help Daphne een goede man uit te zoeken, Simeon. Eentje die Persephone met eerbied zal behandelen.'

Simeon knikte en trok zijn handen terug uit die van Tessa. Hij boog zich naar haar toe en fluisterde: 'Ik zal je missen, meisje.'

Tessa omhelsde Simeon en voelde een brok in haar keel ontstaan. 'En ik jou.' Ze trok haar hoofd weer naar achteren om naar zijn lieve gezicht te kijken. 'Waarom kom je niet met ons mee?'

Simeon glimlachte. 'Ik heb hier mijn familie.' Hij staarde boven haar hoofd uit naar de zee. 'Maar misschien gaan we binnenkort wel met z'n allen op reis. Ik denk dat het tijd is om terug te keren naar Jeruzalem.'

'Je thuis.'

'Ja, maar ik verlang niet alleen naar mijn thuis. Ik verlang naar de verlossing van Israël.' Hij keek haar weer aan en er kwam een jeugdige gloed in zijn ogen. Hij fluisterde. 'Ik verlang naar de komst van de beloofde Messias.'

Tessa omhelsde hem opnieuw. Wat hield ze veel van deze man. Nooit zou ze hem voldoende kunnen bedanken voor alles wat hij voor haar had gedaan.

'Pas goed op jezelf, Simeon.'

Simeon richtte zich tot Nikos. 'Ik vertrouw jou een stukje van mijn hart toe,' zei hij.

Tessa glimlachte naar Nikos, die Simeon op zijn schouder klopte.

'Ik zal je niet teleurstellen.'
En daarmee ging Simeon weg.

Ω

Het was al nacht toen het schip eenmaal het anker lichtte en de zee
op ging. Er stond een gunstige wind, waardoor de vluchtelingen
het eiland snel achter zich zouden kunnen laten.
Iedereen was zo in beslag genomen door de verwoesting van de
stad dat niemand aandacht schonk aan de passagiers van de ver-
trekkende schepen.
Tessa stond op het achterdek en keek toe hoe Rhodos langzaam uit
het zicht verdween. Het leek wel alsof ze de greep van de stad nu al
kon voelen verdwijnen. Ze zou de positie van meest bewonderde
hetaere overlaten aan Berenice, en bidden dat het meisje er niet
aan onderdoor zou gaan.
Nikos sloeg een arm om haar middel en trok haar naar zich toe.
'Je bent vrij, Tessa.'
Ze liet haar hoofd tegen hem aan rusten. 'Echt waar? Ik kan het
niet geloven.'
'Servia is dood. En goed betaald voor alle moeite,' voegde hij toe.
'Glaucus is dood. Spiro is dood. En in alle consternatie zal niemand
twijfelen aan de geruchten dat jij ook bent omgekomen.'
De kustlijn van Rhodos maakte een lege indruk zonder Helios. In
plaats van de fakkels die elke nacht aan zijn voet hadden gebrand,
woedden er nu overal branden in de stad.
Tessa dacht aan Helios, de kolos die zo lang een centrale rol in haar
leven had gespeeld. Ze was haast een evenbeeld van het standbeeld
geworden: koud, gevoelloos, gemaakt van steen en brons. Maar ook
tot de grond toe afgebroken. En daarom hunkerend geworden naar
verlossing – een verlossing die zij ook had mogen ervaren.
Ze glimlachte naar Nikos. Hij was een man, geen god, en zou haar
allicht teleurstellen. Maar dat risico durfde ze wel te nemen. Het

risico om een ander te vertrouwen, om zowel vreugde als verdriet toe te laten, omdat ze wist Wie haar in werkelijkheid vasthield.

Terwijl Rhodos op de achtergrond vervaagde en ze hun toekomst tegemoet zeilden, trok Nikos Tessa's gezicht naar zich toe om haar er weer aan te herinneren wat het leven zo de moeite waard maakte.

De lijst van de zeven klassieke wereldwonderen kwam langzaam tot stand. Er werd voor het eerst aan gerefereerd door de Griekse historicus Herodotus in 450 v.C., en pas in de tweede eeuw voor Christus kwam de dichter Antipater met een definitieve lijst. Hoewel alleen het oudste van de zeven, de Piramide van Cheops, nog bestaat, zijn deze klassieke wonderen der techniek altijd tot de verbeelding blijven spreken.

De Colossus van Rhodos werd gebouwd door Chares van Lindos, die er rond 290 v.C. aan begon. De bouw zou twaalf jaar hebben geduurd. Vermoedelijk werd er eerst een ijzeren geraamte gemaakt, dat werd gevuld met steen en ten slotte bedekt met bronzen platen. Tijdens de constructie omringden de bouwers het beeld met bergen grond, die steeds hoger werden naarmate het beeld in omvang toenam. Toen de Colossus klaar was, werd de grond eromheen verwijderd en torende het beeld uit boven de haven. Het was zo'n 32 meter hoog.

De Colossus bleef maar 56 jaar overeind staan, tot die door een aardbeving aan zijn knieën werd afgebroken. De Egyptische koning Ptolemaeus III bood geld aan om het beeld te laten herbouwen, maar de inwoners van Rhodos sloegen dit af omdat ze geloofden dat ze de god Helios met het beeld hadden beledigd. Ze kozen ervoor de brokstukken aan de kust te laten liggen. En daar bleven ze negenhonderd jaar. Hele nieuwe rijken kwamen op en vergingen om de gevallen Colossus heen, tot de bronzen restanten – zo gaat het verhaal – werden gekocht door een Arabische koopman, die ze met negenhonderd kamelen naar huis vervoerde.

Tijdens het schrijven van *Schaduw van de Colossus* had ik het voorrecht om het eiland Rhodos te bezoeken. U vindt foto's en video's van dit prachtige eiland op mijn website, www.TLHigley.com. Zo kunt u een beter beeld krijgen van de haven, de straten en de Acropolis waar Tessa vocht voor haar vrijheid en bevrijding vond. U kunt daar ook ontdekken wat er verzonnen en wat er waar is in dit boek.